МАРИЯ ДОЛОНЬ

#в_чёрном_теле

МОСКВА
2019

УДК 821.161.1-312.4
ББК 84(2Рос=Рус)6-44
    Д64

Оформление серии *С. Власова*

Долонь, Мария.
Д64   #в_чёрном_теле / Мария Долонь. — Москва :
Эксмо, 2019. — 352 с. — (Татьяна Толстая рекомендует. Новый детектив).

ISBN 978-5-04-098921-8

Могла ли Инга Белова вообразить, что случайная находка — женская голова в канализационном люке — не просто сведет ее со старыми знакомыми из журналистского прошлого, но и приведет к одному из самых страшных дел в практике? Прошлое и настоящее, реальность и Сеть — все сплелось в клубок, который предстоит распутать той, что видит истинный цвет слов.

УДК 821.161.1-312.4
ББК 84(2Рос=Рус)6-44

ГЛАВА 1

— Что значит недотруп? Степаныч, ты нормальный вообще? — Сзади завыла сирена. Кирилл перекинул телефон в другую руку, включил правый поворотник, втиснулся между машинами. Мимо промчалась «Скорая». Он попытался вернуться в левый ряд, не вышло. — Да еду я, еду! — Заскребли дворники, бурая жижа полетела по сторонам. Кирилл болезненно скривился. — Выспаться, гады, не дали.

Включил радио. Но вместо музыки по салону разнёсся старушечий скрипучий голос.

«— ...хорошенько — ты, наверно, устал. Ведь человеческие головы — нелёгкая ноша.

— Что вы болтаете! — закричал Якоб. — Устать-то я и вправду устал, но я нёс не головы, а кочаны капусты. Вы купили их у моей матери.

— Это ты неверно говоришь, — сказала старуха и засмеялась.

И, раскрыв корзинку, она вытащила из неё за волосы человеческую голову»[1].

— Ничего себе детское радио! — Кирилл крутанул колесо настройки. — И это, блин, слушает Вика.

На месте уже работала дежурная группа. Он вылез из машины и, переступая натянутые верёвки, подошёл к офисному зданию. Плитка перед входом была разворо-

---

[1] Вильгельм Гауф. «Карлик Нос».

5

чена. Под козырьком зиял чернотой открытый люк колодца. Поодаль на корточках сидели таджики в оранжевых жилетах, в сторону полицейских старались не смотреть. Рядом переминался с ноги на ногу прораб — в кожаной куртке, отглаженных джинсах и остроносых ботинках. К стене прислонился молодой парень в худи с капюшоном, из-под которого была видна модная щетина. Чёрные штаны на нём сидели мешком, всё вкривь и вкось, сразу видно — работа хорошего дизайнера. Хипстер (как сразу прозвал его Кирилл) увлечённо читал с телефона. Недалеко от люка над чёрным пластиковым мешком склонилась полная женщина в длинном сером плаще. Очки съезжали ей на кончик носа, и она наработанным движением возвращала их на место, а заодно заправляла за ухо мокрую прядь.

Всю картину Кирилл охватил одним профессиональным взглядом, автоматически запоминая детали. Мешок для трупов был пуст. Прямо на нём лежало круглое и рыхлое, напоминающее гнилой кочан капусты.

— Привет, Холодильник! — Кирилл хлопнул женщину по плечу. — Что тут у нас?

— И тебе с добрым утром. — Судмедэксперт Женя Холодивкер разогнулась, разминая шею.

— Картина маслом «Приплыли»! — хохотнул сзади Худяков, дежурный опер, который вызвал Кирилла. — Грязные тайны московской канализации.

— Уймись, Степаныч, — поморщилась Женя. Из раскрытого мешка на Кирилла смотрел мёртвый глаз. — У нас тут голова.

— Начало хорошее, многообещающее. — Под ложечкой заныло, Архаров за версту чуял глухие дела. — Остальное где?

— Остального нету.

— Ладно, тогда рассказывай, что есть.

— Судя по стадии мацерации[1] при такой температуре, она пролежала в канализации около месяца. Может, недели три. Через день-другой скажу точнее. По идее, ткани должна была полностью разъесть бытовая химия, глаза и нос — сожрать крысы, а тут смотри-ка, даже волосы частично остались.

— А эти точки на черепе? — спросил Кирилл.

— Волосяные воронки. В воде кожа стала рыхлой, поэтому они теперь хорошо видны, — сказала Холодивкер. — Было бы потеплее, наша девушка давно бы полностью облысела. Холод её спас.

— Спас, говоришь? — Сзади навис Худяков.

— Записывай лучше, — сказал Кирилл. — Так это женщина? Уверена?

— Форма черепа, строение челюсти, ушей. — Холодивкер запахнулась в плащ. — Тут есть какая-нибудь забегаловка? Позавтракать не успела.

— А это что? — Кирилл показал на мочку правого уха.

— Какая-то цацка, — ответила Женя. — Серёжка в форме буквы «Е».

— Инициалы?

— Ага. «Заветный вензель».

— А камушки-то, похоже, брюлики. Не ограбление, стало быть.

— Обрати внимание. — Холодивкер осторожно перевернула голову, ткнула ей под подбородок. — Срез рваный, как будто пилили тупой пилой.

Кирилл опустился на корточки:

---

[1] М а ц е р а ц и я — разъединение растительных или животных клеток в тканях, результат растворения межклеточного вещества. В медицине и патологии — пропитывание тканей кожи жидкостью и их набухание.

— Я бы даже сказал, что сначала пилили, потом устали и голову от туловища оторвали. — Он встал. — Курнуть бы сейчас.

— Ты же бросил, а я, пожалуй, закурю. Аппетит отбивает. — Холодивкер затянулась. — Слышно что-нибудь от Инги?

— Вроде буквально на днях должны с моря вернуться. — Кирилл втянул дым от сигареты Холодивкер. — Думаешь, порадовать её расчленёнкой? В её практике такого ещё не было.

— Эй, на суше! — Из люка высунулся мрачный Потапов. — Ничего больше нет, кроме хлама. Ни рук, ни ног, ни тулова. Здорово, Архаров. — Кирилл подал ему руку, помог вылезти.

— Хорошо проверил?

— Не веришь, сам лезь. — Потапов отряхивал брюки.

— Я закончила. — Женя стягивала резиновые перчатки. — А вот и перевозка. Ребята, сюда!

Из машины вышли двое мужчин, открыли кузов, начали выгружать носилки.

— Что грузим? — спросил один из них.

— Да вот. — Женя показала на мешок. — Носилки, похоже, порожняком пойдут.

— Не богато у вас, — заметил санитар постарше.

— Не слушай её. Носилки давай. — Молодой старался не смотреть на голову. — Я это в руках не понесу.

— Степаныч, по твоей части что? — Кирилл обернулся к Худякову.

— Готово! — Тот убирал бумаги. — Запротоколировано и снято. Тебя вон инженер ждёт с разъяснениями.

— Голову он обнаружил? — спросил Кирилл.

Худяков оторвался от протокола, отрицательно мотнул головой, показал на таджиков.

— Амон, сюда иди! — крикнул он прорабу.

— Можно лучше вы сюда, уважаемый? — Амон не сдвинулся с места.

— Амон, камон, не выдрючивайся!

Кирилл чертыхнулся, поднял воротник. Кончался апрель, но было по-зимнему холодно и промозгло. Он махнул Амону, и они подошли к хипстеру в худи. Тот, наконец, оторвался от телефона.

— Илья, — протянул он руку. — Я тут как бы от проектной организации.

— Ну, тогда «как бы» рассказывай, Илья. — Кирилл одним плечом опёрся о стену. Почувствовал холод камня.

— Мы по всей улице снимаем асфальт, меняем на плитку. По городской программе благоустройства. А тут косячок небольшой приключился. — Илья кивнул офисным работникам, прижавшимся изнутри к большому прямоугольному окну. Те, будто застуканные за непристойным занятием, отпрянули вглубь.

— И какой же, интересно?

— Новая плитка выше входа в здание легла, — невозмутимо продолжил Илья. — Мы, получается, этих товарищей замуровали. Не специально, конечно. Просто так вышло, дверь их открываться перестала.

— Даже так? А высотные отметки до начала работ пробить не пробовали? — уточнил Кирилл.

— Мы докладывали начальству, но кто нас слушает? — равнодушно ответил Илья. — Приехал владелец здания. Мы ему говорим, надо дверь менять, поднять её как-то до уровня улицы...

— Он как кричал, — встрял Амон. — Так сильно кричал. Ругался очень. Эту дверь, говорил, всю жизнь работать будем. Нехорошо говорил.

— Подожди, Амон, — осадил его Илья. — Скандальный попался мужчина, ага. Другие, вон, по всей улице меняют, и ничего. Но не суть. Начали мы искать обходные пути. Тут вдоль улицы всего одна магистралька идёт...

— Магистралька? — переспросил Архаров.

— Магистральная ливневая канализация, — объяснил Илья. — То, что мы их замуровали, — эт ладно, тут же проблема в чём: будет вход в офис ниже улицы, они же в любой дождь до лифтов по холлу только вплавь смогут добираться, заливать первяк будет по самую макушку. Но этот же не понимает. Короче, я полез в этот колодец. — Они подошли к люку у проезжей части. Пахнуло сыростью и холодом. — Думаю: если там переходник есть, сделаем дренажный отвод, сверху грязесборкой прикроем, и будет чики-поки. — Илья поймал непонимающий взгляд Кирилла. — Ну, короче, и уровень сможем опустить, и вода в здание не прольётся Ниагарой. Так понятней?

— Ты придумал план, как угодить и нашим и вашим, — сказал Архаров.

— Вся надежда была на то, что там труба какая от древних времён осталась, — сказал Илья. — Смотрю, и truly есть. Так в центре это на постоянке: на геоподоснове одно, в реале — ещё туча труб тридцатых каких-нить годов, о которых никто ни слухом ни духом. Мы давай искать старый колодец. Сняли почти всю плитку — пусто. Дошли до двери — и вуаля! — Илья широким жестом показал на порог. — Люк. Мы его сковырнули, Амона с фонарём вниз запустили... Оттуда он с воплем сразу и левитировал.

— Зачем обзываешь! И ничего не с воплем, — возразил Амон. — Так, испугался чуть-чуть. А ты бы не испугался, да? Лезу, свечу в воду, а она на меня смотрит!

Помолчали.

— Секундочку. — Кирилл подошёл к одному люку, потом к другому. — То есть, если бы не ваш косячок, голову никогда бы не нашли?

— Выходит, так, — кивнул Илья.

— А приплыла голова из этого колодца? — Кирилл ткнул пальцем в люк.

— Исключено. Как инженер говорю. Застряла бы в трубе, без вариантов.

— Что вы мне тут голову морочите? — вспылил Кирилл. — Приплыть не могла. Бросить её в колодец было невозможно. Тогда откуда она там взялась?

— Ты следак, ты и выясняй. — Илья щёлкнул телефоном, проверяя вотсап.

* * *

Они сидели на затёртой танкетке, привалившись к кафельной стене. Одной на вид было не больше двадцати пяти — нос немного картошкой, румянец во всю щёку, пухлые губы, глаза небольшие, невыразительные, ноль косметики. Вроде и симпатичная, но пройдёшь мимо и не замстишь. Возраст второй определить было сложно: ей могло быть и сорок пять, и за шестьдесят. Лицо в буграх, отёчное, под глазами такие мешки, что самих глаз почти не видно, хоть они были грубо очерчены чёрным карандашом. От губ вниз глубокие складки. Обе женщины в чёрном. У молодой на коленях лежала серая куртка, которую она беспрерывно мяла в руках, пожилая так и сидела в толстом пальто, кутаясь и ёрзая, как будто сильно мёрзла. Но в морге и правда тепло не бывает.

— А я тебе говорила, Лидк, плохо она кончит! Плохо! — Женщина повернулась всем корпусом к молодой. — Не слушала мать, и вот на тебе! И что теперь мне делать, старой, больной! Нет, ты скажи! — Лицо её перекосилось. — Что, пахну для тебя, чистенькой, неважнецки? А кто растил вас, кормил, по дворам да подворотням после уроков искал? — И неожиданно тихо и зловеще завыла: — Ой, боженьки мои! На кого ж ты меня покинула, дочушка ненаглядная!

— Перестаньте, Вера Ивановна! — Девушка сидела, отвернувшись от неё. — Может, это ещё и не она.

Кирилл наблюдал за ними из приоткрытой двери кабинета Холодивкер.

— Оперативно вы сработали, — сказала Женя за его спиной. Она сидела за компьютером, писала заключение. — Синенькая у нас кем будет?

Кирилл тихо закрыл дверь.

— Мать. Три недели назад, десятого апреля, написала заявление о пропаже дочери. Похоже, нашлось её чадо.

— Увы, фрагментарно. А родительница у нас запойная, — сказала Женя. — Судя по её виду, кадр заслуженный, двадцатилетней выдержки как минимум. Странно, что она вообще сунулась в полицию с заявлением.

— Да она не сама, пэпээсники доставили. Дочь её содержала. Раз в месяц привозила деньги. А тут — нет и нет.

— А трубы горят, ага.

— Дочка-то в люди выбилась, квартиру снимала в модном квартале на Патриарших. Соседи говорят, что мать сначала ломилась в её квартиру. Потом сутки сидела на лестнице, выла, людей пугала. «Скорая» её не брала, наркологи тоже без согласия клиента теперь даже в машину не сядут. Короче, соседи вызвали наряд, и к нам её, писать заявление о пропаже дочери.

— А вторая кто?

— Лидия Тихонова, школьная подруга пропавшей. Работает экскурсоводом, возит группы по Москве и Подмосковью. Эта, слава богу, адекватная. С её слов всё сходится. Да, и серёжки узнала, телефон ювелира дала. Они были сделаны на заказ, в одном экземпляре. Ювелир по фотке свою работу подтвердил. Пошлю к нему Потапова закреплять опознание.

— Особые приметы какие-нибудь есть?

— Мать вспомнила про родимое пятно в затылочной части.

Холодивкер кивнула:

— Есть такое.

— Осталось заключение от дантиста. Завтра жду. Ну мы, конечно, ещё для проформы посомневаемся, но так-то всё ясно: наша девушка.

— Ладно, Архаров, пойдём. — Холодивкер встала. — Вот тебе до кучи плоды моих трудов: туалет головы выполнила, даже небольшую реконструкцию провела, о чём имеется акт и судебно-медицинское заключение.

— Знаешь, мать, я себе на цепочку медальон повешу — группу крови, то-сё, отказ от реанимации, органы на донорство, а на обороте выбью золотом: желаю вскрытия только у Холодивкер Е. В. Ты же мне по знакомству сделаешь туалет в лучшем виде? Обещаешь?

— Если тебе голову оторвут, цепочка не поможет.

Кирилл засмеялся.

— Накопала что-нибудь?

— Там много странностей, Кирюша. — Женя покачала головой. — Её как будто три раза убили — сначала кислотой, потом ударом в висок и в конце концов отсекли голову. — Она посмотрела на Архарова. — Это же как надо было разозлить убийцу?

Они вышли в коридор. Лида, увидев Архарова и Холодивкер, встала. Вера Ивановна осеклась на полуслове, на лице стоп-кадром застыла гримаса.

— Вера Ивановна, Лидия Анатольевна, спасибо, что прибыли. Я должен вас предупредить, что зрелище не из приятных. Вы уверены, что готовы?

Кирилл в упор смотрел на молодую девушку. Лида аккуратно опустила на банкетку мятую куртку.

— Ой, солнышко ты моё, Галчонок маленький! — Вера Ивановна вскинула руки и стала заваливаться на сиденье. Казалось, сейчас начнётся истерика. Но она неожиданно метко толкнула Лиду в спину. — Ты иди, иди, нечего мне там делать, потом всё расскажешь. — Обернулась к Кириллу: — Не бойся, начальник, подпишу всё, что положено.

И уставилась в стену.

Кирилл позвал понятых. Вера Ивановна так и не двинулась с места.

— Прошу вас, — с нажимом обратился к ней Архаров.

— Без пол-литры я на такое смотреть не подписывалась, — огрызнулась женщина.

Из прозекторской донёсся сдавленный вскрик. Когда Кирилл вошёл, Лида была бледнее кафеля. Отшатнувшись от него, она быстро выскочила в коридор. Архаров глянул на стол. Холодивкер постаралась на славу: вместо раскисшего одноглазого лица Кирилл увидел восковую накрашенную куклу, до шеи накрытую простынёй, под которой была пустота.

Лида пришла в себя в кабинете Жени. Она прихлёбывала крепкий чай. Архаров не решился предложить ей пастилу и печенье.

— Галька такая красивая всегда была, — сказала Лида. — Сама про себя говорила «икона стиля». Господи, страшно-то... Вы теперь искать будете, кто такое мог...

— С какого класса вы учились вместе? — мягко спросил Кирилл.

Лида беззвучно плакала. Растирая слёзы по щекам, показала на пальцах — с третьего.

— Это, считай, всю жизнь вместе. Она какая была? Тихая? Заводила? Вспомните, может, обидела кого? Врагов себе нажила?

Девушка помотала головой.

— Галя, конечно, у нас резкая... — она вздохнула, — была. Что думала, то и говорила. Но чтобы враги... Нет.

— Парень у неё был? Муж гражданский?

— Был один, уже год. — Лида подняла на Кирилла глаза. — Тоже красивый. Я его один раз всего видела. Но вы его найдёте легко — на страничке у Гали сплошь его фотки. Ваня Безмернов.

— Она выставляла напоказ их отношения? — уточнил Кирилл.

— Не без того, — согласилась Лида.

— Серёжки эти, — Кирилл положил перед девушкой буковку Е, — не он, случайно, подарил?

— Нет, — Лида помотала головой и даже улыбнулась. — Это она сама себе заказала, когда придумала псевдоним. Она терпеть не могла своё настоящее имя — Галина Белобородько. Е — первая буква её нового имени, а G — в память о старом.

— Может быть, было что-то в прошлом у вашей подруги? — Кирилл помолчал. Лида не отвечала, выпрямилась, как будто собралась внутренне. — Что-то такое, что она могла бы скрывать от окружающих? Но вы, как давняя подруга, были в курсе. Или догадывались о чём-то? — Кирилл опять не дождался ответа. — Женщины чувствуют, если есть какая-то тайна, согласны?

— Нет, — ответила Лида. — Ничего такого я не знаю. — Она встала. Стул с неприятным скрипом отъехал назад. — Тяжело всё это! Можно я поеду? Если вспомню что, сразу позвоню.

— Понимаю. — Кирилл тоже поднялся. — Подпишите вот здесь. И здесь. Карточку мою возьмите.

После ухода Лиды Архаров и Женя некоторое время сидели молча.

— Ты, конечно, заметил, — тихо произнесла Холодивкер.

— Угу, — согласился Кирилл. — Не просто не захотела говорить, а даже, по-моему, испугалась вопроса. — Он достал телефон, набил текст, отправил.

— Что-то Инга на связь не выходит, — сказала Женя, проверяя свой.

— А она бы мне сейчас не помешала. Вот совсем бы не помешала — редкий случай. — Он встал, потянулся. — Проводишь?

Они вышли в коридор и не сразу поняли, что за куль лежит на лавке. Это, завернувшись в необъятное пальто, тихо посапывала всеми забытая Вера Ивановна.

ГЛАВА 2

— Кать, я на улицу. До посадки ещё час.

— Всё с тобой ясно — понеслась риал лайф. Сигаретку, да? — Катька взяла назидательный тон. Она уютно раскинулась на жёстких креслах зала ожидания, положив ноги на чемодан, будто сидела в шезлонге у бассейна.

— Тебе же лучше — я как покурю, добрая становлюсь.

— А твои лёгкие что по этому поводу думают? — Катя старательно наматывала на ухо длинную прядь. Ухо загибалось, прядь срывалась, приходилось начинать заново. — Ладно, иди. Я пока сеть поищу.

Их неделя на Кипре закончилась. Здешний апрель оказался как московский июнь — свежая трава, ещё прохладные тени утром и дни, залитые мягким солнцем. Инга, как и её отец, быстро выгорела до медной рыжины, покрылась веснушками и стала похожа на поджарого ирландского сеттера. Катя же, кровью в бабушку, превратилась в тёмно-медовую статуэтку.

— Мам, стой! — Катя закрыла крышку планшета. — Мы же никому сувениров не купили!

— Да кому они нужны? — Инга крутила в руках пачку сигарет. — Их потом не знаешь куда девать. Не выдумывай.

— Бабушка обидится, — Катя помедлила, — и папа.

— И что, ты им розовое масло купишь? Или магнитик с Афродитой? — поинтересовалась Инга. — Жди меня здесь. — И устремилась к выходу.

Аэропорт был полон людьми в камуфляже — пятнистые штаны цвета сухой земли, куртки с высокими карманами, тяжёлые шнурованные ботинки. Она шла к дверям, всё плотнее увязая в толпе; военные были на голову выше, она несколько раз больно ударилась о чьё-то каменное плечо.

Они с Катей не заглядывали в Интернет с неделю, вайфай отеля тянул слабо и не тревожил постояльцев новостями из шумного мира. Гаджеты иногда без предупреждения улавливали неизвестную сеть и начинали попискивать, выплёскивая обрывки информации, будто сигналы далёких кораблей: «боевики сбили военный самолёт в Сирии...», «население горячо поддержало санкционные мероприятия в области...», «два школьника, вооружённые ножами, ворвались в здание...». Мир атаковал и бурлил. А их окружала абсолютная бестревожная красота.

Инга вышла на улицу. Ветер, бывший с утра ласковым ребёнком, вдруг больно плюнул ей в лицо горстью иголок.

«Из Африки к нам приходит не только тепло, но и песчаные бури». Так было в путеводителе? Только не это, нам же лететь!

Телефон, весь отпуск служивший ей исключительно камерой, вдруг заголосил бесконечной рваной трелью. Сообщения посыпались одно за другим.

«Инга, папа не находит себе места. Разве можно так пропадать? Это бесчеловечно с твоей стороны, у него же сердце».

Узнаю маму! Ей легче упрекнуть, чем признаться, что волнуется. А у папы действительно сердце.

«Завтра всё в силе? Вечерком у тебя. Соскучился», — от Марата. Улыбнулась, набрала ответ: «Я тоже. Очень».

Два последних сообщения были от Архарова: «Инга. Срочно. Нужен твой "дар". Подробности в почту».

А вот это серьёзно — Кирилл впервые назвал мою способность «даром». Раньше только троллил: «Аберрации радужного сознания, выдумки беспокойной интуиции». Как он говорил: «Для расследования дела любой сложности достаточно наблюдать и логически мыслить»? Смотри-ка, а тут мой «дар» ему понадобился.

Через минуту от него пришло ещё одно: «Очень жду».

Набрала ответ таким же телеграфным стилем: «Вылетаем. Позвоню».

Она поняла, что соскучилась не только по Марату, но и по Жене Холодивкер, по Кириллу, по московскому ритму, постоянной беготне и делам. По дому. Москва стремительно наваливалась. Инга загрузила почту, одновременно пытаясь прикурить, — огонь сразу потухал от порывов ветра. Крутящиеся двери грохотали рядом, проглатывая одного за другим людей в камуфляже.

— Сигареткой можно у вас разжиться? — Он подошёл близко и закрыл собой ветер, неожиданно заговорив по-русски.

— У меня с ментолом.

— То, что надо. Я с ментолом люблю, но покупать не в кассу. — Он был коротко острижен, с широкой, какой-то простецкой мальчишеской улыбкой. — А тут смотрю — дамочка курит. Виктор. — Он протянул ей широкую руку. — Спасибо.

— Инга. На здоровье. А это все ваши? Слёт охотников? Куда такие пёстренькие летите?

— Мы не пёстренькие, мы — невидимые. — Он жадно затянулся, повернулся другим боком. Инга увидела, что ухо у него искалечено, половины не хватает. — Нас как бы нет.

Фразы обрывистые, жёсткие. Искрят фиолетовым, будто наэлектризованы агрессией. Хотя он держится приветливо, улыбается. Что это всё-таки за форма на нём? Почему он тут? Кто все эти — остальные?

— А, вот как! Значит, я сейчас сама с собой разговариваю?

Он хохотнул.

Ветер ударил в спину резкой пыльной волной, отскочил от стены и закрутил пылинки в спираль.

— Ничего так погодка, курорт называется.

— Ещё по одной, пока не унесло, как Гудвина? — Инга достала пачку.

— Эх, попадёшь к вам в дом! Давайте уж! — и потянулся к ней.

Вихрь сильным рывком ударил в рекламный щит над их головой, по стеклу разбежались мелкие трещины. Ещё один порыв — опору со скрежетом повело. Первый осколок острым клином разрезал рукав её куртки, другой — иглой прошил его ладонь.

— Пригнись! — Виктор отбросил Ингу к стене, сам же развернулся навстречу ветру, выставив пробитую руку вверх. На место, где они были секунду назад, один за другим ножами гильотины падали куски стекла.

— Неслабо на триплексе сэкономили. — Его лицо и голос оставались спокойными, будто ничего не произошло. — Не выйдет ещё по одной.

— Нас чуть не убило! — В руках Инги дрожала незажжённая сигарета, у его ног расплывалась лужица крови. — У вас... у вас насквозь руку прошло! Нужно остановить кровь. Тут есть врач?!

— Отставить переполох на палубе. Сейчас всё исправим. — Он без суеты вытянул осколок из ладони, отчего у Инги перехватило горло, закрыл отверстие пальцем и пошёл внутрь зала, к своим. — Эй, пластырь у кого есть? Нужно дырочку заклеить.

Инга поплелась внутрь. Кати на месте не было. Пятачок, на котором она её оставила, был занят военными. Стояли молча, окружив рюкзаки. Первая волна испуга ещё не прошла, а её уже накрыло второй.

— Мам, — донеслось до Инги. — Я тут. — Она увидела, как дочь машет ей через головы из магазинчика сувениров. Испуг мгновенно сменился злостью.

— Я тебе где сказала стоять?! Быстро на посадку. — Инга потянула её к выходу, но увидела в руке дочери белую амфору с гнутыми ручками. — Это ещё что?

— Это папе. — Катя не возвращала амфору на полку. — Когда это ты куртку успела порвать?

— Точнее, Даше? Браво! — Инга раскинула руки. — Давай теперь всем папиным подружкам будем подарки возить! — И, не оборачиваясь, вышла из магазина.

Примирились только в самолёте.

— Я просто очень испугалась, Катёнок, — призналась Инга. — Сначала стекло, потом ты пропала. А этот Витя, ну, который в камуфляже, даже не пискнул, представляешь? Вытащил осколок из руки и глазом не моргнул.

— Как Терминатор?

— Точно! А давай, как приедем, в «Мармеладницу» сходим?

— Мам, ты меня вообще слушаешь хоть иногда? — Катя мгновенно ощетинилась. — Я тебе утром говорила, что за отпуск килограмма три на боках отрастила. Какая «Мармеладница»? — Она оттянула складку на животе. — В тренажёрку на год и на капусту с водой. Вот куда мне дорога.

— Не придумывай! Ты же видела, какая Афродита... э-э... не худая?

— Ну спасибо! Ты меня ещё с Адель сравни.

— Слушай, между прочим, фигура богини считалась верхом совершенства.

— Когда? До нашей эры? Издеваешься?

— Я на полном серьёзе! Нет единого стандарта красо... — начала Инга, но дочка перебила её:

— У неё целлюлит. А бёдра ты видела? Там же безнадёжно всё! Им хорошо было, грекам, — закутался в хитон, на бигуди накрутился — и вперёд. — Катя уже почти плакала. — А я? У меня же джинсы в облип, я жиры эти куда засуну? И ты, кстати, такой не была — я фотки видела. Тебе легко говорить — ты в деда пошла, а я в бабушку. — Девочка сердито воткнула наушники и отвернулась к проходу.

Инга открыла почту.

«У нас неординарное убийство, — писал Кирилл. — Нужно бы твоими цветными глазами кой на кого посмотреть. Пока на фото трупа полюбуйся».

Но фото не было — не успело загрузиться.

Самолёт набрал высоту.

Из кармана на спинке кресла торчал забытый номер «Шарма». Инга пролистнула несколько страниц, пока не увидела на развороте большую фотографию Туми с подзаголовком: «Ей сломали судьбу. Прошлого не вернуть?»

Она вздохнула, стала читать: «...дебютный сингл, сняла премьерный клип, и без преувеличения можно сказать, однажды она проснулась знаменитой. Казалось бы, впереди её ждёт только слава...»

На фотографии была Туми — на сцене известного московского клуба. Инга хорошо помнила этот концерт, они были там с Олегом Штейном.

«...перелёты, автобусы, поезда, ночи в гостиницах, каждый день на новом месте. Порой она не могла вспомнить, где находится. В шоу-бизнесе слава имеет свою оборотную сторону. Её предупреждали — притормози, здоровье надорвёшь. Но Туми слишком любила своих зрителей. Кончилось тем, что она упала в обморок прямо на сцене. Журналисты «QQ» Инга Белова и Олег Штейн тогда нашли её в клинике. Что это было — истощение, наркотики, алкоголь? Пошли разговоры, что Туми срывает договор за договором. Так что слава обернулась позором, звезда, стремительно взмывшая на небосклон эстрады, казалось, закатилась навсегда...»

Господи, ну и текст!

Инга скомкала журнал и засунула его под кресло. Два года прошло с тех пор, как их уволили из «QQ» из-за этой истории. Кто-то тогда подставил её со Штейном.

Она вспомнила, как секретарша шефа с вычурным именем — Эвелина Джи — вежливо и унизительно выставила её из офиса. Инга зло стучала ногтями по окну иллюминатора. Там всё так же светило солнце, но она уже будто была в Москве, под плотным слоем облаков.

— Мам! — судя по напряжённому голосу, дочка звала её давно. — Зырь! Хочу-хочу! Результат за три недели! — Она держала номер «Московского лайфа». — Уникальное средство от Елены Болышевой: «Наши

БАДы помогли звёздам сбросить лишние килограммы без особого труда».

— Ну, Кать, ну какие БАДы? Жир ты сбросишь, а почки и печень на всю жизнь посадишь. У меня была подруга, так у неё от таких таблеток месячные прекра...

— Ой, фсё, — сказала Катя на выдохе и опять отвернулась.

Инга надела наушники, включила рандомный выбор музыки и закрыла глаза. Она проспала и обед, и приземление. Проснулась от громких аплодисментов в салоне. За окном было темно и мутно. Здравствуй, Москва.

«Почту смотрела?» — первым пришло сообщение от Кирилла. Вокруг суетились пассажиры, стаскивали сумки с багажных полок, выстраивались в нетерпеливую очередь на выход, отовсюду неслись трели эсэмэсок и телефонные звонки. А Инга не могла пошевелиться.

С экрана телефона на неё смотрела раскисшая голова. Черты лица были оплывшими, страшными, но узнаваемыми. Инга сразу поняла, кто это. Хотя объяснить, каким образом она узнала в этом уродливом мёртвом лице красивую эффектную женщину, которую последний раз видела два года назад, уходя навсегда из редакции, она бы не смогла. Но сомнений не было. На неё смотрела голова Эвелины Джи.

ГЛАВА 3

Двадцать минут назад некий Никита Бу зачекинился в «Житнице», тэгнув Ивана Безмернова, который в последние дни был подозрительно неактивен «Nасвязи». Инга вызвонила Эдика и гончей кинулась в ресторан в надежде, что успеет их застать. Эдик ждал её у входа.

Зал в «Житнице» был один — деревянные панели на стенах, высокие, как барные стойки, столики. Нужный затылок она увидела за столиком у окна.

— Могу я чем-нибудь помочь? — Хостес со стопкой меню еле поспевала за ними.

— Нам хотелось бы сесть у окна, — сказала Инга.

Девушка кивнула:

— Официант подойдёт к вам через минуту.

«Повезло», — радостно подумала Инга, садясь на длинный красный диван, — идеальная стратегическая позиция для наблюдения за объектом. Безмернов был наискосок и напротив: загеленный наверх чубчик, лицо с якобы небрежной щетиной, холёные руки.

— ...ненависти? — Эдик продолжил начатый в фойе разговор.

— После интервью Туми в «Шарме» ко мне в блог опять повалили хэйтеры. — Инга посмотрела на Эдика. — «Сдохни, сука», «лживая продажная тварь» — самое мягкое из того, что мне прилетело.

Безмернову и его собеседнику принесли заказ: два замысловатых бутерброда на досках с подложкой из крафтовой бумаги. Иван взял в руки сэндвич, продолжая слушать приятеля — полного молодого человека с аккуратной бородкой, который рассказывал, как «зашибенски покатался в Италии в марте, жалко, не было тебя».

«Житница» наполнялась народом: над столиками стоял ровный гул разговоров, играла тихая музыка.

— В Лондоне сейчас хорошо — уже лето! — Приятель Безмернова невольно постепенно повышал тон. — В Кенсингтонском парке цветы — закачаешься! А тут, блин, как обычно — хляби. Вместо неба — подушка с говном.

— Да, погодка в депрессии, — согласился Безмернов.

— Да и ты тоже. — Толстяк заботливо наклонился вперёд.

— А ты бы что на моём месте? — вскинулся Иван. — Скакал до потолка?

— Что им от тебя надо? — спросил Эдик Ингу из-за меню. — Ты что будешь?

— Тут такой «шикарный» выбор, — Инга не удержала скепсис, — бургер или бургер. Туми в интервью назвала наши с Олегом имена, — продолжила она. — Сказала, что мы сломали ей карьеру: не может петь, не может вернуть себе былую славу. Олега нет больше — все шишки мне. Пришли её фанаты, съели с потрохами. Ну ничего. У меня знаешь как число просмотров на этом скандале выросло! — закончила она совсем невесело.

Пока делали заказ, Инга упустила часть разговора за соседним столом и услышала лишь его завершение:

— ...ты в Тай зачем? Не по бизнесу? — спросил Безмернов.

— Вот только ты не начинай! Мне твоей Джи хватило! — тут же взъелся его собеседник.

— Никит, ну ты что? Ты же знаешь, про тебя никто не спрашивает. А спросят — не скажу. — Безмернов как будто обиделся.

Никита откинулся на спинку дивана, подозрительно оглядывая приятеля.

— Знаю, — наконец, сказал он, смягчившись.

Иван поднялся:

— Пойду отолью.

— А между прочим, недурно. — Эдик с удовольствием уплетал объёмный бургер. — Я тебя не отвлекаю своей болтовнёй? — спросил он тоном ниже, увидев, как Инга провожает взглядом ссутулившуюся фигуру Безмернова.

— Нет, что ты, помогаешь.

Вокруг все о чём-то говорят: о делах, о прошлом, друг о друге, но слова сами по себе ничего не значат, это лишь сосуды, наполненные эмоциями — страстью, неприязнью, похотью. У каждого — свой цвет, от них рябит в глазах. А слова Эдика как пустые склянки — прозрачны. Не пойму, есть ли в них хоть какое-то переживание или в глубине души он абсолютно ко всему безразличен? Вот он нахваливает еду, смеётся, но хорошо ли ему по-настоящему? Почему я его не чувствую?

— Эдик, извини, оставлю тебя один на один с бургером, — сказала Инга. — Я быстро.

Интуиция не обманула. Безмернов стоял у портьеры возле гардероба и тихо говорил по телефону.

Инга подошла к зеркалу, стала поправлять волосы. Она пыталась увидеть отражение Ивана: тот стоял как раз за её спиной. Разговор был нервный: Безмернов раздражённо цедил слова.

Говорит тихо, отрывисто. Что-то ещё просвечивает сквозь злость — блики страха! Чего он боится?

— ...спортивная, понятно... я же сказал... — Тишина. — У меня есть заначка, не нужен нам Химик...

Безмернова перебили гневной тирадой, которая долетела до Инги неразборчивым дребезжанием. Иван отвёл трубку от уха. В зеркале отразился экран айфона. Мелькнуло что-то красное: картинка — конь, большие буквы внизу.

— Да понимаю я, что клиенты ждут! Послушай меня, Славик! По-хорошему послушай! — Иван повысил голос. — Я тебе ещё раз говорю: не надо к нему соваться...

Инга достала из сумочки помаду и подкрасила губы. Она ждала, когда Безмернов снова дёрнет рукой, чтобы получше рассмотреть контакт. Но Иван вдруг резко повернулся спиной и снова заговорил тихо. Теперь Инга слышала только невнятный бубнёж. Пришлось вернуться за столик.

— У меня, кстати, горе. — Она посмотрела на Эдика. — Погибла орхидея, которую ты мне дарил. Трагически.

— М-м-м... и как же это случилось? Авария, беспорядки в городе, авиакатастрофа?

— Даже не знаю, само собой.

— Само собой — без света и полива?

— Эдик, ну извини, — улыбнулась Инга в салат.

— Ладно, Градова, проехали. — Он по привычке называл её девичьей фамилией. — Не умеешь ты за цветами ухаживать. Придётся подарить тебе новый.

— Да уж, не отвертеться тебе.

Через некоторое время Безмернов тоже вернулся к столу: меж бровей появилась вертикальная морщинка. Он был на взводе — резко выдернул салфетку, опрокинув солонку.

— А ну его всё к чёртовой матери, давай в Тай вместе махнём, — тихо сказал толстяк. — А, Ванюш?

— Блин, Никит, о чём ты вообще? — Безмернов сделал официантке рукой: «счёт!» — Ну какой нахрен Тай?! Когда следаки с хребта не слезают и «настойчиво рекомендуют» не покидать столицу? Да и потом, ты же в курсе: бабла теперь нет совсем. Мне Эвелинка... смерть её... все ветки к херам обрубила.

— Да ладно тебе, камон. — Толстый протянул подошедшей девушке карточку. — По поводу денег не парься. Только поехали.

— Никуда я не поеду, пока менты с меня не слезут, — повторил Безмернов.

* * *

Архарова Инга набрала уже из дома.

— Ну давай. Расскажи мне, — вместо приветствия сказал Кирилл.

Она села за стол, закинула ноги на соседний стул, перехватила телефон.

— А что там рассказывать? У Безмернова и Никиты всё было в рамках светской беседы — такой милый московский small talk: «Как дела?» — «Хреново».

— И всё? — Кирилл разочарованно хмыкнул. — А по Эвелине есть хоть какая-то зацепка?

— И всё, если будешь меня перебивать!

— Прости, — буркнул Архаров.

— Если хочешь моё экспертное мнение — это не Безмернов. — В ухе раздался прерывистый гудок, Инга быстро глянула: Катя на второй линии. Скинула. — Конечно, Эвелину он вряд ли любил — никакого цвета утраты нет. Но разговоры о её смерти окрашены негодованием, будто он злится, что её убили. Тем более он упомянул о каких-то общих делах, возможно, связанных с Таиландом. Мне показалось, без неё у него ничего не получается.

— А вот с этого момента поподробнее, пожалуйста.

— Этот Бу — он походу Безмернова содержит — всё звал его в Тай... Безмернов спросил: по бизнесу летишь или как? Тот разозлился. В этот момент в их разговоре всплыла Эвелина. Бу сказал: «И ты туда же, мало мне Джи». В общем, я бы проверила этого Бу. Говорит такими сладкими интонациями, возвышенно — Кенсингтонский парк, хляби, а слова топкие, зелёные, как гнилое болото, — меня аж передёрнуло.

— Проверим. Есть ещё что-то?

— Есть, — задумчиво ответила Инга. — Когда Безмернов пошёл в туалет, я вышла за ним...

— Белова, я всё понимаю, унисекс, то-сё, но ты сильно рисковала...

— ...до туалета он не дошёл. — Инга пропустила реплику Кирилла мимо ушей. — Затормозил в фойе. Говорил по телефону. Дословно: у меня есть заначка, клиенты ждут... Там были все цвета тёмного спектра: злость, агрессия, страх. Упоминал какого-то Химика. Видимо, это кличка человека, которого он боится.

В ухе опять запищала вторая линия. Инга проигнорировала входящий звонок.

— Проверим, — повторил Кирилл. — Сходи-ка теперь на экскурсию к Тихоновой, просвети своим рентгеном подругу детства.

— Подожди, это ещё не всё. В разговоре прозвучало слово «спортивная», я подумала сначала, что это Безмернов про какую-то девушку. А потом поняла: это станция метро. Он когда говорил, рукой дёргал, я за ним в зеркало подглядывала. У него на экране телефона была картина Петрова-Водкина «Купание красного коня». Контакт не разглядела. Но я посмотрела по инету, в районе «Спортивной» есть ночной клуб именно с таким названием — «Красный конь». Не знаю, совпадение или нет, но в этот клубешник я бы наведалась... Подожди секунду, дочка что-то названивает. — Инга переключила линию, сказала быстро: — Кать, сейчас перезвоню... — В ответ раздался всхлип, но Инга уже перекинула телефон обратно на Кирилла. — Короче, никакой он ей не бойфренд, фуфло и показуха вся эта их любовь.

— А что ты там говорила про смерть Эвелины?

— Слушай, мне надо перезвонить дочке, извини. Что-то не так.

Инга набрала Катю. Абонент недоступен.

Она же в школе сейчас. На уроке?

Выдохнула, закрыла глаза, досчитала до десяти. Внутри нарастала тревога. Телефон одновременно зазвонил и прислал эсэмэску: этот абонент снова в сети.

— Мам! Мам! — Катя всхлипывала. — Приез... цу... шно...

Телефон спотыкался, выхватывал отдельные слоги и стрелял ими в Ингу.

— Катя! Что со связью? Ты где? — Инга вскочила.

— ...розовская! ...луйста... ожешь?

Раздалось трезвучие, и механический голос произнёс:

— Извините, связь прервалась.

...розовская... Что это может быть? ...цу... Больницу! Морозовская больница! ...шно. Тошно? Страшно!

Инга летела по ступеням, одновременно вызывая такси. Выбежала на улицу: ожидание семь минут. Вскинула руку. Через два ряда к ней спикировал грязный «Жигуль».

Телефон Кати был снова вне доступа. Инга сжимала его так, что побелели костяшки пальцев.

Позвонить Серёже? Сказать ему? Что? Что сбросила телефон дочери, когда была ей нужна?

Вместо бывшего мужа отстучала Марату: «Сегодня отменяется. Еду к Кате в Морозовскую».

Он завалил вопросами: экран телефона постоянно зажигался от новых сообщений, пока «Жигуль» маневрировал в потоке машин. Инга не читала и не отвечала, тревога выжигала изнутри.

У регистратуры толпился народ.

— Мне только узнать, — сделала она заход.

— Всем только узнать, — дружно отшила её очередь.

Встала за сутулой женщиной с мальчиком. У него была кепочка с ушками, как когда-то у Кати в детском садике. Набрала номер: абонент недоступен. Достала сигареты, сунула одну в рот, опомнилась, кинула пачку обратно в сумку. Наконец окошко.

— Здравствуйте. — Голос сел, Инга прокашлялась. — Я бы хотела узнать, поступала ли к вам девочка...

— Фамилия!

— Белова Екатерина Сергеевна.

— В какое отделение? — Женщина подняла усталые глаза.

— Я не знаю. — Инга опять прочистила горло.

— Вы ей кто будете?

— Инга, я её нашел!

Она обернулась и увидела Марата. Каким-то образом он успел добраться до больницы быстрее её. Одной рукой он обхватил Катю за плечи — живую, здоровую, другой — махал ей. На миг Инге показалось, что она попала в другой вариант своей жизни — в параллельную вселенную, в которой не было Сергея, они с Маратом не расстались в юности, а она всегда была под его защитой.

Катя высвободилась и побежала ей навстречу.

— Мама! — Её крик разрезал тихий больничный гул, Катя обрушилась на неё, едва не свалив с ног. — Ты приехала, — сказала глухо в воротник.

Несколько секунд Инга стояла, замерев, боялась пошевелиться. Марат подошёл к ним и обнял.

Боже, совсем как Сергей! Ещё не хватало, если он скажет: «Мои девочки!»

— Спасибо, что нашёл её! — прошептала ему Инга.

— Рэхим ит! О чём разговор! Марат-абы всегда выручит, запомни, Катя!

Катя поёжилась и с недоумением посмотрела в сторону Марата. Разлепились. Лицо девочки было в красных пятнах, нос припух.

— Ты меня напугала до чёртиков, — сказала Инга. — Рассказывай, что случилось.

— Пойдём на улицу.

Катя уже тянула её к выходу, Марата она не звала, но он опередил их и широко распахнул тугую дверь.

— Я как раз собиралась выйти. Здесь телефон вообще не ловит. Это Анька. — Катя шмыгнула носом. —

У тебя салфетки есть? Спасибо. Вон там лавочка пустая. Ой, а чего это ты в тапках?

Они сели, и Инга с удивлением посмотрела на свои ноги.

— Так что с Аней? Это которая твоя подружка? Полненькая такая?

— Да она уж похудела! — сказала Катя. — Сегодня у неё на уроке пошла кровь из носа. А потом началось. Сначала у неё губы посинели, мальчишки ещё ржать начали, козлы. А потом — судороги. Мам, знаешь, так страшно — у Ани руки и ноги как будто стали все по отдельности. Я к ней, смотрю: ногти тоже синие. И голова, как у старухи, вот так. — Катя изобразила трясучку. — И в обморок — с таким стуком. Я испугалась, что Анька умерла. — Катя смотрела в землю.

— Как она сейчас? — Инга взяла руку Кати, стиснула холодные пальцы.

— Перевели из реанимации в палату. Говорят, кризис миновал. Там с ней сейчас родители. Я и шла тебе звонить, сказать, что всё норм уже.

— А что же это было?

Катя дёрнула плечом.

— Непонятка вообще. Доктор сказал, какой-то аллергический шок. Но они походу сами не догоняют, в чём там дело.

ГЛАВА 4

— ...Отель прям на пляже, а про Сплит говорят — там куча всего интересного, — тихо говорила Катя, — у меня виза ещё не кончилась. Папа уже билеты берёт. А, мам, а? А то таскаюсь везде за тобой хвостиком...

— Давай потом поговорим. — Инга понимала, что отпуск с отцом пойдёт дочери на пользу. Но чтобы Катя летела с Дашей... Две недели втроём... Всё внутри противилось этому.

На улице было душно, в автобусе — ещё хуже: пробивающийся сквозь пыльные стёкла свет, синие занавески в тон сидений. Инга с Катей еле успели к отправлению и теперь пробирались по проходу на задние ряды. «Мерседес», накренившись над Моховой, как крейсер, медленно и неуклюже тронулся. Запах нагретой обшивки смешивался с запахом еды — кто-то на передних сиденьях уже жевал бутерброд.

Эвелина и Лида, девочки из двух разных вселенных, — что их связывало? Только детство, только общее прошлое. А если Лида с тех пор так и ходила её подругой-тенью, в вечном очаровании и зависти? Тогда она может знать многое.

— Всем добрый день, меня хорошо слышно?

Рядом с водителем стояла молодая девушка в свободной блузке. Лёгкий шёлковый платок на плечах съехал немного набок, русые волосы убраны в пучок. Юное, почти детское лицо.

— Да слышно, слышно, — громко крикнула старушка спереди.

Чёрные брюки с отглаженными стрелками длинноваты, тёмно-коричневые туфли на стёсанном каблуке. Им, экскурсоводам, будто униформу выдают — вещи такие нелепые, условно подходящие друг к другу.

Инга вынула из уха дочери наушник и еле заметно кивнула. Катька встрепенулась:

— Она? — и начала всматриваться в Лиду. — Ты уверена? Эта зачуханная деревенщина дружила с гламурозной секретаршей из «QQ»? Она старше меня вообще?

— Тише, — шикнула Инга, — ей двадцать семь.

— Новоиерусалимский монастырь, куда мы едем, был построен в семнадцатом веке, при царе Алексее Михайловиче, но я предлагаю для начала откатиться ещё дальше — в век двенадцатый, во времена правления суздальского князя Юрия Долгорукого, — начала Лида.

— Ого, далековато откатываться-то, Лидок, — встряла та самая старушка.

Вытертые локти, мятый пакетик на коленях. Дребезжащий оранжевый тон. Ёрзает на сиденье: довольна, устраивается. Экскурсии — любимый вид досуга, а Лида — любимый гид. Она наслаждается сопричастностью, чувствует себя вторым ведущим. Её можно расспросить про Тихонову на остановке.

— Это ненадолго, Серафима Викентьевна. — Лида улыбалась. — Пока мы едем по Тверской, представьте: на холме, где сейчас Кремль, — частокол из острых кольев. Это небольшое поселение народа вятичи — Москов. Окружено широкой рекой с бродами и болотистыми оврагами. Самое начало Москвы...

— А можно кондей включить? — рявкнул седой мужчина со складчатой шеей. — Дышать нечем!

Из хоботков над сиденьями подул горячий воздух с запахом пластмассы. Инга вывернула свой и Катин вбок. Шум кондиционера заглушал голос экскурсовода, небольшой микрофон, который тянулся от Лидиного уха изящной техничной линией, не спасал.

— ...старая Волоцкая шла по сегодняшним Никитским улицам — Большой и Малой в сторону реки Пресня с поселением Кудрино. Не напоминают ли вам что-то эти названия?

— Так ясно что напоминают — Кудринская площадь, Пресня и есть Пресня, — солировала старушка, — а Волоцкий — монастырь, была там лет десять назад на Красную горку, у меня сватья в Волоколамске жила.

Инге неожиданно понравилось. Вся эта пронизанная солнцем автобусная пыль напомнила ей романтику студенческих лет, то лёгкое двукрылое чувство, когда после сессии за дверями журфака ждала свобода, каникулы — целая жизнь. Она вспомнила другой автобус, на котором они ездили по черноморскому побережью, свои голые ноги на коленях Сергея, похожего на ворона экскурсовода, который периодически выныривал из сна и гаркал: «Город-герой Тим-рюк!», пирожки с тягучим повидлом в кафешке на краю света — самое вкусное, что она когда-либо ела.

— ...«из варяг в греки», соединявший Северную Русь и Скандинавию с Византией, Волок Ламский был частью старинного водного пути. Недалеко от Волоколамска суда переправляли — волочили — из Ламы в Волошню. По ней, а затем по Рузе и Москве-реке плыли в Москву. Так доплывали до Константинополя! По старой Волоцкой дороге мы и поедем до Новоиерусалимского монастыря, — продолжала рассказ Лида.

Инга глянула на Катю: та снова воткнула наушники в уши и безучастно смотрела в окно.

Инга любила старые дороги, извилистые и узкие, — те, что петляли между холмов, от деревни к деревне. Храмы выныривали из-за леса, отливая золотом куполов, названия мест отсылали к истории старых усадеб — Губайлово, Никольское, Павловская Слобода, Покровское-Рубцово.

— Сейчас будет заправка, у нас остановка пятнадцать минут, есть кафе и туалет. Не задерживайтесь, пожалуйста.

Лида оправила блузку и присела на переднее сиденье. Автобус выруливал на парковку.

Не сводя глаз с Серафимы Викентьевны, Инга спросила у дочери:

— Пойдёшь?

Катя помотала головой:

— Мармеладных мишек мне купи!

— Пожалуйста? — машинально поправила Инга. — Ты же худеть собиралась.

— Я с утра не ела! — возмутилась девочка.

Серафима Викентьевна двигалась медленно, с усилием, опираясь на палку с вытертым набалдашником. Инга догнала её в передних дверях автобуса.

— ...а исхудала-то как, детонька. — Старушка остановилась, вполоборота глядя на Лиду, заблокировав выход. И, поймав взгляд Инги, поделилась: — Молодец какая, а? Сколько лет живу, а почему Волоколамск так зовётся — слыхом не слыхивала.

Лида благодарно опустила голову.

— А вы откуда будете? — спросила Инга, помогая Серафиме Викентьевне спуститься.

— Я московская, всю жизнь тута. Своих давно похоронила, вот, с Лидочком теперь по округе езжу. Соседка я ей, да и рассказывает она больно хорошо, куда ни поеду — всяк интересно. Ты монастырь этот видала?

Инга не успела кивнуть. Старушка продолжала:

— Немцы там всё разбомбили, руины одни, камня на камне не оставили, а теперь, как президент на Пасху приехал, со свечкой службу отстоял — заново всё отгрохали. Депутаты косяком туда ездют. Вот и я решила глянуть, пока жива.

— Бойкая у нас Серафима Викентьевна? — Лида догнала их.

— Хорошая, — улыбнулась Инга.

— Только мешаю тебе, лапонька. — Старушка прищурилась: довольна была комплиментом. — Мучаешься со мной.

— Что вы! Иногда бывает, в автобус как покойники набьются — все молчат. — Двери магазина-кафе разъехались перед ними, Лида пропустила Серафиму Викентьевну вперёд. — Головы не повернут или засыпают сразу. Вот тогда я по-настоящему мучаюсь.

— Вы хорошо рассказываете, знаний много чувствуется. И дело своё любите. Истфак заканчивали? — спросила Инга.

— Нет. — Лида на секунду смутилась. — Историко-архивный. Но там школа хорошая. И потом ещё курсы гидов, конечно. Там нас учили: выбери себе самого благодарного слушателя и рассказывай только ему. Вот Серафима Викентьевна и есть моя неизменная аудитория.

К кассам стояла небольшая очередь — всё люди из их автобуса. Инга походила между стеллажами со сладостями. Вернулась к Лиде и Серафиме Викентьевне, когда старушка возмущалась:

— Кофею хотела попить! Так триста рублей просют!

Молодая кассирша подняла на Ингу вопросительные глаза.

— Это, — она протянула прозрачный пакетик, — и три капучино.

* * *

— Напоминаю — это действующий мужской монастырь. — Лида стояла против них, скрестив руки ниже груди. — Женщины — на входе возьмите юбки, закройте ноги, если вы в брюках.

Группа двинулась к высокой арке входа. Шаги в ней гулко отдавались, все благоговейно притихли. В тишине было слышно, как Катька, пыхтя, натягивает поверх джинсов цветастую юбку. Инга постаралась не засмеяться. Дочка скорчила ей рожу: видишь, какая я усердная!

— Патриарх московский Никон — духовный авторитет того времени, наставник царя Алексея Михайловича — решил организовать под Москвой новый центр с целью объединения всех под одним началом. Сам же он хотел встать во главе всего православного мира, как папа римский среди католиков. Собор строили как копию храма Гроба Господня в Иерусалиме, перенесли под Москву не только его, но и топографию святых земель Палестины. Появились холмы Фаор и Елеон и небольшой женский монастырь Вифания. Отрезок реки рядом с монастырём назвали Иорданом.

— О, можно грехи смыть! Кто со мной? — оживился народ.

— Грехи смыть успеете, там и мостки есть, и лесенка — всё к вашим услугам. А сейчас пройдёмте в Воскресенский собор.

Инга помнила храм Гроба Господня в Иерусалиме — к нему шла Via Dolorosa, Путь скорби — тесная жаркая улица в старом городе, с лавочками и кафе. Ни о какой святости место не напоминало — торговля крестами всех размеров, иконами, чётками, свечами, амулетами и благовониями. Только таблички на стенах говорили — здесь шёл своим крестным путём Христос: «Место встречи Христа с Матерью по пути на Голгофу», «Место первого падения», «Место встречи с благочестивой женщиной». Кто-то шёл по улице каяться, кто-то зарабатывал на этом. Храм давно оброс пристройками, был виден только вход из двух гигантских врат. Такие же были и здесь, в Воскресенском соборе.

— Заходим, пожалуйста, осматриваем интерьер. Свечи можно купить внутри, если желаете. Встречаемся через десять минут в подземной церкви Константина и Елены.

В храме было холоднее, чем снаружи. Белая лепнина на голубом фоне, разноцветные полосы керамики на стенах. Резной иконостас бликовал огоньками, в центре круглой ротонды сверкала небольшая часовня. Пахло ладаном и свежим ремонтом, пел хор. Инга обошла полупустой храм. Узкая лестница у иконостаса спускалась на уровень ниже. Она поискала глазами Катю: та стояла у распятия, внимательно вглядываясь в лицо Христа.

Инга спустилась в подземную церковь. В Иерусалиме — там в расщелине скалы были найдены остатки распятия, а здесь, в подмосковном Иерусалиме, — из-под земли бил источник. Горели свечи. Ей стало спокойно и страшно.

Ты гол и прозрачен. Падаешь внутри капли, один среди мириад таких же капель, а Он смотрит на тебя и знает каждого.

— Мам, ты тут? — Катин шёпот поскакал от стены к стене, как резиновый мячик-попрыгун. — Там группа уже собирается, идём.

— Патриарх Никон не увидел Новый Иерусалим законченным, был осуждён за гордыню, лишён патриаршего сана и сослан, как простой монах, в Ферапонтов Белозёрский монастырь, — рассказывала Лида, когда они на цыпочках подошли к группе. — Там он провёл пятнадцать лет и умер, так и не увидев больше Москвы.

— Высоко забрался, больно падать, — хмыкнула Серафима Викентьевна, — каждому по своей ветке в судьбе уготовано. Вот бы нашим министрам-то да депутатам помнить о Никоне.

— Жду вас на улице через десять минут. — Лида уже поднималась по затёртым ступеням. — Идём к скиту патриарха, в Гефсиманский сад.

Инга поравнялась с ней.

— Современная история, согласитесь? — спросила Лида. — Никон на своём пути никого не щадил — старообрядцев деревнями жёг, чтобы реформу провести, так власти хотел. Возмездие его и настигло.

— История всегда идёт по кругу.

Они шли вдвоём по коридору за алтарём, в небольших приделах пустели иконостасы — новых икон ещё не было.

— Я так и не представилась. Инга Белова. Журналист.

Лида улыбнулась:

— Так вы по работе? Собираетесь писать про Новоиерусалимский монастырь?

— Всё, что вы рассказываете, очень интересно, — уклончиво ответила Инга, — действительно можно провести множество аналогий... Лида, я хотела бы поговорить с вами о Галине Белобородько.

Лида на ходу оправила блузку:

— Ах, вот в чём дело! Изображаете любопытство, только чтобы расспросить про Галю?

Отчётливо проступает болотный цвет обиды, всего лишь из-за моего равнодушия к теме. Да таких экскурсантов у неё пол-автобуса, неужели из-за каждого расстраивается? Похоже, своей работе служит фанатично. А за обидой прячется ещё оттенок, едва уловимый, — бордовая тревога. Нет, она не так проста.

— Конечно, прежде всего я хотела узнать о Белобородько, — честно ответила Инга. — Но меня увлекла ваша экскурсия.

— Вы могли бы связаться со мной напрямую, без этих уловок. — Тон Лиды заметно смягчился. — Галя была моей подругой. Я бы очень хотела, чтобы того, кто это сделал... нашли.

— Понимаете, я не веду официальное расследование, моё дело — блог, статьи. Вы могли отказаться говорить со мной.

— Я и сейчас могу, — заметила Лида.

— Можете, — согласилась Инга. — Но не станете? Я тоже знала Галю, мы работали вместе. Так что это отчасти... личное дело.

— Не представляю, чем могу помочь, — Лида обняла себя за локти, — я уже всё рассказала полиции.

— Мне хотелось бы поговорить о вашей дружбе с Галиной.

— А это тут при чём?

— Причина убийства в большинстве случаев кроется в частной жизни человека. Возможно, вы обладаете той единственной, никому не известной информацией, которая поможет вычислить убийцу.

Мужчина, тот самый, что просил включить кондиционер в автобусе, подошёл к ним и топтался за спиной у Инги. У него явно был вопрос к гиду, и он еле сдерживался, чтобы не перебить.

— Хорошо. — Лида улыбнулась мужчине, давая понять, что его заметила. — Я запишу ваш номер. Встретимся, когда я буду не на работе. Поговорим.

— Скажите, — не утерпел мужчина, — а то, что вы в автобусе про Тушинского вора рассказывали, это ведь историческая байка, да?

— Ну почему же байка? — мгновенно переключилась Лида. — Лжедмитрий, Гришка Отрепьев, действительно создал государство на территории современного Тушина, которое даже чеканило свою монету...

Инга отошла от них. У главного алтаря отбивали поклоны молящиеся. На их фоне выделялись две негнущиеся фигуры в костюмах. Инга поняла — телохранители. Тот, кого они сопровождали, стоял на коленях в затяжном земном поклоне, дрожа ногами в душеспасительном экстазе. Один из телохранителей обернулся, заставив Ингу вздрогнуть: его нижняя челюсть была скошена набок, край скулы был таким острым, что казалось, кость вот-вот прорвёт тонкую смуглую кожу.

— Смотри, как старается, — шепнула подошедшая Катька. — Крестится и оборачивается: все ли иконы видят? А охранник у него! Как этого, у Гюго, звали?

— Гуинплен.

— Точно! Только наш ещё на монгола похож.

«Солидный господь для солидных господ», да? Как ему на коленях неудобно-то, бедняге, даже покраснел.

Помолившись, солидный господин требовательно вытянул руку, ища опоры.

— Мангуст! — гаркнул повелительно.

Телохранитель-монгол помог ему встать.

Несколько мгновений Инга не могла вдохнуть. Потом часто задышала, словно вынырнув из глубины.

Он! Точно он! Высокопоставленный торговец краденым. Непойманный убийца и вор. Как он здесь оказался? Он же должен быть далеко, где-нибудь в Лондоне или в Нью-Йорке, гулять по Центральному парку, читать новости из России и с презрением бормотать: «Ну и где он, ваш грёбаный Интерпол, слабаки?»

Будто окончив совещание, мужчина по-деловому направился к выходу. Второй телохранитель уже отдавал команды в рацию: «...подгоняй к главным воротам. Выходит». Инга попятилась в тень, но не успела — и он её увидел: скользнул взглядом, отвёл глаза, обернулся.

Узнал.

— Машина где? — резко бросил охране и вышел вон.

— Всё в порядке? — спросила Катя.

— Всё хорошо, — Инга выдавила улыбку, — так... Старый знакомый.

Катя смотрела на неё недоверчиво и тревожно.

— Как тебе Лида? — спросила она дочь, чтобы перевести тему.

— Ботаник, — хмыкнула Катька, — и бывшая жируха.

— Почему ты так решила?

— Да это ж ясно! Брюки новые купила, длину не рассчитала — раньше на ляжках подпрыгивали, теперь висят. А вот блузка из старого гардеробчика — на три размера велика. Она её одёргивает по привычке. Мам, ну так ты решила? Что мне папе говорить?

— Скажи, что едешь, — вздохнула Инга. — Две недели моря-солнца лишними не будут.

ГЛАВА 5

...но отец сказал: «Замечу, хоть одна пропала, — прибью!» И положил пачку на подоконник, нарочно под самые наши глаза, и спать пошёл, заскрипел половицами. И знал, что не притронемся, знал. Виталька ходил кругами, но так и не решился. В пятницу, когда батя пришел совсем стеклянный ближе к полуночи и упал на диван, не снимая штанов, Виталька выудил у него одну сигарету из кармана куртки. «Пошли», — и мы выскочили во двор. Зажгли от головёшки, во дворе Димастый палил тряпьё и мусор. Виталька затягивался, как бывалый нарик, пускал дым кольцами. Я смотрел на тлеющий кончик. «Ну не жмоться, дай разок». Он сплюнул, нехотя протянул мне: «На палубе матросы курили папиросы, один не докурил, барану подарил!» — и заржал на весь двор. После такого брать окурок западло, но любопытство пересилило, я взял и быстро втянул со всей дури. Ой блин! Будто ёрш унитазный в горло! Как они эту дрянь в себя?! У меня даже голова поехала от кашля. Виталька отобрал бычок и приложился сам: модно, красиво. «Только продукт на тебя переводить, шкет». Я сиганул к колонке, напился жёсткой воды, но наждачный сигаретный вкус не проходил, торчал где-то на нёбе. Виталька и Димастый приканчивали бычок. Димастый не умел пускать кольца и с завистью смотрел на Витальку.

Но я с тех пор не курю и даже в армии эту пакость в рот не брал.

Отец пропажи не заметил. Утром ему не до того стало. Сначала орал дурниной, а днём, когда очухался, пришёл наш участковый Михалин — заяву сосед на батю накатал. Повторный привод, хулиганство. Мамка плакала каждый вечер, пока разбирательство да суд. Ходила даже к истцу просить, чтоб заявление забрал, да чего ходить, денег у нас всё равно нет, предложить нечего. Тайком от отца ходила — узнал бы, прибил. Но молилась, наверное, хорошо, услышали её там — могли спокойно пятерик вкатить, но дали условно. Батя из суда пришёл добрый, весёлый, раздавил четвертушку и всё разговоры говорил сам с собой. Потом позвал Витальку и сам дал ему закурить. Манера у него особая была: сначала облизнуть фильтр, потом уж прикурить, брат с лёту её перенял. Помню, стоят они у окна: батя в костюме, Виталька в спортивках и в рваной футболке, дымят, а это последний тёплый день, начало октября, и солнце шпарит на чистом стекле. С того дня они стали на равных, а я так, начальная школа.

«Идите в церковь, поставьте за отца свечку Николаю Угоднику», — велела мать. И денег дала. Но мы, конечно, в церковь не пошли, ну нафиг, купили две турбо, чего этому Николаю от наших свечек, тепло, что ли, станет? Мне тогда порш достался, а Витальке какой-то зелёный задрипаный форд, вот я ржал. Впервые такая везуха.

А церковь нашу районную тогда только восстановили, покрасили, надстроили колокольню и с парадом открыли. Поп с области приезжал, втирал что-то про вечную благодать. Мамка слушала, крестилась и меня крестом покрывала, мы с ней вдвоём ходили на открытие. Мать моя всю жизнь в нашем городке прожила, никуда дальше ста километров не ездила. К бабке в деревню съездит и обратно. И в церкви этой они, ещё молодые девки, парням своим свидания назначали, она тогда ещё пустой коробкой стояла и заместо пола внутри чертополох рос. Может, бате и назначала. Так что Виталька у нас церковный. Боженька послал. А меня… а меня вообще непонятно кто послал. Бабка мелко трясёт своей лысой головой и долдонит, что я ни на кого не похож: глаз у меня монгольский, смотрю косо. И ещё, когда сатанеет от ругани, слово одно прибавляет, но нехорошо это про мать родную повторять. Не могла она с чужими — точно знаю. Вот вырасту, думал я тогда, и все увидят, что я настоящий батин сын.

Николаю Угоднику я поставил потом не одну свечку — были поводы. И глядел ему в глаза долго, запоминал. Но когда Хозяина в церковь сопровождаю, не могу на лики смотреть. Будто я в тот момент на другой службе — в частях предполагаемого противника, что ли. Наверное, Хозяин крепко верит, раз столько денег на церковь отдаёт. На службу часто ходит, кланяется правильно. Но когда лбом касается каменного пола, я почему-то так и вижу — на том месте чертополох прорастает. Как так?

Нет, это всё бесы крутят, думаю больно много. Нельзя в церкви думать, нечисть вокруг тебя собирается, норовит утащить. Да вон она стоит — рыжая, затаилась в тени, глаза недобрые — как пить дать, не молиться сюда пришла.

Сам-то я когда поверил?

Мне тогда лет десять, что ли, было. Вот же, помню, шухер поднялся. Орут бабы так, что уши закладывает капитально. Кто-то «Скорую» побежал вызывать, а кто кричит: «Спасателей сюда!» А Виталька лежит почти под колесом тепловоза и голову по-клоунски набок свесил, глаза закрыл. Машинисту все руками машут, но под тепловоз никто не лезет, стремаются. А тепловоз ещё дёргается так противно, вперёд-назад, и этот металлический скрежет об рельсы. Сейчас задавит брата. Родного! Виталя! Я рвусь прямо на рельсы, но чья-то рука хватает меня за шиворот. Ты куда, пацан, стой на платформе, сейчас мы его вытащим. Я замечаю, что капюшон Виталькиной куртки зажат здоровенным железным колесом, он двинуться вообще не может. Но вроде целый, живой, крови вокруг нет. Тут меня смяла китайская толпа — платформа-то узкая, и с другой её стороны на путях стоит поезд «Москва — Пекин», и вот он трогается, и китайцы резво разбегаются по вагонам. Запах от них какой-то сладкий, приторный, аж тошнит, галдят, толкаются.

Станция у нас крупная, любой скорый поезд хоть на две минуты, да остановится. И на нашей станции часто отцепляют один локомотив от состава и прицепляют другой. Мороки с этими тепловозами, шастают туда-сюда, вот под таким и лежит сейчас Виталька. Ни жив ни мёртв.

Машинист поставил на тормоз, выскочил, а что делать — не знает, боится двинуться, машина запросто может задний ход дать. Не растерялся только один мужик. Пока все суетились, он растолкал толпу, залез под тепловоз и быстро отрезал Виталькин капюшон ножом. Да это вообще любой мог сделать, остальные зассали просто. Брат выбрался, хочет бежать, но его крепко держат. Тут и менты подкатили. Кто такой? Зачем полез? Задержал отправку поезда на час, это ЧП! Да какой нафиг час, вся эта байда длилась не больше пятнадцати минут. Старший мент достаёт рацию, что-то говорит, я различаю слова «возможна диверсия». Что? Блеать... Виталя. Я подбираюсь к нему, он незаметно суёт мне в руки что-то тёплое и тяжёлое. И шёпотом: «Спрячь. Вали домой, салага». Слово старшего — закон.

Я быстро выбрался из толпы, Витальку уже запихивали в «воронок». Смотрю, что он мне дал — лопатник! Увесистый, как кирпич, потрёпанный, вроде кожаный. Откуда? На кнопках еле держится — деньжищ, наверное, внутри… У меня дух захватило: когда он успел? У кого? Бегу домой со всех ног.

«Бать, там Витальку в ментовку забрали, говорят, диверсант, идём скорей!»

Отец посмотрел зло, он только со смены, лучше не подходи. Корявый весь.

«Я в мусарню не пойду», — и ушёл спать.

Я к матери, она в слёзы. Рассказал, что Витальку чуть тепловозом не раздавило. Она крестится и всё причитает, иконы свои подоставала и простояла перед ними, шевеля губами. Она бы их по углам развесила, да батя не даёт. Я между делом сунул лопатник в мешок картошки, поглубже.

Приходим с мамкой в ментовку. Они уже протокол составили, зачитывают нам. Виталька тут же сидит, зубы стиснул, только сплёвывает на пол. Мент дал ему по шее, а ему хоть бы хны. Я на мать глянуть боюсь, страх какой то непонятный — Витальку-то выпустят, тут и говорить не о чем, не диверсант же он, в самом деле? А она… как на казнь пришла. Вытянулась на стуле, бледная, губы дрожат.

«Повторяю вопрос: зачем ты забрался под вагон пассажирского поезда «Москва — Челябинск», что ты там делал и как оказался рядом с локомотивом?» — мент спрашивает. Ему самому, видно, это всё до чертей надоело, зевает сидит.

«Не молчи, сынок, скажи что-нибудь», — просит мать.

Но я знаю, что Виталька не скажет. Молчать будет до последнего, хоть режь его, хоть статью ему пиши. Откуда у него эта ненависть? Я б так не смог — стрёмно. А он сидит и на лампочку смотрит, типа собака лает, ветер носит, а я не при делах ваще. И долго этот тупой допрос длится, бесконечно долго, одни и те же вопросы по кругу, карусель какая-то долбаная.

И тут я вспомнил про Боженьку — ну мать же не зря к иконам припадает, целует их. И я подумал: а где он, этот Бог? Вот правда, где? Мать верит, что на небе. А на небе — это где конкретно? Неба нет никакого — только облака, а за ними космос тягучий и безветренный. Я по телику передачу видел, что будет, если подняться высоко, выше самолётов. Там какая-то невъебенная пустота и ничего больше. И корабли космические иногда попадаются, наши там или американские. И что Богу до тех голимых кораблей? Чем он им поможет, там и без него техники наворочено — нормальному человеку не разобраться. Нет, Бог, он точно удрал с неба, от скуки. И ходит по земле, гуляет. В церковь иной раз заглянет: как вы тут, пацаны? Всё ровно? Прихожане есть? Ну, работайте, пошёл я дальше смотреть. А потом и вовсе станет невидимкой или превратится во что-нибудь. Он может во что угодно превратиться. Да вот хоть в эту лампочку в допросной комнате в нашей ментуре. А может в ножку стола? Не, ножка стола — это не по-божественному. Да и грязный у них стол — один раз превратишься в него, потом не отмоешься.

Посмотрел на лампочку — она мигнула пару раз. Ух ты! И тут до меня дошло! Не зря Виталька всё время пялится на эту лампочку — он знает, что в ней Бог! Такое на меня накатило! Я сразу понял: всё будет хорошо. И тоже стал смотреть на лампочку. Сначала пытался вспомнить, что там мать шепчет, когда иконы свои целует. Потом просто попросил: отпусти Витальку домой, ну отпусти-и-и! И сразу провал такой — раз, и типа нет тебя.

Очнулся я, когда мать уже подписывала ментовские бумажки. Сколько времени прошло, не врубаюсь.

«И что теперь будет?» — спрашивает она.

«Да ничего, — опять зевает мент, здоровый такой, не хиляк, как наш участковый. — Взрывчатки на месте не обнаружено, при обыске у него запрещённых веществ не обнаружено. Нечего лазить под вагонами. Считай, в этот раз легко отделался. До свидания».

Домой пришли, когда уж совсем темно было. Батя бухой, сидит за столом на кухне и хлеб крошит на мелкие кусочки, весь батон искрошил. Увидел Виталю, поднял кривой грязный палец и силится что-то сказать, но язык не ворочается. А потом хватает тарелку с сухарями и в нас со всей дури, я едва увернулся. И поднимается медленно, грузно — большой он тогда был, килограмм под сто.

«Ма, я у Димки переночую», — крикнул Виталька, скрываясь за дверью.

«Беги, сынок», — и встала перед отцом, стоит, не моргает, только в косяк дверной худыми пальцами вцепилась.

Я хотел выскочить вслед за Виталькой, но не мог — к месту прирос.

А отец подошёл к ней, шатаясь, что-то елозя языком, угрожая и вяло матерясь. Как тиной покрытый, убитый только ему понятным пьяным горем, бешеный. Встал напротив неё, кулаком играет, прицеливается.

Она не шелохнулась.

Я тогда вдруг подумал: а где сейчас Бог? Так и остался в лампочке, в ментовке? Нового кого-то спасает? И, словно услышав мои мысли, отец вдруг отвернулся от матери и быстро, сшибая углы, пошёл, почти побежал в спальню, и оттуда было слышно, как летят на пол глиняные горшки, бьются деревянные образа и трещит разорванная ткань — то ли занавески, то ли простыни.

ГЛАВА 6

Лида написала Инге на следующий день.

«Доброе утро! Я могу поговорить с Вами сегодня. Начиная с двух буду по адресу: Шоссейная улица, 98Б, строение 11. Подъедете — позвоните».

Расставила все знаки препинания — не поленилась, и это «Вы»! Почему так официально? Держит дистанцию или это просто комплекс отличницы? «Могу поговорить с Вами» — подчёркивает, что встреча нужна мне, она лишь уступает. Разговор будет такой же формальностью? Или действительно хочет помочь? А вдруг пытается отвести от себя подозрения?

День был почти летний. Тёплый ветерок гонял по асфальту ржавую пыль. Вместо дома по адресу, который дала Лида, тянулся бесконечный бетонный забор с однообразным вафельным узором. Инга набрала номер и зашагала к железным воротам.

— Лида, добрый день. Инга Белова.

— Ворота видите? Я сейчас подойду. — Голос почти не слышно из-за лая.

Через несколько минут появилась Лида.

— Спасибо, что согласились встретиться.

Инга наблюдала, как миниатюрная девушка справляется с огромными створками, задвигает тяжёлый засов.

Внутри было огромное замызганное пространство, похожее на кооперативные гаражи. Только вместо зелёных коробок вдоль асфальтовой просеки тянулись клетки с собаками. Вывеска на кирпичной одноэтажной будке сообщала: «Администрация приюта «Человек — друг собаки».

— Мы про этот приют из сети узнали, им волонтёры были нужны. Собак много — кормить, убирать некому. — Лида вела Ингу вдоль клеток. На каждой дверце была табличка с текстом: кличка, возраст, вес.

Тон золотистый, слово «мы» мягче остальных. Влюблена.

— Привет, привет, Анчарушка. — Девушка остановилась, чтобы потеребить сквозь прутья ухо чёрно-рыжего пса. — Со стройки привезли недавно. Добрый, покладистый, но с особенностью: боится людей в телогрейках. Зубы сразу скалит, бросается.

— У меня самой собака, Кефир зовут, из приюта щенком взяли. — Инга дала Анчару обнюхать ладонь, тот сразу завилял хвостом. — Худой был, одни кости, на крысу похож. Зато потом, когда отъелся, оказался почти зененхундом!

— Смешно вы его назвали!

— Дочка придумала. Сейчас Кефир, правда, у бывшего мужа живёт. Мы скучаем.

— А мы себе собаку позволить не можем — работа. — У каждой клетки Лида притормаживала, всё ли в порядке. — А так бы завели бигля. Здесь есть парочка потеряшек, а хозяева не объявляются. Поверить не могу, что такого пса бросить можно.

— Породистых тоже бросают?

— Да, и часто! Надоела, дети появились — вот приносят на усыпление или нам подкидывают.

— Не понимаю. Они же членами семьи становятся.

— Или заболевших лечить не хотят. — Они встали у следующей клетки. Белый лохматый пёс неловко просунул им нос. — Веста. У неё давно с глазами не очень, а в последний месяц совсем плохо. Сейчас практически ничего не видит. Старая, на передержке у нас, как в хосписе, до конца.

— А часто вы здесь? Не тяжело? — Веста крутила головой: прислушивалась к незнакомому голосу Инги.

— Почти все выходные. Приют под завязку, собак в возрасте берут редко. У нас радость, если желающие находятся, раньше каждого персонально сопровождали. — Лида и здесь была такой же ответственной. — А где-то с месяц назад пришел один парень, лет шестнадцать-семнадцать, говорил, собаку хочу взять. Сначала мы с ним вдвоём пошли, я ему про каждую рассказывала — что за характер, привычки, а он: «Дайте мне тут одному побыть, родную душу почувствовать». Оставила его. Так он, сволочь, в клетки шарики с отравой набросал и сбежал! Три пса сразу умерли, пять до сих пор в плохом состоянии, не знаем, выживут ли. Теперь только по звонку пускаем, никаких «добрых людей». Нам кормить скоро, идёмте, пока время есть, на кухню. Потом трудно будет говорить.

В административном домике было тихо и пусто. Вдоль стены стояли мешки с кормом, в углу — крохотная кухня. Лида достала две чашки, залила кипятком серые пакетики. Инга сделала маленький глоток, поморщилась — пакетированный чай она не любила.

— Расскажите, пожалуйста, о Галине.

— Мы со школы дружили, с третьего класса, её к нам тогда перевели. Нас за одну парту посадили, вот и стали ходить вместе. Галя дикая была, как наши собаки, когда их с улицы забирают.

— Дикая? Это как?

— Отвечала резко, могла в драку ввязаться, нагрубить. Чтоб девчонка так себя вела? Нет, я таких не встречала. У меня, знаете, дома было, как в оранжерее, всегда одно время года — тепло, светло, обед по расписанию.

— А у Галины какая семья?

— Какая там семья! — Девушка посмотрела в окно. — Я маму её в школе только пару раз видела. Да и в полиции вот недавно. Галя всегда говорила, что она для матери пустое место. Той мужики важнее. А как уж там было на самом деле... — Лида подвинула ей коробку. — Тут печенье, чай пейте, остынет. Она, когда ко мне в гости пришла, не могла поверить, что так бывает: мама, папа, оба непьющие, живём мирно, говорим вежливо, своя комната. — Лида обняла горячую чашку ладонями. — Меня очень любили, я с детства «их золотко». А Галка понимала, что ей рассчитывать не на кого. Как бультерьер, за жизнь цеплялась.

Открылась дверь, лай стал на мгновение громче. В домик вошёл молодой человек — спокойные серые глаза, гладкое лицо, ямочка на подбородке. Лида заулыбалась.

— Паша, познакомься, это Инга Белова, журналист. Я говорила тебе. Мы о Гале беседуем. Чай будешь или кофе? — Она снова включила чайник, протёрла клеёнку на столе.

— Чай. Здравствуйте. — Молодой человек снял с полки толстую «Тетрадь для записей», что-то пометил. — Я читал ваш блог, хорошо пишете. Интересно.

— Спасибо. Это вы придумали сюда волонтёрами ходить?

— Придумал я, — Павел стряхнул пыль со стула, — а ходим вместе. Значит, Галина Белобородько?

— Да. Вы знали её?

— Мало. Лидина подруга.

— Я знала её под именем Эвелина Джи — она моя бывшая коллега по журналу «QQ».

Лида поставила перед Пашей чашку. Он жадно отхлебнул и спросил:

— А сахар?

— Кончился. — Лида виновато посмотрела в пустую сахарницу. — Ты не сказал купить.

— Понятно.

— Паш, ну прости.

— Лида, когда и зачем Галина сменила имя? — спросила Инга.

— Точно уж и не помню. Она всегда, ну как вам сказать, своей семьи и имени стеснялась, что ли. В школе требовала, чтобы её звали Лина. Потом вдруг придумала историю, что она из польской аристократической семьи, а там у всех двойные имена. Стала Ева-Лина. Потом эта история ей надоела, а Эвелина осталась. Эвелина Джи ей казалось интригующим, роковым.

— Не понимаю, зачем люди меняют имена, — сказал Павел. — На мой взгляд, это неуважение к родителям.

Инга увидела, как Лида собралась ему возразить, но тут же одёрнула себя.

Зазвенел будильник.

— Кормёжка! — Паша поднялся. — Ну, раз вы тут сладким не кормите, пойду к собачкам. Лид, я начну, а ты потом присоединяйся. Хорошо, мышонок?

Будто бы заглаживая былую холодность, он нежно дотронулся до её плеча, чмокнул в щёку.

— Как я могла забыть про сахар? Заходила же в «Семёрочку» утром! — Лида ещё раз проверила все полки, когда Паша ушёл. — У него давление низкое, голова часто болит.

— Какая была Галя в школе?

— Она, как эти псины, — Лида вернулась за стол, — сообразила, что стаей большего можно добиться. Собрала нас, троих самых не похожих девчонок, вместе, так что мы стали как перчинки в Spicegirls — все разные и классные, — к нам никто просто так подойти не мог.

— Здорово. Инстинкт сработал. — Лида кивнула, подтверждая. Инга продолжила: — Вот откуда её целеустремленность. Она и у нас на работе только с нужными людьми общалась.

— Не удивляюсь. Галка всегда была деловая. Она за коммуникации отвечала: где гулять, с кем дружить, кому бойкот объявлять. Я за учёбу — домашки, сочинения, контрольные все на мне.

— А третья девочка?

— Тамара Костецкая. Её звали «актриса». Она решала, например, на какой фильм в субботу идём.

Костецкая! Та самая «восходящая звезда», которая снималась в «Перебежчике» у Марата!

— Почему?

— Она кино обожала. И играла в школьном театральном кружке. Красивая была необыкновенно! А любимая роль — Кикимора, представляете? Играла потрясающе! До сих пор мурашки по коже! У неё дар к перевоплощению, ей даже не надо было костюма и грима. Хочет — девочкой станет наивной, ресницами хлопает, а хочет — красавицей. Будто секрет знала — любого могла к себе расположить, — вздохнула Лида. — Галя просила Тамару научить, а та ей отвечала: «Это либо дано, либо нет, я ничего специального не делаю — только в глаза посмотрю, и человек сделает всё, что я захочу». И смеётся. И такое чувство, что жизнь у неё всегда будет гладкая и красивая. Галя завидовала, понятное дело. А мне с ними так классно было! Я же тихоня, а они столько всего придумывали: как на концерт бесплатно пройти, как отомстить сплетницам-отличницам или мальчишкам.

— Неужто дрались?

— Постоять за себя умели. — Лида расправила плечи. — Но никому и в голову прийти не могло. Тамара всегда как дива выглядела, плавная, воздушная, а бугая-десятиклассника однажды так отделала!

— Расскажите, — попросила Инга.

— Он её у туалета зажал, лапать начал, под юбку полез, типа лёгкая добыча. А она ему, — Лида понизила голос, — не здесь, идём со мной. И повела за гаражи. Тот за ней телёнком, а как видно их не стало, она ему ногтями в лицо и коленом между ног! Долго потом меченый ходил. Он с тех пор нашу троицу избегать стал, но никому ничего не рассказал, стыдно, наверное, было. Да и кто поверил бы!

— Лихие вы были.

— Это они. А я у них училась. — Лида слегка покраснела. — Тамара с Галей ещё тогда решили: у них большая жизнь впереди, вырвутся из нашего болота.

Она и две популярные девочки. Речь льётся легко, плавно, бирюзово-оранжево — это было лучшее время в Лидиной жизни. А Эвелина уже тогда умела людьми попользоваться — проехаться, как на трамвае, и на нужной остановке соскочить.

— После школы, — Лида не спеша укладывала собачьи миски в стопку, — стали реже видеться. Мне родители репетиторов наняли, знакомства подключили, и я прошла в Историко-архивный на музееведение. А девочки не поступили. Тамара в ГИТИС баллов недобрала.

— А Эвелина куда поступала?

— Она на Иняз замахнулась, хотела в переводчики, но провалилась сразу. — Лида усмехнулась. — Устроилась секретарём и зажила другой жизнью.

— Что вы имеете в виду — другой жизнью?

— Не знаю, как объяснить, — она подбирала слова, — вот представьте себе. Я иду после института, целый день на лекциях: «Теория музейного дела», «Архивоведение», «История Античности». И тут вижу: останавливается машина, а из неё моя Галя выпархивает — в деловом костюме, с портфелем, в очках. Она начала с малого: с колл-центра, потом — на ресепшен секретаршей. А за последний год доросла до личного ассистента босса.

— Значит, вы часто виделись?

— Нет, нет, не особенно. Ну, просто... созванивались.

Лида замолчала.

— Расскажите ещё про Тамару, — попросила Инга.

— Она после школы совсем потерялась — в кулисах все спектакли проводила, роли наизусть шпарила, даже устроилась уборщицей в театр. Потом ещё два раза в театральный поступала, с третьего взяли. Сейчас мелькает в кино, в антрепризах, но мы мало видимся.

— Тоже другой жизнью зажила?

— Да нет, почему. — Лида смутилась. — Мы встречались время от времени. Но потом как-то... некогда ей стало. То съёмки, то гастроли. Ну, вы понимаете, — закончила она совсем тихо.

Не может определиться. Не знает, на кого свалить вину за разрыв с подругой. А может, она сама вычеркнула Тамару из жизни? В последнем признаваться неловко — Лида хочет выглядеть верной подругой.

— Расскажсте?

— Пусть она вам сама всё расскажет. — Девушка собирала чашки со стола.

— Как мне её найти?

— По соцсетям посмотрите, — тон стал жестяным. — Вы знаете, Паша там сейчас за меня всю работу делает. Надеюсь, я вам помогла?

— Я тоже надеюсь. Спасибо. — Инга поднялась.

На улице Павел одну за другой открывал клетки, сыпал в миски корм, наливал воду. Лида кинулась ему помогать. Инга стояла рядом, выжидая удобный момент, чтобы попрощаться.

Пора выходить на Костецкую. Конфликт у них наверняка был пустяковый, из-за парня поссорились или что-нибудь вроде этого, но встретиться надо обязательно.

Грустный пятнистый бигль с перевязанной задней лапой лежал в углу вольера. Увидев коричневый мешок, пёс вскочил и неловко забегал из угла в угол. Приблизился к Паше, подсунул ему под руку сначала нос, потом голову, требуя, чтоб ему чесали за ушами.

— Он у нас только что после операции, — объяснила Лида.

— Бастер, подожди, — ласково ответил ему Паша, — сначала воду.

Он отстранил бигля и включил шланг. Инга зашла в клетку и не успела понять, что произошло: добродушная псина внезапно ощерилась и рванула вперёд. Тихо и страшно, не издавая ни звука, она бросилась прямо на неё. Паша кинулся наперерез взбесившемуся псу, загородил Ингу. Бастер вцепился ему в руку и дёрнул головой, пытаясь вырвать из ладони кусок мяса. Лида, охнув, схватила собаку за ошейник. Хоть и с трудом, но ей удалось оттащить Бастера. Тот, щерясь, рвался на Пашу.

— Вот же... — Павел тихо ругнулся. — Не любит чужих.

— Извините, ради бога. — Инга растерялась. — Я и подумать не могла. Бигли, они же такие дружелюбные. Не надо было мне заходить в вольер. Вы меня спасли, но что с вашей...

— Ничего страшного, — Паша рассматривал глубокий укус, — вы не виноваты.

— Аптечка там, в администрации, — лепетала испуганная Лида, умело увёртываясь и привязывая взбешённого пса. Теперь Бастер издавал дикие, утробные звуки, которые нельзя было назвать ни рычанием, ни лаем, — это был рык дикого зверя.

— Вам в травмпункт надо, — ошарашенно сказала Инга, — и уколы от бешенства.

— Ерунда. — Паша, поморщившись, прижал укушенную руку к груди. — Сначала сами обработаем, потом посмотрим. Нам не впервой! Жизнь волонтёра тяжела и опасна.

Какой знакомый жест... где-то совсем недавно я видела похожий... Точно! Военный в аэропорту Пафоса! Стекло прошило ему руку, а он так же просто поморщился, будто его комар укусил.

Лида закрывала клетку. Она сильно побледнела, руки тряслись.

— Вы извините, что так вышло. Животные наши сплошь травмированные. Вы, Инга, может, напишете про наших собачек? Подумайте. Спасибо, что зашли. Приятно было познакомиться. — Паша кивнул Лиде: — Пойдём, поможешь рану промыть.

ГЛАВА 7

— Помнится, раньше ты не брезговал свининой. Что вдруг перешёл на кошернос?

— На халяль, — поправил Марат.

— И всё-таки? — Инга забросила огрызок колбасы обратно на пустую полку. — Принял веру предков?

— Посмотри на меня! — строго сказал он. — По-твоему, я похож на религиозного человека?

Инга оглядела его фигуру, прикрытую её крохотным передником, как фиговым листком, и засмеялась.

— Я подхожу к этому с практической стороны, — продолжил он. — Животное на скотобойне испытывает такой ужас, что у него адреналин зашкаливает. Потом ты этот чуп-чар кушаешь, и его стресс передаётся тебе. А баран, забитый по всем правилам, мирно засыпает.

Марат деловито выкладывал на стол добытые по сусекам продукты: свиток лаваша, остаток вчерашнего картофельного пюре, высохший пучок кинзы. Инга скептически оглядела этот набор:

— Может, лучше в ресторан?

— Обижаешь! Что я, свою женщину не накормлю?! Зачем нам какой-то ресторан? Там всё делают без души, это же конвейер.

— Но разве что-то можно приготовить вот из этого?

— Очень даже можно! В самый раз для кыстыбый. Конечно, еда простая, зато шул хатле уютная, семейная. Тебе понравится.

Марат разделил лаваш на четыре части, завернул в них перемешанное с зеленью пюре, смазал маслом и выложил на сковородку.

— Думаешь?

— Уверен.

Сладковатый запах жареного теста и пряностей сгустился над плитой. Инга вдруг представила себе просторный дом, полный говорливой родни, детей, смеха, протяжных переливчатых песен. На миг ей захотелось стать своей в этой пёстрой восточной семье.

— Мой отец говорил: «Что ты вкушаешь, то ты и переживаешь», — рассказывал Марат, словно сказку из «Тысячи и одной ночи». — Нельзя есть просто так, для сытости. У каждого блюда свой эффект, как у лекарства. Вот когда мы снимали «Перебежчика», я всю группу казылыком кормил. Это настоящая пища кочевников, воинственная. Мужское начало повышает, силу. Под конец по десять дублей выдавали с ходу. Даже Костецкая.

— Ты её хорошо знаешь?

— Конечно! Огонь-женщина!

— К ней ты тоже подходил с практической стороны?

— А как иначе? Я же мужчина.

Досада так и просвечивает. Ничего у тебя с ней не вышло!

Инга улыбнулась.

— Познакомишь нас?

— Зачем это? — Марат напрягся.

— Да так. Для обмена опытом. — Инга едва сдерживала смех. — Да ладно, расслабься, о тебе спрашивать не буду. Мне для дела.

* * *

Клуб «Красный конь» занимал длинный подвал старого пятиэтажного дома в тихом центре.

В тесном фойе Инга увидела стилизованную копию картины Петрова-Водкина. Мальчик на коне казался болезненно-тонким. В оригинальной версии его ключицы и плечи создавали мощный треугольник — мальчик выглядел худощавым, но крепким. Но современный художник-копиист, видимо, решал иную задачу. Он сделал линию плеч зыбкой и не вставил шею внутрь, а приделал сверху, как декорацию. Оттого шея заваливалась набок, как дерево без корней. Левая нога была тоже прописана условно, без намёка на мышцы.

Гардеробщик потянул из её рук плащ. Она машинально взяла номерок, не отрывая глаз от картины, и только тут заметила, что левая рука мальчика держит дымящуюся сигарету, почти прижимая её к конскому боку.

Здесь курят.

Клуб представлял собой анфиладу комнат, как во дворце, только с низкими потолками. В первых двух было светло, здесь сидели за столами. Дальше начинался полумрак чилаутов с диванами, разделёнными условными перегородками. Музыка приближалась постепенно, громыхала из дальнего зала.

Инга давно не была в клубах — со времён работы в «QQ» приобрела к ним стойкое отвращение.

В комнатах висели копии известных картин. Двадцать первый век лениво стебался над веком двадцатым: широкие спины Дейнеки превращались в изнеженные, пропорции фигур были сильно искажены. Она заметила, что герои картин держали в руках сигареты, кальян, а у одной в ладони было что-то похожее на порошок.

Инга взглянула на телефон — связи под землёй не было. Отлично.

Эдик напрашивался с ней, уныло перечисляя все возможные клубные напасти — от навязчивых наркодилеров до нетрезвых хулиганов. По нытью её друг не знал себе равных. Инга держалась твёрдо:

— Брось, Эдька, кого сейчас можно испугать хулиганами? Везде секьюрити.

Про наркодилеров она благоразумно промолчала; не говорить же, в самом деле, что они и были её целью? Версия, что Эвелина и Безмернов занимались сбытом наркотиков, казалась наиболее вероятной.

Она сделала глубокий вдох и вошла в танцевальный зал. Словно сетью, на нее накинули ритм, глаза запаниковали от мерцающего лазера. В ушах стало плотно от рейва. Проводить тут время — всё равно что сидеть под водой.

Инга медленно шла сквозь толпу. Слева на танцполе колыхалась чёрно-серая масса, туда пока лучше не ходить. Справа был подиум, ярко освещённый и на уровень выше, — танцевали, как на сцене. По центру огромного зала — бар, он походил на открытый со всех сторон ресепшен в отеле. Инга с трудом прорвалась к стойке, но присесть было некуда. Подняла глаза вверх — под потолком качались три надутых гелием коня с квадратными улыбками во все зубы.

— Добрый вечер, дайкири, пожалуйста! Что? Что? Один, да!

Бармен, худой молодой человек, похожий фигурой на мальчика с репродукции, быстро сделал ей коктейль.

Инга развернулась к танцующим. Это был выход красоток — танцевали одни девушки, по-змеиному изгибаясь и отбрасывая волосы назад, картинно, с вызовом. Ни одной хипстерши в ботиночках и футболке — все были сплошь на шпильках и в мини, талии подчёркнуты, каждое движение отточено. Обнажённые руки и плечи в лучах лазера светились по-лунному.

Проклятый бодишейминг. Скоро забудут, как выглядит нормальная женщина. Вон картины уже переписали.

Как обычно в минуты раздражения, она почувствовала голод. Сэндвич с семгой оказался куцым чёрствым бутербродом.

— Это всё, что у нас есть, — улыбнулся бармен с бейджиком «Слава».

Тот самый Славик, с которым разговаривал Безмернов по телефону?

— Всегда у вас так много народу?

В грохоте бита говорить было невозможно. Да это и не предполагалось. Инга и бармен читали реплики друг друга по губам.

— Не, недавно стало. Раскрутились понемногу. А вы одна?

— Подругу жду. Мы договорились у бара в десять, но я её не вижу. И связи нет. Вайфай какой у вас?

— Никакого нет.

— А кто рисовал картины?

— Друг нашего хозяина. Самоучка. Ему по приколу было, а нам — интерьер.

— Выставляется?

Он помотал головой.

— Умер. Скурился.

Слава покрутил бокал со льдом в воздухе, потом выкинул лёд и отмерил в бокал пятьдесят виски. Это выглядело так, словно художник при жизни состоял из бессмысленно дребезжащих ледяных кубиков, но, преставившись, обрёл крепость благородного напитка.

Музыка стала тише. Инга хотела ещё расспросить про художника, но бармен отвлёкся на другую гостью. Он перегнулся через стойку — она что-то говорила ему, прижимая губы к уху. Потом протянула купюру, которую он быстро спрятал.

— Место знаешь? — донеслось до Инги. — Ну, отлично.

Слава вдруг ловким движением выхватил из бара две бутылки с ликёром и принялся жонглировать, сначала небрежно перекидывал их за спиной, потом всё резче и рискованней подбрасывая вверх. К бутылкам добавился шейкер — они описывали ровные круги, бармен поочерёдно прокатывал их от плеча до кисти, ставил на баланс.

Рейв сменился прозрачной танцевальной мелодией.

The club isn't the best place to find a lover
So the bar is where I go[1]

Флейеринг завершился фееричным вращением бутылок. Зрители завизжали. Слава небрежно поклонился и ушёл на другую сторону бара.

Инга поискала глазами девушку, сделавшую заказ, но её нигде не было видно. Не было и коктейля, который должен был быть приготовлен в ходе этих искусных манипуляций. Но девушка отдала бармену деньги. За что?

Когда Слава вернулся, Инга приканчивала дайкири.

— Что-то я засыпаю, хочу что-нибудь бодрящее. На ваш вкус, сделаете?

— The Donald — самое то. Рецепт нашего шефа. Вставляет так, что аж ракеты в глазах.

---

[1] Shape of You. Эд Ширан, Asylum Records. 2017.

— А шоу будет? Хочу ещё раз посмотреть на ваше жонглёрское искусство.

Бармен слегка растерялся.

— Попозже, идёт?

The Donald стоил как четыре дайкири, а на вкус был горьким и вяжущим. Инга разочарованно отошла от бара, поднялась по ступеням лестницы, ведущей на консольный этаж, — там раскинулся ещё один чилаут. Лазер выхватывал из сумрака полулежащие фигуры.

Рядом заработала дым-машина — со свистом вылетела вверх мощная струя, и Ингу заволокло облаком, сладко пахнущим леденцами. Когда дым рассеялся, она увидела рядом со Славой высокую полную девушку в синем кардигане. Бармен отступил на шаг, привычным жестом взял бутылки, и Инга услышала, как в голове у неё заиграла Shape of You — за секунду до того, как эту песню включил диджей.

> Me and my friends at the tables doing shots
> Drinking fast and then we go slow.

Дежавю: те же летающие бутылки под те же аккорды известного хита. Что это? Совпадение? Ставить одну и ту же мелодию с интервалом менее получаса? Вряд ли. Это похоже на условный знак тому, кто не может видеть бара. Но может слышать музыку.

Она сбежала вниз по лестнице, не выпуская из поля зрения девушку в кардигане. Та уже шла к двери с неприметными знаками «W» и «M» в левом конце зала.

За дверью оказался тускло освещённый кафельный коридор. Инга прошла вперёд, миновала туалеты. Из женского доносился истерический смех. Она мельком заглянула туда — группа девушек сгрудилась вокруг раковин. Синего кардигана среди них не было. Пахло сладковатым дымом, в туалете явно курили травку. Коридор вёл дальше, поворачивал направо. Усилился запах канализации. То справа, то слева ей попадались двери, но все были заперты. За единственной незакрытой дверью она обнаружила упаковки туалетной бумаги, пластмассовые вёдра и средства бытовой химии. Так она дошла до развилки и, недолго думая, свернула налево. Тёмный тупик. Позади послышались шаги. Инга рванула назад, в свет. Из коридора напротив выходил синий кардиган. Увидев Ингу, она обезоруживающе улыбнулась:

— Представляете, заблудилась! Пошла в туалет, а выход обратно не найду.

— Я тоже, — пробормотала Инга.

Девушка перекинула через плечо помятую сумку.

— Катакомбы тут — кошмар. Попробую в другую сторону. — И, виновато улыбаясь, попятилась обратно к туалетам.

Что ты делала в этом закоулке?

Инга свернула в правый коридор. Там не было света, но в полумраке мелькнул силуэт. Она сбавила ход — фигура тоже сбавила ход. Инга остановилась. Силуэт тревожно замер, готовый бежать назад. Она кинулась вперёд, едва сдерживая крик. Рука наткнулась на холодное и гладкое. Зеркало.

Испугалась собственного отражения. Дожила.

Инга нащупала ручку. Из щели тянуло свежим воздухом. Это была зеркальная дверь. Дёрнула: закрыто.

Когда она вернулась в зал, вечеринка была вся в розовом искрящемся дыму. Столики у стен убрали, и всё пространство превратилось в танцпол. Инга бездумно скользила взглядом по лицам в колышущейся толпе. Музыка и мятущийся лазер притупляли внимание.

— Как вам наш новый коктейль? — спросил Слава, когда она вернулась к стойке.

— Тяжеловат.

— Что-нибудь полегче?

— Как насчёт Shape of You?

Слава не изменился в лице, только провёл пальцами по губам, словно прижимая к ним улыбку.

— Я понял, что вам нужно. Специально для скучающих девочек.

— Давайте. Похоже, подружка меня сегодня кинула. Может, вы видели её здесь? Высокая, волосы такие... длинные, тёмные.

— Зовут как?

— Эвелина.

Бармен неопределённо повёл плечом. Он снял с верхней полки литровую бутылку Campari, поиграл ею и вдруг подкинул, крутанулся вокруг своей оси, припал на колено и поймал её почти у самого пола.

Музыка стихла. Но зазвучала другая песня — недавний хит Believer. Ликующий возглас пронёсся по залу. Инга смотрела на Славу, ожидая продолжения шоу. Но он уже без фокусов наполнял бокал лимонным сиропом и фруктами. Она вытащила деньги, он протестующе поднял руку.

— За счёт заведения. Добро пожаловать в клуб!

Не пей! Отрава!

Зажмурившись, она быстро сделала глоток, чуть не задохнулась от ледяной сладости.

— Привет, Лину ищешь?

Позади неё стоял Безмернов. В горчичной лёгкой куртке с капюшоном и костяными пуговицами-дафлкотами на шнуровке он походил на мальчишку-студента. И держался по-мальчишески, слегка ссутулившись и глядя исподлобья.

На взводе, дёргается сильнее, чем в «Житнице».

— Да, я пришла...

— Её сегодня не будет. — Он мотнул головой, стряхивая с волос капли дождя.

— А когда...

Он не давал договорить, словно включал заранее записанные фразы.

— В отпуске, на море загорает.

Клуб заполнила новая порция горячего дыма, Безмернов неловко расшнуровал верхнюю пуговицу. На пальце блеснуло кольцо.

— Я тебя не помню. Ты с ней на связи?

— Больше года. — Инга играла вслепую.

— Давно качаешься?

— Что, простите?

Иван поднял брови. Инга поняла, что допустила промах, в замешательстве оглядела себя.

Качаешься? О чём он?

— Не очень. Месяцев шесть, — сказала первое, что пришло в голову.

Он оценивающе оглядел её с головы до ног, не по-мужски, а так, как обычно оглядывает портной, прикидывая фасон нового платья и расход ткани.

— О, птичка моя, тебе ещё работать и работать.

— Я работаю.

Он продолжал буравить Ингу взглядом, прищуриваясь и словно просчитывая что-то про себя. Посмотрел ей за спину, и она догадалась, что он переглянулся с барменом.

— Поможете мне? — Она сделала шаг навстречу и почти уткнулась носом ему в куртку. — Мне очень нужно. Эвелина не отвечает на сообщения, я не знаю, к кому обратиться.

— Конечно. — Он криво улыбнулся и отступил. — Давай код, проверю по базе.

— Эвелина изменила мой код, я жду от неё новый.

Безмернов поднял брови и что-то быстро и неразборчиво переспросил; она уловила только «ник». Внезапно глаза его расширились, он посмотрел влево и опять на Ингу.

— Этот парень с вами... — прокричал он.

— Какой?

Безмернов резко выпрямился, выбросил руку вверх, и тотчас же их накрыла волна грохота. Музыка, бывшая до того ритмичной, стала вдруг неуправляемой, как лава. Инга инстинктивно закрыла уши руками. Струи плотного дыма заполнили пространство.

Кто-то схватил её за руку — Эдик! Безмернов, глядя на него, быстро отступал в танцующую толпу. Инга бросилась за Иваном, но тут же встала — на несколько секунд погас свет. Первый луч выстрелил с потолка, выхватив аппликацию на спине Безмернова: волк с раскрытой пастью. Спина исчезала в коридоре, ведущем к туалетам.

— За ним! — бешено крикнула она Эдику.

— Я тебя искал! Ты вне зоны доступа уже три часа! — криком на крик отвечал он.

— Проехали! Хочешь помочь — проверь мужской туалет!

Они вбежали в кафельный коридор. Теперь и тут было людно: парочки дымили, обнимались и целовались взасос. Остро пахло курительными смесями. Маленький тщедушный вейпер выпустил кривое дымное кольцо. Эдик послушно кинулся к двери с табличкой «М».

Мгновение — и Инга оказалась в конце коридора, на развилке. В тупике направо никого не было. Налево — темнота. Она включила фонарик на телефоне.

— В туалетах Безмернова нет, — её догнал запыхавшийся Эдик. — Думаешь, это я его вспугнул?

— Одну меня он не узнал, а вот увидев нас вдвоём, видимо, вспомнил «Житницу».

Они прошли ещё метров двадцать. Щель у зеркала была намного шире. Инга легко толкнула дверь: не заперта. Приятный мокрый воздух — и наконец-то тишина.

Двор со всех сторон был окружён пятиэтажками.

— Улица Доватора, — прочитал Эдик.

Они обежали здание по кругу: детская площадка, скамейки у подъездов, треугольная клумба. Везде пусто. У главного входа в клуб стояли припаркованные машины и такси.

— Видели парня в горчичной куртке? — бросилась Инга к водителям. — Волк на спине?

— Девушка, — усатый таксист пульнул окурок в темноту, — если бы он был за рулём, а я — пассажиром, то, может, я бы и разглядел, что у него там на спине. Ехать куда будем?

Понуро добрели до перекрёстка. В сторону метро двигалась красно-синяя толпа футбольных болельщиков, наполняя улицу свистом и выкриками. Дождь усиливался.

— Смотался! — Инга со злости пнула скамейку. — Упустили!

ГЛАВА 8

— Вы из Москвы, уважаемый? Впервые в нашем городе? Как вам нравится в отеле? — Молодой человек в серой форме с бейджиком «Гранд-Отель Элизиум. Навруз» улыбался во весь рот из-за стойки и не собирался никуда торопиться.

— Отлично!

Петряев был готов взорваться от злобы. Его бесило здесь всё: прямые чистые проспекты, отделанные жёлтым орнаментальным камнем дома-дворцы, закрученные северным ветром Хазрив зелёные скульптуры из сосен, влажная жара на улице и ангелочки на потолке. Но особенно его разозлила маленькая табуреточка, заботливо подставленная к высокой кровати, споткнувшись о которую он чуть не навернулся с постели в первое же своё утро в Баку.

«Ладно, иранцы живут себе в посольстве, молятся своим аятоллам. Но даже казахов с туркменами заселили в Four Seasons, в самом козырном месте — с видом на море. Русских же загнали на выселки, в этот обляпанный бахромой допотопный отель! Пять звёзд, как же! Никакого уважения!»

Петряев из принципа уже второй день вызывал казённую машину, чтобы проехать сто метров до конгресс-холла в центре Гейдара Алиева, где проходила межпарламентская конференция стран Каспийского бассейна. Водитель был такой же неторопливый, как и все вокруг, и Петряев с телохранителем каждый раз топтались в ожидании у входа в отель. Раздражение от этого росло и с организаторов конференции перекидывалось на извивы геополитики, местный менталитет и даже на Заху Хадид, которая построила на пустынной возвышенности плавное, как облако, и взмывающее ввысь, как волна, здание без единого угла — в память об отце азербайджанской нации.

«Восточные штучки, автократия, что тут скажешь! И архитектура у них... туда же!»

Но Запад был нынче не в тренде, а потому приходилось оборачиваться на Азию. Вот Петряев и старался «обернуться», но получалось не очень. А тут ещё этот ужин.

Накануне, когда он тихо наливался дармовым виски в фойе конгресс-центра, уперев взгляд в огромный пластиковый абажур, похожий на снятую с гигантского яйца шапочку скорлупы, рядом образовался строгий азербайджанец — чёрный костюм, чёрная рубашка, чёрные блестящие ботинки, иссиня-чёрная аккуратная щетина.

Вежливо поздоровался и протянул Петряеву конверт. В конверте было приглашение на матовой бумаге с золотым тиснением:

«Дорогой Валерий Николаевич! — Текст тоже был отпечатан золотом. — Я рад приветствовать Вас на гостеприимной азербайджанской земле. В знак огромного уважения, выполняя обещание, данное во время нашей последней встречи в Москве, имею честь пригласить Вас на дружеский ужин. Ресторан «Караван-сарай», 19:00. Машина будет ждать Вас у отеля в 18:30.

С неизменным уважением,

Ваш Нариман Гулиев».

И от руки чернилами уверенным почерком: «Это лучшая еда в городе!»

Остаток дня Валерий Николаевич ломал голову над тем, кто такой Нариман Гулиев и что всё это означает. Он не мог вспомнить ни одного азербайджанца, с которым виделся в Москве, а уж тем более — какие-то «данные обещания». Петряев до самого вечера не мог для себя решить, надо ли идти на этот ужин, не лучше ли отсидеться в номере, а совсем уж было бы хорошо пораньше вылететь в Москву.

С другой стороны, рассуждал Валерий Николаевич, где бы я был сейчас, если бы не пользовался каждой возможностью, которую даёт жизнь. Решил ехать, но с телохранителем.

Он переодел рубашку, подумал, повязывать ли галстук. Не стал. Многовато чести неведомому Нариману. Критически оглядел себя в зеркале. Опять набрал вес, придётся попотеть в спортзале, а то Альбина заведёт свою песню: «Ах, пупсик, ты поправился, милый, тебе это вредно!» А нечего было жениться на молодой — теперь терпи. Он самодовольно ухмыльнулся. Альбина, конечно, умом особо не блистала, но до чего хороша была

72

бабёнка! Валерий Николаевич пригладил непослушные волосы, они всегда немного стояли торчком, провёл рукой по щеке. Румянец делал его моложе лет на десять, хоть какая-то польза от повышенного давления.

Ресторан был в Старом городе. За пределами Крепости остались модные магазины, рой машин, многоуровневые развязки. Город, построенный на нефти, ради нефти и благодаря нефти. Здесь же был настоящий Восток: улочки, нависающие над тротуарами балконы, минареты, загадочная Девичья башня. Уличные торговцы зазывали покупателей, говор смешивался с шумом фонтанов, на горизонте переливались огнями три небоскрёба — три языка пламени. В воздухе разливался аромат жареного мяса и специй.

— Надеюсь, в этом вашем лучшем ресторане есть кондиционер, — проворчал Петряев.

Он с огромным удовольствием съел бы сейчас жирный беляш — любимую еду со времён полуголодной юности. До сих пор в Москве он иногда просил водителя притормозить около ларька с фастфудом и сгонять за беляшом. После такой трапезы, правда, костюм часто отправлялся в химчистку, а Альбина вызывала Максима Ильича — их личного гастроэнтеролога.

— Сюда, уважаемый. — Открылась тяжёлая двустворчатая дверь, звякнуло чугунное кольцо. — Прошу вас, проходите, пожалуйста.

Во внутреннем дворике под стеклянной крышей прямо из мощёного брусчаткой пола росли деревья. Между ними стояли, сидели за столиками, неторопливо двигались, как фигурки по шахматному полю, строго одетые люди.

«Ну и который тут Нариман? Господи, да любой!» Он всё же надеялся, что как только увидит господина Гулиева, тут же его вспомнит. Но вокруг не было ни одного знакомого лица.

— Валерий-муэллим! Рад тебя видеть! — К нему шёл невысокий полный мужчина в светло-сером костюме. Белая рубашка слегка топорщилась на животе, волосы были тщательно зачёсаны назад, губы улыбались, но глаза оставались бесстрастными.

— Нариман, дорогой! — Валерий Николаевич протянул было руку, но Нариман не обратил на неё внимания, шагнул вперёд и так радостно обнял гостя, поцеловав в обе щёки, что Петряев слегка оторопел.

«Дни азербайджанской культуры? День Каспия?»

— Красиво здесь, прямо как на картинке. — Петряев повёл рукой в сторону фиговых деревьев, стараясь вежливо высвободиться из объятий. — А город-то как хорош! А?

— Первая леди и наш президент любят Баку, как и его великий отец Гейдар Алиев. Всё делают, чтобы людям было красиво. Но я тебе скажу, что и москвичам повезло. — Нариман продолжал говорить, увлекая Петряева к дальнему из закутков-кабинетов. — Как я люблю Москву! Жаль только, как ни приеду, снег. Зато какая жизнь, какое искусство! Музыка, живопись, выставки! А театр?

Мимо прошёл официант, неся на вытянутых руках огромный садж с кипящим в раскалённом масле мясом, нарубленной картошкой, золотистыми баклажанами и сморщенными, с подгорелыми бочками зелёными жгучими перцами. От подноса струился лёгкий ароматный дымок.

— Мы с тобой, Валерий-муэллим, никуда не торопимся, да? Дела делами, а хороший ужин требует времени и уважения. — Нариман говорил почти без акцента, лишь интонационно фразы в конце предложения завивались вверх. — Спешка, она, дорогой, от шайтана.

Они прошли под арочный свод в небольшой портик. Три чернобородых охранника Наримана остались снаружи, за ближайшими столами в общем зале.

— Мангуст, ты здесь, — отрезал Петряев.

Телохранитель огляделся и встал за колонной.

— Располагайся, дорогой, — сказал Нариман, продолжая улыбаться. — Баку, Валерий, маленький город. Здесь положено всё про всех знать. Да и нам ни к чему прятаться.

«Наблюдательный, гад», — подумал Петряев.

Не успели они сесть, как неслышно вошёл официант, и на стол с подноса перескочили закуски: фаршированные перцы, сыры с капельками росы, алые помидоры, голенькие огурчики, кутабы с тыквой и мясом, чурек, продолговатая тарелка с оливками, маринованными корнишонами и грибами. Как по волшебству, на столе материализовался запотевший графин с водкой.

«Похоже, впервые в этом городе я нормально поем. К тому же как гость».

Странно, но это приятное чувство — радость поесть на халяву — никак не зависело от количества денег на карточке.

— Да, Нариман, хороший стол. Прямо пир! Я не знаю, смогу ли я так же тебе ответить...

— Э, дорогой! Ни полный стол яств, ни краюшка хлеба в долг не бывают. Это дар, Валерий-муэллим, воистину Аллах подсчитывает всякую вещь. Ну, давай выпьем за встречу, и, как у вас говорят, аминь.

Петряев густо присыпал кутаб неведомой бордовой приправой и заел им рюмку водки.

— Главный долг у нас перед родиной, — продолжал Нариман, неторопливо гоняя вилкой по тарелке маслянистую оливку. — Ты ведь из Казани?

«Откуда знает? А я даже не могу вспомнить, где мы познакомились! День независимости? Конвенция по разграничению Каспийской акватории? Нет, это в августе было, а он про снег что-то говорил».

— Увы, только наездами, навещаю, так сказать, родные места, — ответил он.

— Так это счастье! А я вот не могу доставить себе такой радости — посетить могилы предков.

Нариман замолк, пока официант подавал на стол новую порцию блюд.

— Нет ничего важнее родной земли, — опять заговорил Нариман. — Попробуй долму, дорогой. Это не простая долма. Она не в виноградных, а в липовых листьях. Тает во рту, и к ней обязательно возьми катык с чесноком. Мои славные предки родились в прекрасном краю. «Қара Баг» — в переводе с тюркского «Чёрный сад». Особое место для меня и для всего моего народа. Место, где рождаются поэты и музыканты. Наша маленькая Швейцария, э, что говорить!

«Да понял уже, не тупой! Значит, ты из Шуши или Степанакерта, из Нагорного Карабаха, или, как там его, Арцаха. Стоп, или так армяне его называют? Вот дьявол, ляпну армянское название — неловко получится».

— Давай, что ли, Нариман, за родителей! Перед ними-то мы точно в долгу!

Молча выпили.

— А скажи, Нариман, дорогой, почему ты называешь меня «муэллим»? Это что значит?

Петряев подцепил вилкой последнюю долму, обмакнул в соус и отправил в рот. «Презентация Транскаспийского трубопровода? Газпром?»

— Это слово по-азербайджански значит учитель, или даже больше — наставник.

— Ага, типа сенсей! — Петряев почувствовал лёгкость в голове, начала действовать водка.

— Ну, можно и так сказать, но когда я говорю «муэллим» — это значит, что я учусь у тебя — тому, что ты умеешь. А ты — у меня. — Нариман откинулся на спинку стула, пока официант ставил на стол фарфоровую кастрюлю с дымящимся бульоном, в котором плавали крошечные, с ноготь, пельмешки. — А вот этому, дорогой, мы с тобой никогда не научимся! Посмотри на дюшбара. Это произведение искусства. Только женские руки могут изготовить такое, понимаешь? У хорошей хозяйки вот таких дюшбара должно умещаться на обычной ложке не меньше двенадцати штук. Весь фокус в точных пропорциях мяса и теста. — Нариман зачмокал. — Чувствуешь, да?

— Ну, тогда за женщин!

— Э-э, всему своё время, — подмигнул собеседник. — Когда-то мы могли иметь по четыре жены. Но если одна жена доставляет радость, как четыре, то зачем тратиться на остальных? Я расскажу тебе историю, Валерий-муэллим. В одном ущелье между двумя склонами протекала река. На этих склонах стояли две башни — в них жили два князя. Они враждовали между собой. Как-то один из князей отправился на охоту, а другой захватил в это время его жену и детей и заперся в своей башне. Возвратился князь с охоты и узнал, что его недруг украл у него жену и детей. Долго сидел он у окна в башне и горевал по своей семье. А князь-похититель с издёвкой кричал ему:

— Ты, кажется, грустишь по своей семье? Нужна ли она тебе?

Тогда несчастный князь взял нитку и измерил ею точное расстояние от своей башни до башни врага. Он отправился в лес и, установив мишень на самом старом дереве, упражнялся в стрельбе до тех пор, пока не стал попадать точно в цель.

Пришёл он домой, сел у окна, а рядом поставил ружьё. Вечером снова крикнул недруг из противоположного окна:

— Ты, кажется, грустишь по своей семье, нужна ли она тебе?

В этот момент князь выстрелил из ружья, попал похитителю прямо в рот и убил его. Давай, дорогой, выпьем за семью, за твою прекрасную Альбину и маленького Стёпу. Что может быть лучше такой семьи? И что может быть хуже нажитого злобного врага?

«Не понял. Он что, мне угрожать вздумал? Красиво стелет, да спать в земле придётся. Семью ещё прицепил, ирод».

— Ах, какая история, спасибо тебе, Нариман-муэллим, рассказываешь, как поёшь! — в тон собеседнику расслабленно ответил Петряев. Но улыбки уже не было, глаза смотрели жёстко и холодно.

Принесли плов. Официант положил на тарелку бело-жёлтый рис, рядом — дымящиеся кусочки баранины, отдельной горкой — тушёные каштаны, курагу, инжир, чернослив и орехи. Поставил блюдечко с сумахом. Петряев изрядно осоловел от еды и водки. Но чем шире улыбался Нариман, тем тревожнее становилось на душе у Валерия Николаевича.

В их альков заглянул охранник Наримана. Его лицо как будто нарисовал плакатный художник тремя крупными мазками — узкая чёлка, брови и усы. Охранник склонился к Нариману и что-то сказал ему по-азербайджански. Во рту блеснул золотой зуб. Нариман довольно кивнул.

— Небольшой, но приятный сюрприз будет тебя ожидать, дорогой друг. Нет-нет, не благодари! — Нариман предупреждающе взмахнул рукой, хотя Петряев и не думал благодарить. — Это наша традиция — делать гостю подарок. Я ведь вырос здесь, внутри крепостной стены. В моём детстве этот район был как маленькая Сицилия. И если за стеной у людей мысли были о деньгах, то здесь, — Нариман сделал рукой резкий выпад, — все думали только о чести! Сосед моего дяди однажды посмел обмануть местного аксакала. И тогда к нему пришли и сказали: ты лучше не выходи из дома, Саид. Если ты выйдешь из дома, ты можешь потерять дорогу и не вернуться назад. И тогда дорога приведёт тебя к твоим праотцам. Вот так они ему сказали. И знаешь, что я думаю? Я думаю, что это было справедливо. Это было по чести. Никогда нельзя прощать обмана и вероломства. Вот что я думаю.

«Что же ты мне предложишь при таком базаре? Конечно, чем выше ставки, тем больше навар. А судя по угрозам, навар нешуточный. Поел, называется. Как бы мне колом не встал этот вечер фольклора!»

— За честь! — Петряев махнул рюмку водки, смешал рис с фруктами, положил сверху половинку каштана. Вкуса не почувствовал.

Наконец, подали чай. Теперь стол был заставлен вареньями: из фейхоа, арбуза, инжира, зелёных грецких орехов, даже из баклажанов. Официант налил ароматный чай в армуды.

— Существует легенда, — Нариман осторожно отхлебнул горячий напиток, — что армуды были созданы как символ совершенной любви, а любовь похожа на красоту цветов. Поэтому армуды напоминают бутон тюльпана. Цветы — создания прекрасные и хрупкие. Им нужна защита. Защита сильных мужчин, воинов. Мы всегда любили женщин, родину и войну. И ты удивишься, дорогой Валерий-муэллим, если узнаешь, что тебе выпала честь помочь моему народу.

— Слушаю тебя внимательно, Нариман.

«Наконец-то дошло до дела». Петряев отставил в сторону стакан с чаем и выпрямился.

— Вот ты спросил, как мои дела?

«Ничего я не спрашивал!»

— Так я тебе прямо скажу как другу — дела идут хорошо! Но душа болит! Видел камень, которым весь город облицован? Это наш гюльбах, известняк-ракушечник по-научному. Я его с гор поставляю в Баку. А места там... Война шла. Да и сейчас идёт. Хотя о ней все в мире позабыли. Железа много и с той и с другой стороны, к тому же там старые советские склады остались.

Петряев заметил, что певучий акцент Наримана пропал — теперь он говорил ровно, правильно строя фразы и не растягивая слова.

— Скажем так, Аллаху было угодно, чтобы я стал владельцем одного такого большого неучтённого склада. — Нариман сделал паузу, и Петряев кивнул; речь шла об оружии. — Наше государство очень хорошо охраняет эти склады. Полагаю, у тебя есть кому предложить эти... запасы. Поправь меня, если я ошибаюсь, но ты как раз интересовался чем-то подобным. — Нариман замолчал и впервые за весь вечер приготовился слушать.

— А как же, дорогой Нариман, родина? Чем вы будете её защищать? Не пойму я тебя.

— Чем защищать родину, — Нариман улыбнулся одними губами, — это мы сами решим. Купим новое, современное, хоть у вас, хоть у американцев, хоть у израильтян, рынок везде есть. А старое пусть возвращается туда, откуда пришло. У вас, я слышал, тоже есть любители повоевать... Кто это сказал про «спор славян между собою»? Пушкин? Так вот им в самый раз будет.

— А вот интересно, — Петряев прищурился, — помнится мне, что было всё уничтожено, взорвано, президент ваш приезжал, руки жал перед послами, гимн играли, парад провели. Что, братцы, надули международное сообщество?

Нариман улыбнулся в ответ.

— Я сказал тебе сущую правду — так было угодно Аллаху. Вот и подумай, где Аллах и где международное сообщество. Разные весовые категории, да?

— У вас, я смотрю, тоже проблемы с коррупцией. — Петряев старательно изобразил сочувствие и показал глазами на потолок. — Только уже совсем наверху, выше некуда.

— О, дорогой! У нас как раз нет проблем с коррупцией. Мы, бакинцы, — народ, который умеет договариваться. Мы с самим шайтаном сможем сторговаться. А что такое коррупция, если не умение договариваться? Я тебе больше скажу, уважаемый, — Нариман доверительно склонился к Петряеву. — Бороться в Баку с коррупцией безнравственно.

Петряев откинулся на спинку диванчика. «Само в руки прёт! И как вовремя!» Он потёр подушечки пальцев. Давно заметил — когда под ногтями начинают колоть маленькие иголочки — это к большим деньгам. Но здесь главным была не сиюминутная выгода, а пер-спек-ти-ва! Последние десять лет Петряев искал выходы на частные военные компании. Но пробиться через силовиков оказалось нереально — всё было расписано по своим. Контракты на поставки таблеток с ним охотно подписывали, куда денутся, но дальше этого порога не пускали. А сейчас, он это знал наверняка, у них начались перебои с оружием, и если подсуетиться, добыть большую партию, где надо подмазать, то дверца и приоткроется. А ногу он вставит, уж будьте спокойны, они и опомниться не успеют, как окажутся под ним.

— Товар не устарел? — спросил.

— Обижаешь, уважаемый! Никто в руки не брал. Всё новое, в заводской смазке.

— Логистика? Граница?

81

— Валерий, дорогой, ты же депутат, по стране ездишь, да? В Оренбурге бывал? Скажи, ты там границу видел? Ну хоть такусенькую? — Нариман щёлкнул большим пальцем по кончику мизинца. — Договоримся, я же сказал. Каспийское братство в действии.

— Верю. Ценообразование как будем обсуждать? Раз советское — значит, со скидкой, — утвердительно спросил Валерий Николаевич.

— А давай не будем! Не о том всё это. Поверь мне, не одними деньгами мы родину защищаем. У каждого есть что-то, чего нет ни у кого другого. Знаю, что у тебя один, скажем так, умелец варит хитрую химическую формулу. Не переживай, на саму формулу не претендуем — что ваше, то ваше. А вот продукт нам очень интересен.

— В каком объёме?

— В самом большом и бесперебойном. А там, глядишь, ещё какой забытый Аллахом склад найдётся. Горы — они, Валера, как ваша тундра, бескрайние.

Замолчали. Петряев положил в тарелку засахаренный шарик молодого грецкого ореха, разделил его на две половинки, накрыл сверху кусочком сладкого баклажана, аккуратно слизнул с ложки и стал медленно жевать.

— Я так скажу: вкусный ужин был, спасибо. И разговор, мне кажется, у нас сложился.

— Теперь главное, дорогой Валерий, чтобы ты со своим партнёром договорился. Как ты понимаешь, я сам не могу к нему обратиться. Справишься? — Лунообразные брови Наримана поднялись вверх.

«Ну ещё бы. К Арегу тебе не подкатить, орёл горный!»

— Улажу, — обрубил Валерий Николаевич.

— Я всегда знал, кто у вас главный. — Нариман сложил перед собой руки. — Но сам понимаешь, подстраховаться надо. Теперь главное, дорогой Валерий, чтобы ты выполнил все свои обещания. А иначе…

— По закону гор?

— Мы тебе доверяем, дорогой. — Нариман сложил перед собой руки. — Но, как гласит мудрое правило: перед тем, как поручить верблюда покровительству Аллаха, покрепче привяжи животное к забору.

Всю обратную дорогу Петряев думал. Дело получалось выгодным и очень своевременным. Погружённый в мысли, он вошёл в номер, поэтому не сразу заметил, что там кто-то есть. Петряев испуганно замер, сделал осторожный шаг и увидел в матовом квадратном окне, которое разделяло спальню и ванную, тонкий силуэт. Сглотнул и судорожно выдохнул.

— Сюда иди! — властно крикнул Валерий Николаевич.

Из ванной вышла девушка. Она смотрела в пол, в руках несла тазик с водой. Петряев ухмыльнулся.

«Сюрприз, говоришь!»

— Зовут как?

— Сона, — прошептала девушка, не поднимая головы.

— Ну давай, что ты там умеешь.

Он скинул пиджак, уселся в кресло, снял часы.

Девушка поставила табуреточку у кресла, опустилась на колени, сняла ботинки, плавно стянула носки, опустила его ноги в тёплую воду, начала массировать ступни. Петряев даже закряхтел от удовольствия.

— А вы понимаете кое-что в колбасных обрезках, ничего не скажешь.

Он подумал, что его Альбина никогда бы не стала так делать. «Всё дело в восточной культуре, вот как надо воспитывать женщин! К херам Запад с их говённым равноправием!»

Валерий Николаевич наклонился и резко за подбородок поднял лицо девушки. Она тут же опустила глаза. Тогда он взял её за волосы, потянул к себе и ткнул между ног.

— Работай, — сказал тихо.

Он смотрел, как ритмично двигается голова, время от времени клал широкую ладонь на затылок, с силой надавливал. Валерий Николаевич поднялся, перевернул Сону на живот, завёл ей руки за спину так, чтобы она не могла пошевелиться.

«Вся ночь, — думал Петряев. — Вся ночь. Вся ночь». Он понял, что не сможет остановиться.

ГЛАВА 9

Женщин, с которыми имеет дело Хозяин, я обыскиваю тщательно. Ножик складной можно легко спрятать в одежде или под видом духов принести токсичную смесь. У меня нюх на такие вещи. Случайных к нему не подпускаю, об этом и разговора нет, а по клубам ездим только по проверенным. И всё равно женщины — зона риска. Хозяину иной раз такое в голову взбредёт...

Но эта, слава богу, оказалась чистая. Не люблю я такие сюрпризы. Сколько ж ей лет-то? Блин, ну и порядки у них тут. А вообще Баку мне нравится: просторный город, светлый.

Я спустился на первый этаж гостиницы, не сидеть же под дверью. Подкатил большой автобус, из него высыпали китайцы с сумочками, облепили стойку регистрации — очередь это у них называется. Смешные. Да мне чего-то не до смеха. Всякий раз, как их вижу, брата вспоминаю.

Виталя вернулся домой утром, когда батя на смену ушёл. И конечно, первым делом: «Где лопатник?» Я к мешку. А ну как нету? Так сердце и захолонуло. Прибьёт же меня. Нет, тут он. Я со страху глубоко запрятал. «Виталь, где подрезал-то?» — «Где, где, у китайцев! Пока ты по перрону ошивался, я к ним в вагон — с понтом я семки продаю. А вагон полупустой, они все повыскочили, ноги размять, я по курткам, вот надыбал чё, вишь? Думал, быстро сигану под товарняк, так и смоюсь с вокзала. А этот гад дёрнулся, меня и зажало».

Он по жизни такой был: когда надо судьбу за хер дёрнуть — Виталя первый.

Чего там только не было, в том портмоне! Фотка мелких — дети, как матрёшки, одинаковые и все бритые, штук восемь. Вонючие сладкие порошки, свёрнутые, как в аптеке, — наркота наверное, но мы побрезговали. Мятые записки с иероглифами и цифрами, несколько пластмассовых карточек с эмблемами, до фига монет, и наших, и ихних.

Не было только одного — нормальных бумажных денег. Вернее, было три купюры, но какие-то странные. Дяхон на них в квадратной плоской шапке с бородой и надписи на английском и китайском. Мы на просвет глянули — лажа какая-то, а не деньги, водяных знаков нет. Да и чего делать с ними? У нас в обменнике только зелень берут. Позвали Димастого. Тот глаза вытаращил: где взяли? Оказалось, это деньги мертвецов — китайцы ими дорогу перед покойником стелют, чтоб ему, значит, на том свете полегче было, чтоб не побирался. Вот, блин, судьба у них — даже после смерти расслабиться не дадут, и тут, и там надо при бабках быть.

Виталька выругался: «Из-за этой шняги сам чуть не прижмурился». Сожгли мы их сразу, ну нафиг эту заразу дома держать. Знать бы тогда, как нам это вылезет. Димон, падла, подставил. Вольные мы были, но оказалось, что до поры до времени. Виталька тогда ни за кого не ходил, а тут пришлось.

Наш дом стоял на перекрёстке Строительной и Красногвардейской. Красногвардейка относилась к Соцгороду, у них своя группировочка была — социки. Ходили обычно с пятницы по воскресенье, за границу своего района не совались. Человек пятнадцать. Блатных над ними не было, нищий район, что с них взять. Крупных дел не затевали, стремались. Так, начистят лицо одному-второму фраеру — и по домам. Виталька дружил с социками, у них без обязательств: пришёл, ушёл, можешь ни в чём не участвовать.

Строительная — другое дело, крайняя центральная улица, а весь центр был в жёсткой разработке у блатных. Центровые собирались каждый день — в натуре организация! Их отряды патрулями ходили по районам. У этих уже были заточки и кастеты, и они схлёстывались с Лаком за влияние в городе. Лаковые, все как один нюхачи, контролировали юго-запад, престижный микрорайон лакокрасочного завода. Завод дышал на ладан, но всё равно работать там было круто: платили тыщ по пять, и выносить можно было вёдрами. Всё, что тащили с завода, шло на ура: ацетон, растворители. Из них умельцы делали такие смеси, что крышу сносило даже у самых крепких. Глюк-продакшн их называли, по типу как американские кинокомпании. Лаковые считались у нас интеллигентами, в основном за то, что слушали западную музыку и их предводитель, Роща, был сыном заводского инженера. Центровые подчинялись Зубу, тот имел одну ходку по малолетке и одну после восемнадцати. Зуб держал кассу, ему отстёгивали все палатки в центре.

Конфликт разгорелся из-за того, что лаковые палатки отказались платить центру. Роща взял их под защиту. Зуб с пацанами долго разбираться не стал, разнёс к херам их видеосалон. Ну и пошла война. Лаку нужны были силы, один из них приходил к нам во двор, звал Витальку ходить за Лак. Приняли его там нехорошо, брат послал их подальше и с тех пор обходил нюхачей стороной.

«Я к Зубу летом пойду, он знает, как жить. И ты со мной, понял?» — говорил он мне.

Но вышло так, что к Зубу пришлось идти гораздо раньше. Через три дня после того, как мы спалили эти адовы деньги, является к нам во двор Домушник, смотрящий от Зуба. Скелет, непонятно, в чём душа держится, и голова вся в проплешинах. «Кто на вокзале китайца подрезал? Забыли, чья земля железка?» Это правда: вокзал считался заповедной территорией, работать там могли только Зуб и его братва. Поезда они обчищали по наводке, самодеятельность карали. Димон нас сдал, это факт, я потом узнал, что он давно под Зубом ходил. Витальке поставили условие: вернуть то, что взял, немедленно. Деньги спалил? А чем докажешь, что не настоящие?

Жечь деньги — против законов братвы, и мы это, конечно, знали. Виталька вернулся от Зуба серый, как пепел. Что с ним там было, я не знаю, и он никогда не говорил, но давили неслабо.

На другое утро говорит мне: «Идём сегодня на Лак, хату одну почистим, будешь на шухере стоять».

Приходим к двухэтажке музейного вида, с белыми балконами. «Без отмычки обойдёмся, вон ветка на балкон свешивается». Позвонили в дверь сначала — вроде никого дома нет. Вскарабкались на старую грушу, Виталька спустился с неё на балкон, открыл стеклянную дверь. Я притих в ветках, наблюдаю. Не прошло и минуты, как он выскакивает оттуда как подорванный, в руках красная бабская сумка, и сигает не глядя с балкона прямо на землю. А из-за рассохшейся балконной двери выходит... наш батя! В трусах, накинутой рубашке и сигарету мнёт в пальцах. Я так и притух. Сижу ни жив ни мёртв. Хорошо, лето — в листьях не видно. Да он и не озирался по сторонам. Выкурил в три затяжки, сплюнул и обратно ушёл. Но эти минуты лицо у него такое было — гладкое, ненасупленное, без характера. Будто взял кто и стёр ему все мысли. Или душу на две минуты вынул, чтоб протрясти или просушить. Я таким батю ни разу не видел, даже во сне. Не мой он был в тот момент, не наш, не мамкин и не свой собственный, а чей-то. Я бы дорого дал, чтобы узнать, чей.

Потом я на этом слегка двинулся, что ли. Смотрю на человека, особенно на гада, и прикидываю: а какое у него лицо, если душу вынуть и как следует встряхнуть? Чтобы острый вселенский утюг разгладил складки, распрямил губы. Чтоб лицо вдруг перестало питаться падалью мыслей. Некоторые говорят, что такое бывает под кайфом, но я думаю, тут другое: это когда ты вдруг вспоминаешь себя до своего первого сознательного говна. Вспомнишь ненадолго и опять забудешь. Видно, мне за то и долбануло потом по лицу — чтоб перестал морочиться всякой мистикой.

Я осторожно слез с груши, Витальку нашёл через две улицы, на пустыре. Доковылял он с трудом — лодыжка распухла, неудачно приземлился. «Чуть не влипли! — прошипел он. — Прикинь, хозяева дома были. Я услышал возню, голоса, и дёру!»

Так я понял, что отца он не видел. И я ему не сказал, что там батя наш был — ни тогда, ни позже.

Я потом узнал, кто в той квартире жил: завхимчисткой и жена его — по-цыгански смуглая и крикливая, яркое барахло любила.

Сумочку мы притащили в тот же день на сходку, в подвал качалки. Зуб сидел на плюшевом диване, в окружении качков. Жилистый, покрытый синими наколками, как сетью, он пил мазутный чай из эмалированной кружки и, не мигая, смотрел мимо нас. Зубом его звали за огромный нижний резец, который торчал пнём, не в ряд с остальными. «Мало взял», — только и сказал он, делая знак своим разобраться с сумкой. В ней обнаружились помада, кассетный плеер и металлический браслет. «Что тебя на китайское так тянет? — заржал Домушник. — Будет у тебя погоняло Китаец». Он искоса глянул на Зуба, тот кивнул. «Завтра начнёшь с нами за Центр ходить, и чтоб ши звука без команды. Но сначала пропишем тебя по всей форме. На стадионе, понял?»

Погнали нас на стадион. Домушник верховодил, мы так поняли, он все оргвопросы решал. Виталька шёл гордый — давно хотел в банду. А сейчас, значит, первое задание прошёл, доверие заслужил. Ну и пусть Китаец, что в том обидного?

У самого стадиона один из пацанов схватил меня за штаны. «Тебе не положено, мелкий». И запер меня в высокой круглой пристройке без окон, рядом с трибунами. Тут хранилась рухлядь, заплесневелый инвентарь. Сверху просачивался свет, туда вела винтовая лестница. Я пошёл по ней и оказался в каморке типа самолётной кабины с разбитым стеклом. Вид открывался классный: на школу, на стадион, как с крыши пятиэтажки смотреть.

Пацаны взяли Витальку в кольцо. Там были и быки покрупнее, и совсем щуплые, и возрастом такие же, как я, а то и младше. Сначала шёл разговор за понятия. Потом началась прописка. Двое держали Витальку за руки, а остальные по очереди подходили и наносили удар в плечо или в грудь. От него требовалось молчать и терпеливо это сносить. Вдруг один из них разбежался и ударил в живот с ноги. Это было против правил! Виталька заорал, согнулся. И уже на земле они продолжили его бить. Всей стаей. Как собаки бешеные накинулись. Молотили ногами молча и сосредоточенно. Как это? За что? Я точно знал, что так не положено, зачем этот беспредел?

Я закричал благим матом, но что я мог? Тогда, в секунду оценив высоту пристройки, я полез вниз по выступам кирпичей.

Когда я спустился, они уже прекратили и стояли вокруг него, тяжело дыша. Как работу сделали. Он лежал лицом вниз, не шевелился. Я, не помня себя от отчаяния, вцепился зубами в ладонь Домушника, но другие пацаны тут же схватили меня. «Ты что, сопля, хочешь, чтобы и тебя отоварили? Мелкий ещё, а кидается. Мангуст, блин. Как с башни спустился? Передай брату, что мы его ждём. Как очухается, чтоб сразу к нам». И ушли. Я опустился на колени перед Виталькой. Лицо белое, изо рта кровь. Дело было плохо, хуже некуда. Я огляделся. От трибун ко мне бежал стадионный сторож.

Они успели вовремя — хорошие у нас врачи в городе, хоть и зашибают сильно. «Ещё немного, и отдал бы концы твой брат». А так вырезали селезёнку, и ничего, ходи гуляй.

Я в ту ночь вообще не спал. Всё думал: ну как так? Свои же. За что? Что мало на хате взял? Так мы ж чуть не засыпались. Что теперь? Матери, понятное дело, ничего про прописку не сказал, говорю: хулиганы, кто, не знаю. Батя выжрал пол-литру и пошёл в больницу разборки устраивать, с трудом мы его утихомирили.

Самое удивительное было то, что Виталька, как пошёл на поправку, сделался преданным Зубу фанатично. И ни о ком больше слышать не хотел, только за него ходил. Лаковых лупил жёстко, гоп-стопом занимался. Изобретателен был в подходах. Обычно он ходил во главе своей пятёрки, отжимал кассетники. Тут непременно нужна была девчонка, чтоб подыграла. И для этой цели была у них Оля Грива, высокая, коса до пояса, на вид сверхприличная девчонка. И вот они впятером выходят в вечерний рейд, видят, допустим, компания на лавочке музыку слушает. «Что слушаем? Какой-то у вас кассетник знакомый, Оль, глянь-ка, не твой? Понимаешь, братан, у моей сестры недавно точно такой же кассетник на улице отобрали. Не, я не говорю, что ты, но очень похож. Дай-ка гляну. Ну дай, по-хорошему прошу». Конечно, попробуй тут не дать. Оля деловито осматривала магнитофон, и начиналось: «Это мой! Тут кнопочка западает, а вот краска сбита». И рыдать. Пацаны враз принимали боевую стойку, а компания спасалась бегством, им уже было не до музыки.

Оля Грива попала к центровым случайно. Кто-то говорил, за карточный долг своего отца, кто-то — что с матерью сильно не ладила, та её выгоняла из дома, и Оле приходилось ночевать бог знает где. Так она с пацанами и связалась. Но её никто не трогал — в смысле как женщину. Она считалась равноправным членом группы, что, в общем-то, редкость. Так Зуб решил, а значит, закон. Хотя она многим нравилась, и Витальке тоже.

ГЛАВА 10

— Значит, не усидел в кустах твой рояль? Выкатился во все три педали? — Кирилл откинулся на спинку стула. — Эдуард великолепный.

— Завалил всю операцию.

— Он, конечно, хорошее прикрытие. Но два человека занимают больше места в пространстве, чем один. Легче идентифицируются. Да и в целом выглядят как малое преступное сообщество. Что-то удалось узнать?

— Немного, к сожалению. Безмернов толкает в «Красном коне» наркоту. Ну, скорее всего.

— А потом?

— А потом мы его потеряли. Безмернов свинтил через какую-то дверь, а когда мы вылетели на улицу, его и след простыл. Там таксисты стояли, думала, может, они его видели. Но даже если и видели, то не раскололись.

— Но вас они точно видели? Как вы там зайками скакали по местности? Подтвердить могут?

— Наверное... А почему ты спрашиваешь?

— Степаныч, не физдипи! — рявкнул в телефон Рыльчин за соседним столом. — Я кому сказал, дёргаться не надо?

Он шумно отодвинул стул и, тихо матерясь, вышел из кабинета.

— Тебе после повышения отдельный кабинет разве не полагается? — спросила Инга. — Твой Рыльчин — персонаж редкой противности. Терпеть его не могу.

Кирилл встал, налил воды, поставил стакан перед ней:

— Ничего лучше предложить не могу. Крепче — тоже. Сухой закон в отдельно взятой местности.

— Пугаешь. — Инга без улыбки взглянула на Кирилла.

— Только начал. Придвинь стул. Хорошо видно? — Он повернул экран компьютера. — Не отсвечивает? Качество паршивое. От камеры наблюдения до места происшествия метров пятьдесят, да и ракурс не очень. — Он кликнул «воспроизвести», и Инга увидела вестибюль станции метро «Спортивная». — Как назло, матч закончился, в это время народу обычно не бывает, а тут — толпа.

— Вот он! — Инга ткнула в экран. — Куртка у него заметная, с волком на спине. Видишь? — Она посмотрела на Кирилла. — Идиоты, нам и в голову не пришло, что он мог просто в метро спуститься. Так вы его взяли?

— Смотри, — резко сказал Кирилл.

Инга удивилась тону и послушно вперилась в экран.

Безмернов шёл чуть быстрее потока, всё время оглядывался, как будто опасался слежки.

И не зря... Только мы-то его потеряли.

Вокруг бурлили болельщики — вскидывали руки, размахивали флагами, скандировали. Раскрытая волчья пасть на миг выныривала из людской массы и снова скрывалась.

— Сейчас, — тихо проговорил Кирилл.

И Ингу как будто облили красной краской.

Безмернов повернулся лицом к камере и начал пятиться.

— Он кого-то увидел, — сказала она.

Вот он зашёл за жёлтую линию. Выставил вперёд руку, словно хотел крикнуть: нет, это не я! И не удержал равновесия. Из туннеля вынырнул поезд, закрыл обзор.

— Теперь вот это. — Кирилл нажал на «стоп», кликнул на другой файл. — Запись с регистратора машиниста. Там лучше видно.

— Лучше видно что? — Инга вскочила.

— Белова, сядь. — Кирилл включил запись.

Инга увидела, как Иван падает в пустоту. Перед глазами промелькнуло искажённое ужасом лицо.

— Заметила? — Кирилл нажал на паузу.

— Он погиб? — Она не могла отвести взгляд от экрана — смазанное чёрное пятно вместо человека.

— Шансов не было. — Кирилл поставил запись на секунду раньше. — Вот!

На застывшем видео ещё живой Безмернов бесконечно падал под колёса поезда.

— Убери это, — хрипло попросила Инга. — Зачем ты мне это показываешь?

— Воды выпей. — Несколько минут они сидели в полной тишине. — Если уже можешь, смотри дальше. — Инга кивнула, Кирилл взял карандаш и показал на экране. — Это рука. В чёрной куртке. Видишь?

— Увеличить можешь? — Инга придвинулась к компьютеру. — Лупа есть? — Некоторое время она молча изучала изображение. — Этот человек не столкнул его. Он его пытается спасти. Сумел даже ухватить за куртку. — Инга подняла глаза на Кирилла.

— Да. Я тоже это увидел. Хотел убедиться. На куртке Безмернова не хватает одной пуговицы. Куртка дизайнерская, пуговицы приметные — двухцветные костяные, продолговатые такие на шнурке.

— Моржовый клык, — кивнула Инга.

— Мы её так и не нашли.

— Неудавшийся спаситель забрал её как сувенир?

— Или спаситель, или враг. Безмернов-то пятился от него.

* * *

Инга встала, сделала несколько широких шагов по девятиметровой угловой комнате, оба окна которой выходили в нешумный двор. Спартанская кровать, стол упирается в подоконник, венский «рабочий» стул и кресло с деревянными подлокотниками, с которого Холодивкер сейчас наблюдала за Ингой.

— Значит, сам упал? — Холодивкер покачала головой. — Вот уж точно — испугался до смерти.

— Сначала мы его напугали, а потом...

— Задом к праотцам. Точно не вы его?..

— Женя, ну хватит уже! Сначала Кирилл выпытывал, теперь ты. Я понимаю, что мы Безмернова спугнули, гнались за ним... и доказательств, что он не от нас пятился по перрону, — нет.

— Так и до причинения смерти по неосторожности недалеко.

— Хреново это, Жень. И от этого мне ещё хреновее.

— Ладно, отставить самобичевание, — перебила Женя. — Оно сейчас непродуктивно. Мне нужно твоё незамутнённое сознание.

В приоткрытую дверь осторожно заглянула Ксения Дмитриевна, Женина мама, похожая на дочь лишь внимательным взглядом. В остальном она скорее была её противоположностью: лёгкая и открытая, она радовалась любому случаю сделать приятное дочери и её друзьям.

— Не проголодались?

— Пока нет, мам, но ты мыслишь стратегически. Через час будем голодные как волки.

Ксения Дмитриевна понимающе кивнула. Она очень старалась не причинять неудобства Жене — они уже давно жили порознь. Но дом Ксении Дмитриевны скоропостижно поставили на капитальный ремонт, и ей ничего не оставалось, как перебраться к дочери. Пока вынужденное воссоединение семьи проходило мирно. Женя начала регулярно питаться и старалась меньше курить. Сейчас она комкала в кулаке незажжённую сигарету.

— Подследственный сам себе ненадёжный свидетель, — сказала она. — Воспоминания фильтрует. На ситуацию смотрит через кривые очки собственных эмоций.

Концепцию Total Recall придумала Холодивкер. Она исходила из того, что человек помнит абсолютно всё, что зафиксировали его органы чувств. Но, воспроизводя пережитое сам, без посторонней помощи, он смещает фокус на детали, которые кажутся ему наиболее важными, выпуская из виду остальное. Поэтому его надо вести.

— Помни, ты ничего не рассказываешь, только отвечаешь на вопросы. Поехали. Как появился Безмернов?

— Подошёл ко мне сам. Минут через пять после того, как я сказала бармену, что ищу Эвелину.

— Во что был одет? Часы? Что в руках?

— Лёгкая куртка. Люксовые бренды. Без часов.

— На руки обратила внимание? Маникюр?

— Очень ровные ногти.

— Кольца?

Инга на секунду задумалась.

— Да! Было неброское кольцо на мизинце правой руки. Похоже на серебро.

— Глаза? Ясные? Стеклянные? Зрачки?

— Нормальные глаза. Чистые.

— Запахи? Сигареты? Травка? Спиртное? Парфюм? Если туалетная вода, то унисекс или мужской?

— Дорогой, унисекс. Он близко стоял.

— Близко сам подошёл или ты?

— Я. Было плохо слышно из-за музыки.

Дольше всего застряли на его вопросе: давно ли качаешься? Женя спрашивала в разных вариантах, но кроме «работать» и «качаться» Инга ничего вспомнить не могла.

— Вот ещё, кстати: птичкой назвал.

— Похоже, ты права. Лёгкий наркотик или какие-нибудь синтезированные в подвале протеиногенные аминокислоты, — проворчала Женя. — И Химик сюда вписывается, про которого Безмернов говорил. Ну-ка, встань, вытяни руки в стороны.

Она недовольно оглядела подругу с ног до головы, пощупала бицепсы, потом ноги, прищёлкнула языком.

— Тощая ты стала, взяться не за что. Ни квадров, ни банок.

— Работа нервная.

— Да уж, до культуристки тебе еще качаться и качаться. На это намекал Безмернов? Так, значит, база и код. Что это может быть? База, склад, клиент, договор, номер, код, цифра, шифр, пароль, секретная группа... — бормотала Женя. — Постой-ка, ты первая спросила у него про Эвелину?

— Да, я сказала, что Эвелина не отвечает на мои сообщения.

— А он что?

— Спросил: давно ты с ней на связи?

Они несколько секунд смотрели друг на друга.

— Эх ты, Эркюль Иваныч! Видишь слова, но не слышишь. На слух не узнала «Nаcвязи»!

— Точно! Подожди! Было ещё что-то. Когда Эдик взял меня за руку, Безмернов как раз спрашивал... Вспомнила! «Какой у тебя ник в группе?»

— Давай к компьютеру.

Массивный монитор Холодивкер был покрыт слоем жирноватой пыли, Инга протёрла его салфеткой. Шумно заработал вентилятор.

Они зашли в аккаунт Эвелины Джи в социальной сети «Nасвязи». На аватарке девушка сидела на кубе в белой студии и кокетливо смотрела вверх.

Никаких сообщений о её кончине или об исчезновении на странице не было. Последний пост датирован 31 марта. Инга пролистала профиль: фотографии вечеринок, перепосты статей о моде, бесконечные селфи наискосок, анонсы закрытых распродаж. Друзей больше тысячи, из них шестнадцать общих.

— Вот, кажется, что-то личное. — Инга остановилась на посте полугодовой давности. Он начинался с хэштэга #этотожеобомне. — Видимо, это след того флэшмоба, который разошелся среди юзеров «Nасвязи», — жертвы домогательств писали, как насилие повлияло на их психику.

— Очередная публичная исповедь? — брезгливо спросила Женя.

— Скорее наоборот. Из ответной волны. Про то, что домогательства — это способ ухаживания, «руки прочь от мужиков» и «сами виноваты».

— Ну вот, — поморщилась Холодивкер. — Узнаю доморощенную мизогинию! Ты только почитай! Вся вина перекладывается на жертву. Она, видите ли, активный участник, сама создаёт ситуацию и провоцирует насильника. И это пишет женщина! Откуда в нас столько самоуничижения — при совковом-то равноправии полов? Оттого, что мужчин не хватает? А где взяться нормальным мужикам в таком виктимном обществе? Так и будем барахтаться, пока не усвоим: ответственность лежит только на том, кто выбрал насилие.

— «Согласитесь, девочки, — начала читать Инга, — что мы часто слышим от представителей сильного пола фразочки типа: а чем ты думала, дура, когда так одевалась?»

Текст был до крайности манерный, полный самолюбования и напичканный цитатами модных психологов. Эвелина рассуждала, какие сигналы провоцируют мужчину на приставания и как должна вести себя «непреступная» женщина. Инга с трудом дочитала до конца. Почти сотня лайков. Быстро прокрутила комментарии.

— О! Знакомые лица. Это Лида.

LidiaTihonova:
«Зачем ты так? Это грубо и несправедливо! Она была совершенно ни при чём! Мы тебя любим и искренне переживаем!»

— Интересно, кто такая «она», которая совершенно ни при чём? — пробормотала Женя.

Инга задумалась. Пост и комментарий действительно выглядели не связанными. В тексте Эвелины не было ничего грубого — насквозь лицемерный и чистоплюйский. И потом вот это «переживаем за тебя» от Лиды — совсем не к месту. Инга вспомнила, с какими интонациями рассказывала Лида о своей удачливой подруге: дорогие машины, карьера, поклонники. Лида определённо ей завидовала, но никак не переживала.

— Я поняла, Жень!

— Что?

— Тут был ещё один комментарий. И это на него, а не на пост Эвелины, Лида отвечает «зачем ты так?» Просто он удалён.

— По-видимому, пост Эвелины задел какого-то призрачного комментатора. Он ей в ответ — гадость. А Лида бросается на защиту подруги, мол, она тут ни при чём. Незнакомец удаляет свой комментарий. Интересно девки пляшут. — Женя закурила. — Знаешь, когда мы с Тихоновой разговаривали после опознания, был один момент, когда она резко свернула разговор. Что-то там было в прошлом.

— Три подруги, и что-то их развело. — Инга вытащила новую сигарету из пачки. — Какая-то кошка между ними пробежала. А что, если комментарий оставила эта третья, Костецкая?

— Не хочешь её прощупать? — Холодивкер махнула рукой, разгоняя дым. — Открой окно, сейчас мы все тут провоняем.

— Завтра к ней еду, — Инга помедлила, — с Маратом. Они вместе работали над фильмом.

— Свидание на троих? — Холодивкер хмыкнула. — Смотри, он ещё себя покажет.

— Не понимаю, о чём ты.

— Давай лучше искать, за что зацепиться. Безмернов говорил о какой-то группе.

«Сдать/снять квартиру в Москве», «Фам Фаталь у себя дома», «Красивое тело», «Орден страдальцев» — открытые сообщества, где была зарегистрирована Эвелина.

Инга зашла в «Красивое тело». Это оказалось царство инструкторов по фитнесу. Подробные рекомендации новейших упражнений сменялись лайфхаками, как обмануть себя и расхотеть сладкого. Массажисты обещали избавление от живота за десять сеансов. Посты Эвелины, словно под копирку, сопровождались её фотками с тренировок в зале, а главный посыл был: посмотрите, какая я красавица.

Группа «Фам Фаталь» оказалась женской площадкой, щедрой на советы по соблазнению.

Женя скептически следила за манипуляциями подруги.

— Всё это доступно любому пользователю. Но ты же у нас сыщик. Удиви меня.

— Попробуем через фильтр друзей.

Инга отмотала хронику Эвелины до её последнего дня рождения, в октябре. Под праздничным постом фонтанировали восторженные френды. Инга выделила имена первых десяти и забила в строку поиска. Особая функция «Насвязи» позволяла находить паблики по никам людей, состоящих в них. Сейчас она искала группы, куда входили друзья Эвелины.

В первой выборке ничего интересного — стандартные группы, посвящённые сдаче квартир и спорту. Инга забила в поиск новую десятку друзей — и опять неудача. В третью выборку попали только друзья-женщины. Выпадало всё больше пабликов — «Котики и котищи», «Куда пойти вечером», «Готовим вкусно», но все, как один, открытые и ничем не примечательные.

Инга продолжала просеивать.

— Я уже поняла, что ты ищешь какую-то секретную группу, — сказала Холодивкер. — Но почему ты думаешь, что Эвелина состоит в ней под своим именем?

— Права!

Инга убрала из поиска имя Эвелины. Потом подумала и включила в выборку самых её фигуристых подруг.

В этот раз выскочили три паблика: «Модные штучки», «Йога и пилатес» и ещё одна.

— Смотри, — сказала Инга. — Группа «40К», закрытая, что это может быть?

На кавер-фото — контуры женской фигуры на фоне заката. Поверх — слоган: «Постоянство — самый короткий путь к цели». Кнопка «Присоединиться к группе» была неактивна.

— Глюк какой-то. Попробуем перезагрузиться. Жень, у тебя vista, что ли? Апгрейдиться не пробовала?

Холодивкер невозмутимо дымила. Они снова вошли в «Nасвязи». Оказалось, что группа не только закрытая, но и секретная, так как простой поиск её не находил. Отправить запрос на вступление по-прежнему было невозможно.

— Финиш, — выдохнула Женя. — Лиса скрылась, оставив обескураженного фокстерьера у норы. Пошли есть пирог, чувствуешь, как пахнет?

— Нет уж. Мы должны взломать её.

— Это без меня, пиши своему хакеру. — Холодивкер удалилась на кухню.

— Хоть кусочек мне оставь! — крикнула ей вслед Инга.

Inga
Подключен (а)
срочно нужна твоя помощь

Indiwind
Подключен (а)
готов

Inga
Можешь войти с моего аккаунта Nасвязи и пустить в секретную группу? Только не пали меня.

Indiwind
группа

Inga
40K

Indiwind
длинный код доступа жди

На фоне аватарки секретной группы появилось окошко тимвьюера, поползли ряды цифр и слешей.

Сетевой дух, однажды представившийся Инге как Indiwind, возник буквально из ниоткуда — из виртуального пространства. За годы она его ни разу не видела и не слышала. Только короткие сообщения. Иногда ей казалось, что она имеет дело с командой хакеров, мгновенно достающих любую информацию по запросу. Иногда — что с отшельником, который добровольно удалился от мира ради непонятной цели. Она обращалась к нему сначала за труднодоступной информацией, позже доверила следить за трафиком своего блога. Он выполнял поручения чётко, как программа. И только скромные счета, которые она оплачивала ежемесячно, были хоть и хлипким, но всё же доказательством его человеческой природы.

Ксения Дмитриевна проникла в комнату с блюдом, на котором пластами лежал нарезанный пирог с мясом. Следом вошла громогласная Женя.

— Что тут у тебя? Так и вижу, как мои интимные персональные данные перетекают в закрома спецслужб.

— Откройся миру, что тебе терять? — Инга с удовольствием впилась зубами в пирог. — И почему моя мама всегда больше интересовалась политикой, чем кулинарией? Не ценишь ты своего счастья, Евгения Валерьевна.

— Моё счастье спит и видит, как бы поскорее смотаться к себе домой. Да, мам? — Холодивкер громко чмокнула макушку Ксении Дмитриевны.

Окошко тимвьюера погасло, картинка обновилась — группа была взломана. Информация о «40K» была скрыта, о количестве участников оставалось догадываться по количеству лайков и комментов — пара сотен точно.

Indiwind
готово что еще

Inga
Проверь всё, что можешь: админов, трафик, дату основания. Спасибо!

Верхний пост группы был краток.

Daenerys:
«Милые девушки веточка поступила. С завтрашнего дня она доступна во всех точках. Обнимаю!»

Град благодарных комментариев:

«Наканец-то! Спасибо!!!»
«Я жду уже месяц, снова набрала 5 кг, что делать??»
«Супер, ты наша спасительница! Завтра зайду».
«Цена таже?»

Daenerys не отвечала на вопросы. Пост датировался позавчерашним днём.

— Тебе попадалось такое название — Веточка?
— Нет. Видимо, народное имя какого-то БАДа. Если это, конечно, БАД, а не что похуже.
Поисковики про Веточку ничего не знали.
— Я на минутку. — Инга отодвинула стул.
Когда она вернулась в комнату, Женя давилась от смеха, уставившись в компьютер. Она даже отставила в сторону пирог. Инга вопросительно глянула на подругу.

— Я не могу, — хохотала Холодивкер, — ты погляди. Ты только глянь!

И, не дожидаясь реакции Инги, начала читать серьёзным низким голосом, будто доклад на конференции:

— «Картофель — убийца мозга». Ты смотри, закапслочено даже, важная инфа.

— Господи, где ты это взяла? — спросила Инга.

— В «40К», где-где! — Женя не могла остановиться. — Ты слушай дальше: «Если ты будешь знать, что картошка — пища рабов и что картошку вывели специально, чтобы кормить рабов, что человек, поевший картошки, становится вялым, у него замедляется скорость мысли и сознание...» Это предложение брошено и не закончено, видимо, автор жевал картошку фри и его мозг постепенно завял.

— «Характер картофеля слабый и неуверенный», — прочитала Инга из-за плеча Холодивкер. — О боже... «организм после его употребления делается вялым, кислым и безвольным».

— Кислым и безвольным! — с наслаждением повторила Женя. — Учись, Белова, как надо писать.

— Макароны подкрадутся к вам ночью, опутают и высосут всю кровь, — начала Инга.

— Опасайтесь белых батонов! — подхватила Холодивкер. — Они были выведены в секретной лаборатории специально для того, чтобы люди становились горькими и...

— ...консервированными!

— А их организмы — депрессивными и малосольными!

— Нет, Холодильничек, у нас так гениально никогда не выйдет! — Инга снова откусила пирог.

Холодивкер прокрутила хронику «40К» дальше. Группа затягивала, точно омут. Множественные статьи о вреде того или иного продукта перемежались фотографиями «до» и «после». Люди охотно делились своими историями о похудении, не беспокоясь о грамотности и заливаясь бодрыми смайликами:

«Божественный результат нашей Полиночки!!!!! Мама 2 детей!!!! Всего за 5 месяцев!!!! Потрясающе!!!!! Была бабуля, стала девуля 😄 😄 😄 😄 😄 с ухоженными волосами, всегда слышен смех!!!! Улыбка просто на высоте всегда!!!! Это новая мама, новая жена и конечно просто новая Полина!!!!! Так держать, осталось всего то 5 кг 🐷 🐷 🐷 🐷 🐷 сгоняй жир, жиру нет!!!! 🖤❤ 🖤❤ 🖤❤ 🖤❤ 🖤❤ »

Внизу висело две фотографии. На первой была огромная пожилая женщина, одетая во что-то, напоминающее чехол от рояля. На второй — юная девушка в цветастом платье.

— Это один и тот же человек вообще? — усомнилась Холодивкер.

Они крутили время назад. Дошли до февраля:

«А я уже с утра отработала все пасхальные булки и зарядились энергией на весь день!!!!! Присоединяйтесь!!!! Лето со всем близко!!!! Веточка вам в помощь! Энергия просто прет »

— Какая же долбанутая херня, — сказала Инга.

Чем ниже, тем чаще появлялась Daenerys. Было ясно, что это именно она задаёт стиль общения в группе. Её посты были длинными простынями:

«� � � � � � � � � � � На заметку!!!!! � 1. Фитнеситься нужно каждый день. Тот, кто обещает вам результатик после одного сеанса пилатеса, жестоко над вами ржут. � 2. Придётся есть правильно. Да, это сложно!!!! Но стоит того!!! А можно кушать тортики, наяривать в спортзале и толстеть. � 3. Если вы всю жизнь позволяли себе кушать то, что хотите, не надейтесь на эффект сразу. И легко перехода на ЗОЖ тоже от себя не ожидайте! Веточка позволит гораздо легче перейти на естественные привычки и сбалансировать питание! Аппетит уйдёт!!!!! � 4. Для похудения нужны качественные добавки. 90% всех витаминов — это либо подделка, либо низкокачественный продукт. Да, хорошее добавки стоят дорого!!!!! Веточка даст вам 95% качественных витаминов на растительной основе и минералов, созданных самой природой!!!! � 5. Режим — залог похудения. Если вы лежите на кровати, сидите в офисе, считаете ворон, а потом тренируетесь до изнеможения, то принимаете Веточку, то бросаете, то голодаете, то жрёте… килограммы не уйдут! Они будут смотреть на вас в зеркало с ваших щёк, с ваших боков, плескаться на ляжках. Если вы решили заняться своим здоровьем, так расставляйте приоритеты».

— Плескаться на ляжках! Я обожаю эту группу! — хрюкнула Женя.

— А эта Дейнерис мягко стелет, — заметила Инга.

— Да под периной шипы, — сказала Холодивкер, — псевдомотивирующая речь. Общий тон: «Толстухи, я хочу вам помочь!» Много восклицательных знаков, упоротого позитива. А под ним — замаскированные тычки в самые больные места. Ты посмотри: у неё оскорбительная интонация встроена в каждую фразу. «Жестоко над вами ржут» — а полные люди часто боятся, что за их спиной смеются. «Кушать тортики и наяривать», «если вы всю жизнь позволяли себе кушать» — намёк на слабую волю. Да она ас завуалированной агрессии!

— А Веточку свою сунула в самую середину текста, — сказала Инга, — типа это не реклама БАДа, а жизненная необходимость!

— Иначе потеть вам на беговой дорожке вечность без всякого результата, — продолжила Женя.

— И у человека возникает ощущение, что без «витаминов» никак. Что они так же важны, как и спорт с диетой.

— И не какие-то там витамины, а именно Веточка. Другие-то некачественные, сплошная подделка. И только у нашей Дейнерис лучшие, на основе самой матушки-природы, — даже моду на органику учла.

— Поэтому они и стоят дорого, качество-то эге-гей.

— Короче, продажник из неё вышел хороший.

— Угу, — кивнула Инга, мотая дальше.

Пользователь Veronike писала:

«С ПРАЗДНИКОМ 23 ФЕВРАЛЯ ДОРОГИЕ МУЖЖЧИНЫ 👊 👊 👊 👊 👊 СОХРАНИМ НА ВСЕГДА В ПАМЯТИ ПОДВИГ СОЛДАТОВ!!!!!! БЛАГОДАРЯ ИМ МЫ СЕГОДНЯ МОЖЕМ СМЕЯТЬСЯ И ПОЗВОЛЯТЬ СЕБЕ ТАКУЮ РОСКОШЬ КАК СТРОЙНОЕ ТЕЛО 😄 😄 😄 😄 😄 СПАСИБО ВАМ ЗАЩИТНИКИ 🖤❤ 🖤❤ 🖤❤ 🖤❤ 🖤❤ | »».

Пользователь Littlefinger часто оставлял короткие админские сообщения, предупреждал о бане слишком зарвавшихся участниц, публиковал истории новых похудевших:

«Любимый ребенок 😄😄😄😄😄😄 но после родов 🙍🙍🙍🙍🙍🙍🙍🙍 ты под сто!!!! Пробуешь, борешься.... —1 кг +2кг.... все красивые юбки и блузки на худышечек... пышкам не место в этом мире... а мимо проходят стройные, и мы думаем «Это им повезло, у них кость лёгкая и наследственность хорошая... » А на самом деле НЕТ!!!! Это огромный труд!!!! Это желание быть сексуальной, энергичной, симпатичной, упругой... 🖤🖤 🖤🖤 🖤🖤 🖤🖤 🖤🖤 что бы детка тобой гордилась, когда забираешь её с садика!!!! Что бы проходя мимо зеркала мы замирали от того, как нам нравиться отражение!!!! Спасибо нашей Веточке 🖤🖤 🖤🖤 🖤🖤 🖤🖤 🖤🖤 Оля идёт четко к своей цели и точно знает, что мужу не за чем смотреть по сторонам 🙂 🙂 🙂 😊😊😊 😊😊😊 ».

Под этим пассажем висели две фотографии молодой женщины в купальнике, повернувшейся к камере спиной, чтобы не было видно лица. На первой купальник был розовым, на второй — чёрным. Фигура была плотной, но подтянутой, и если между «до» и «после» и были какие-то изменения, то невооружённым взглядом их не заметишь.

— Найди десять отличий, — фыркнула Женя, — была нормальная, и осталась нормальная.

— Написано: «минус 7 кг», — с сомнением сказала Инга.

И снова Daenerys:

«Худеть мешает нарушение обмена веществ????? Это любимая отговорка тех, кто не хочет над собой работать

😎😎😎😎😎😎😎😎😎 Лишь в 2% случаев набор веса обусловлен проблемами с метаболизмом. Так что ссылаться на эти мифы — только обманывать себя. Накануне своего 25-летия Ира весила 117 кг при росте 178, но выглядела на все 🙊🙊🙊🙊🙊🙊🙊 Одышка, потливость и прочие прелести богатого внутреннего жира стали для девчёнки отличным стимулом. Сегодня она 70 кг, что для её роста золотая серединка!!!! Веточка, 😺😺😺😺😺😺😺 диета, и нам нестрашно лето!!!!!!!»

— Интересно, это всё живые люди? — спросила Инга. — И они сами дают свои фотографии? Или Мизинец с Дейнерис, фармацевты-кустари, организовавшие филиал «Игры престолов», это всё выдумывают, а фотки берут из западных фотобанков?

— Не знаю, — ответила Женя, — может, и берут. А в принципе, почему нет? Сбросившая сорок семь кэгэ девушка чувствует себя совершившей подвиг. Ей хочется кричать об этом на весь мир. А уж в закрытой группке про похудение точно можно выставить свои телеса.

— Жалко только тех, которым в комментах пишут: «А какая фотка «до», какая «после», что-то не пойму», как той Олечке «под сто».

На аватарках Daenerys и Littlefinger висели фото героев сериала. Их личные страницы были пусты.

Indiwind

Подключён (а)

40К нет данных о дате создания и модераторах

трафик группы в марте вырос в 6 раз 900 чел в сутки продолжает расти

Инга показала Жене:

— Трафик видишь? Это бомбически круто. Отлаженная платформа для бизнеса.

— А вот это смешно. — Женя навела курсор на картинку. На ней бабуля в платочке вводила в поисковик запрос: «Что делать, если внук уже приехал толстым?» — Куча лайков. Кто-то хорошо поработал над этой группой. Полный набор инструментов для манипуляций! И удары под дых, и унижение, и похвальба, и юмор!

— Самое то для неуверенных в себе женщин.

— Ага. Навязывают этот затасканный стереотип: чем девушка худее, тем она красивее и успешнее. А если ты по габаритам не вписываешься в идеал, то ты ленивая свинья. И чем такое насилие лучше физического? — Женя похлопала себя по животу. — У меня от этой похудательной темы аппетит разыгрался. Ма-ам! А сладкого не будет?

Инга дошла до первых постов в группе. Daenerys писала не о чём-нибудь, о любви!

«С начала муж говорит «я люблю тебя такой» 🤍🖤 🤍🖤 🤍🖤 🤍🖤 🤍🖤 а потом ты замечаешь, как он сворачивает головы на упругие попки 🔥🖤🔥🔥🔥🔥 🔥🔥🔥🔥🔥🔥🔥 проходящих мимо худышек 😄 😄 😄 😄 😄 😄 😄 !!! Ты можешь сидеть дома, смотреть сериал и есть мороженое тазиками, думая, что просто еще не встретила свою половинку, но правда в том, что твоя задница после этого будет плоской как подушка и не влезет ни в одни джинсы 👆👇 👆👇 👆👇 👆👇 👆👇 !!!! Пора посмотреть в глаза горькой правде: мужчины любят худых! Да, я слышала эти разговоры, что многие любят пышные формы, но на деле ни встречала не одного!!!!! Есть слухи, что непреступные женщины желанны, но это тоже миф — желанны те, у кого Si XS!!!! Остальных любят за ум и хороший характер, то есть — из жалости... 🙈🙊🙈🙊🙈🙊 !!!»

— Холодильник, смотри! — Инга ткнула ногтем в экран.

— «Непреступные женщины желанны», — прочитала Женя, — прям скороговорка.

— Запоминающаяся ошибка, правда? Мы только что видели её в посте Эвелины про #этотожеобомне. Дейнерис это и есть Джи, теперь я уверена. Когда она работала в «QQ», она обычно проверяла текст в ворде на ошибки, но слово «непреступный» ворд не подчёркивает, так как принимает его за «преступный» с приставкой «не». А по смыслу здесь «неприступная женщина».

— Хорошо бы раздобыть эту Веточку, — сказала Холодивкер. — Посмотреть, что там внутри.

— Удобное название, кстати. — Инга покрутила пальцами в воздухе. — Подсесть на веточку, устроиться на веточке...

— Качаться на веточке, — подхватила Холодивкер. — Птичка моя!

Они посмотрели друг на друга.

— Ты говорила, что у Безмернова кольцо на мизинце! — воскликнула Женя. — Вот тебе и Littlefinger. Постой, но если Daenerys — это Эвелина, то как объяснить, что она два дня назад написала в группу?

Они вернулись к началу и перечитали самый верхний пост Daenerys. Инга рассмеялась.

— Теперь я точно вижу, что это не она. «Милые девушки» — не её стиль. Никаких тебе батарей из смайликов и непроходимых лесов восклицательных знаков. Похоже, наш друг Безмернов принял её вахту. — Инга снова мотала к началу, к самым «древним» постам «40К».

— Ненадолго, надо признать, — вздохнула Холодивкер.

— А это ещё что... — Инга замерла на полуслове.

С экрана на неё смотрела Лида. В глубоко декольтированном оранжевом платье, перехваченном на талии широким поясом. С улыбкой, полной сдержанного превосходства. Волосы крутыми локонами спускались на плечи. Она стояла спиной к зеркальному шкафу, в котором отражалась её обнажённая тонкая спина. Ниже была ещё одна фотография: Лида... как минимум на тридцать килограммов тяжелее. Застигнутая у кухонной раковины за чисткой рыбы, чуть вполоборота, в тесной футболке гармошкой под мощной грудью. Живот двумя широкими волнами нависал над джинсами.

Над фотографиями был текст:

«Юля, 27 лет. Минус 32 кг за 4 месяца.

Я сбросила 32 кг и превратилась в настоящую красавицу!!!!!! На работу над собой меня вдохновило расставание с парнем 😮😮😮😮😮.. Работа в тренажёрке, перестала жрать 🍴🍎🥗 , пила Веточку и счастливо вышла замуж!!!!!! Надеюсь, что бросивший меня жених возненавидит себя, увидев меня сейчас!!!! Ты тоже вливайся! Каждому подписавшемуся маленький подарочек от нашей группы 😮😮😮😮😮!!!!»

— А вот это точно не Лида писала... не может так развязно и безграмотно писать выпускница Историко-архивного. Да и не замужем она.

— Какая-то Юля.

— Только фотографии Тихоновой. — Инга встала, чтобы размять ноги. — Эвелина использовала их здесь в группе, видимо, без Лидиного ведома. Изменила имя и сочинила вральный текст.

— Тут и молодые совсем девчушки есть. — Женя смотрела фотографии дальше. — Дети ещё. Если они начнут пить эту веточко-хрень в пубертате, это ж какой вред здоровью. Вот дурищи...

— Женечка, Ингуш, — Ксения Дмитриевна протиснулась в комнату с новой порцией пирогов, — вот этот с повидлом, а этот с яблоками. — Она аккуратно поставила тарелки на стол. Взглянула на экран. — Ой, а это не дочка ли твоего друга, Жень? Фамилия такая же.

— Где, мам?

— Да вот, под этой фотографией. Мариам Вертман.

— Кто это? — спросила Инга.

— Учились вместе в меде. Я на втором на судебку пошла, когда специализацию выбирали, а он в фармакологию. Звезда курса был.

— Помню, помню. — Ксения Дмитриевна искоса взглянула на Женю. — Прозвище ещё у него было... Память-то... Точно — Химик!

Инга, не мигая, уставилась на подругу.

— Даже не думай! — фыркнула Холодивкер. — Этот Химик — какой надо Химик! Он ко всей этой мутотени отношения иметь не может, зуб даю!

ГЛАВА 11

В комнате было темно и так тихо, что звенело в ушах. Она ещё раз щёлкнула выключателем, нервно так — щёлк-щёлк. Но света не было. Поёжилась, даже по спине было видно, как ей неуютно и страшно. Лунный блик выхватывал из темноты край стола, мягкий велюровый бок дивана, за которым переламывался углом и падал на пыльный пол, чертил дорожку. В окне висела нереально ровная круглая луна. Широкий подхват обнимал тяжёлую гардину, она скульптурными складками опускалась к полу. Ткань в полумраке была похожа на силуэт человека — вот это нога, вот руки, здесь должна быть голова. Гардина качнулась, пошла волной. За ней стоял человек!

— Я знаю, ты здесь. — Она хотела крикнуть, но голос оборвался в хрип. — Я тебя вижу! Я тебя... ненавижу! Убирайся из моей жизни!

Штора неприятно зашевелилась. Бежать, надо бежать! Она бросилась прочь, но зацепилась ногой за толстый кабель, по инерции схватилась за стул, не удержала равновесия и вместе со стулом упала. За окном загремело, луна стремительно закатилась за невидимый горизонт и потухла.

— Блять! Что, опять запороли прибор? Дядя Федя! — загремел бас прямо у Инги над ухом.

— Да тут я! — Главный осветитель вылез из-за декорации.

— Что, нельзя было сразу убрать этот грёбаный кабель! — Режиссёрский стул с грохотом полетел на пол. — Сделайте мне свет! Как хотите, но сделайте!

Разом зажглись дежурные лампы, исчезла таинственная жутковатая комната, превратившись в захламлённый и многолюдный павильон. Экран, в который смотрела Инга, зарябил, заполосил, магия исчезла. Всё вокруг разом задвигалось и зашумело.

— Андрей Борисович, платье порвалось. — Тамара подняла подол, с которого свисала полоса ткани.

— И глаза надо подновить. — Гримёрша с медицинским вниманием осматривала лицо героини.

— Тамарик и все — молодцы! Дядя Федя, ты дубль просрал. На всё про всё полчаса! Не расхолаживайте мне героиню! — рявкнул режиссер и тихо самому себе сказал: — Перекурим, браток.

Инга не сводила глаз с исполнительницы главной роли. Тамара Костецкая сидела на полу, как сломанная кукла, вокруг суетились гримёры с кисточками и реквизиторы с иголками-нитками. Она как будто спала, не закрывая глаз. Неподвижный взгляд был направлен куда-то за спины всех, кто шумно двигался вокруг.

Инга на секунду попыталась представить трёх подруг — Лиду, Эвелину и Тамару — вместе. Не получалось. Никак не получалось. Простушка Лида, хищная и бесцеремонная Эвелина оставались по другую сторону канатов. По красной дорожке такая, как Тамара, должна идти одна — статная и стройная, черты лица — немного неправильные, но оттого необычайно притягательные. И глаза — чёрные, бархатистые, бездонные. На какой-то миг Инге показалось, что в глубине их цвет меняется, переливаясь от чёрного до синего и обратно.

— Давай экскурсию. — Марат подтолкнул Ингу. — Пока не добьют дубль, разговора всё равно не получится. Бывала раньше на съёмках?

— На таких — нет.

— Тогда приобщайся к великому таинству. Праймовый сериал «По кличке Череп», — занудным голосом завёл Марат. — Экшн-трилер-саспенс, лента рассчитана на зрителя в сегменте сорок пять — шестьдесят, образование среднее и среднеспециальное, восемьдесят восемь процентов — женщины, как правило, домохозяйки. Кстати, ты знала, что женщины гораздо изощрённее в жестокости, чем мужчины? — Марат увлёк её на импровизированную кухню, где разрешили курить в открытое окно. — Кинобуфет. — Он обвёл комнатку рукой, взял со стола одинокий апельсин. — Не игровой?

— Отыграл своё, жри уже. — Режиссер выдул облако дыма в открытое окно.

— Позвольте вас представить. — Марат церемонно поклонился. — Андрей Борисович Углов, светило режиссёрской мысли.

— В глаз тебе светило! — Андрей надвинул кепку на глаза.

— ...да в ухо не попало! Как сам? — Марат ловко очистил апельсин, разделил на дольки, засунул одну в рот.

— Да лучше всех! А вообще, хочу к вам обратно, на полный метр. Про твою последнюю работу слышал, говорят, сильно...

— Вот если бы платили ещё, как на «Марвелле».

— Маратик, ты каким ветром к нам зачекинился? — В кухню влетела девушка в драных джинсах и майке с принтом «Секснах», повисла на Марате. — Пойдём, там Динка тебя ищет. Помнишь Динку?

— Ой, нет! То есть да, но... может, нет?!

Но девица уже волокла Марата из кухни.

Сразу стало пусто.

— Куришь? — Андрей протянул ей мятую пачку. Инга помотала головой. Помолчали. — Давно с ним?

— Андрей Борисович, кинокорм прибыл.

В кухню стали заходить люди с лотками и подносами, замотанными в стрейч-пленку. Следом повалила вся группа.

Ингу оттеснили в угол. В голове о черепушку билась только одна фраза, как муха, пойманная в стакан: давно с ним?

— Всем жрать и думать о высоком! На обед полчаса! — Бас Андрея перекрывал общий гомон, треск открываемой пластиковой посуды и отдельные выкрики

«Обед на площадке — наше всё!». — О высоком, я сказал!

Она выскользнула из кухни. Вернулась в павильон, сиротливые штативы выглядели как переросшие дети, забытые на площадке. Отстучала эсэмэс Холодивкер: «Дозвонилась Вертману?» Тут же прилетело в ответ: «Пока нет. Жди».

Давно с ним?

Инга прошла к выгородке, снова удивилась, как набор простых предметов — диван, штора, затёртый ковёр, ненастоящее окно, письменный стол, перевёрнутый стул — при определённом освещении вдруг прямо на глазах преображается в таинственное пространство.

Давно с ним?

Марат, привычно устроившись за одним из мониторов, просматривал отснятый материал. Девица, которая его утащила, что-то показывала на небольшом экране, не забывая время от времени тормошить Марата. Вторая, видимо, Динка, стояла рядом, слишком рядом, почти касаясь его руки...

— Все на позиции! Дядя Федя, свет моих очей, где луна? Метнись барсиком в лихтваген, сооруди что-нить из ранее сломанного! Давай, мастер, вдохновение ждать не будет.

— Борисыч, у нас же там ни одного живого прибора. Мы тут прикинули — снизу бэбиками на рефлектор запалим, будет луна лучше, чем у Спилберга!

— Ну или как-то так... — Углов что-то чиркал карандашом в листах раскадровки. — Луну покажи.

— Сей секунд, Борисыч. Вот, готово!

На площадке раздались смешки. Режиссёр медленно поднял глаза от листков бумаги. Взялся за голову, сорвал с макушки маленькую вязаную шапочку и запустил ею со всей силы в декорацию.

— Дядя Федя! Коперник ты мой! Птолемей ненаглядный. Нашли прямоугольный рефлектор — молодцы! Теперь найдите круглый. Луна всё-таки имеет форму шара. Или нет?

Уже несли круглый рефлектор.

— Ну слава тебе... — Углов опять углубился в сценарий. — Шапочку мою верните, ироды! Народ, на площадку!

Народ, дожёвывая, потянулся с кухни, и за считаные секунды затихший было павильон-муравейник ожил. У каждого была своя работа. Инга почувствовала себя лишней. Её схватили за руку, потянули.

— Стой сюда. — Марат поставил Ингу перед собой. — Смотри на плейбэк. Хоть и далековато, но кое-что видно.

— Тишина на площадке!

Опять зазвенело в ушах. Свет погас, в окне, покачиваясь, появилась круглая луна-рефлектор.

— Дядя Федя, откуда у нас в кадре мистический синий? Приглуши его маленько. Третья камера левее. Четвёртая! Встань уже на сторону добра! Не заваливай мне горизонт! Держи плотно диагональ!

Инга ощутила на плече руку Марата. Хотел убрать её кудряшку, но наэлектризованные волосы шибанули током. Ингу душил смех, но на неё так зыркнул стоящий впереди мужчина, что она немедленно вспомнила детскую игру «Раз, два, три — замри!».

— Мотор!

— «По кличке Череп». Сцена десятая, кадр седьмой, дубль второй, — звонко скороговоркой прокричала та самая девчонка в майке про секс.

— Ба-бах! — выстрелила хлопушка.

— Звук, камера пошла. Начали, — вкрадчиво сказал Андрей, и его тихий голос разлетелся по всему павильону.

Темнота, щёлк-щёлк, шаги...

Инга кожей ощущала его присутствие, руку он убрал. Но там, где он стоял, было горячо. Как будто пылал весь бок. Он легко дышал в её волосы.

Давно с ним?

— Ненавижу! Убирайся из моей жизни!

— Стоп! — заревел Андрей. — Кто луну держит? Руки в кадре! Спилберги-хуилберги! По новой. Приготовились...

Инга не оборачивалась.

Вот так стоять немой, замерев посреди ненастоящей жизни. И больше ничего и никого вокруг. Только ощущать его дыхание на шее.

— «По кличке Череп». Сцена десятая, кадр седьмой, дубль третий!

— Ба-бах!

— Звук, камера.

Темнота, щёлк-щёлк...

— Ненавижу! Убирайся из моей жизни!

— Ты сама во всём виновата. — Из-за гардины вышел мужчина и навёл пистолет прямо на героиню. — И сейчас ты за это ответишь. За всё ответишь.

Инга открыла глаза. На неё смотрел чёрный глаз пистолета. Как будто целился прямо в неё. Но было плевать. Даже если бы на самом деле. Только его дыхание у шеи. Ноги приросли к полу, руки стали неподъёмными, внизу живота горело.

Давно с ним?

Грохнул выстрел. Между выстрелом и Ингой — чужое падающее тело. Кажется, это называется на линии огня? Она вздрогнула и обернулась. И — как ледяной водой: его не было рядом. Недалеко беззвучно вращался вентилятор. А Марат спокойно стоял у дальней стены, что-то читал в телефоне.

— Стоп! — крикнул Андрей, не отрывая глаз от монитора. — В целом неплохо. Закрепим!

Послышался ропот. Инга выдохнула. Она не дышала? Тамара стояла, уставившись в пол. Как пружина, готовая распрямиться и снести всё, что встанет на её пути.

— Да-да, родненькие мои! Ну, ещё сто грамм — и закроем сцену.

— Борисыч, и скажи, наконец, хлопушке — пусть снимет эту чёртову майку, — раздался из-за камеры голос оператора. — Она оскорбляет мои лучшие чувства!

— Агащас! — Хлопушка резко дёрнула майку вверх, так что показалась голая маленькая грудь. — Может, мне потереться тебе... об оптическую ось?

— Ой нет, лучше не надо! — Оператор демонстративно опустил на глаза дужку наушников.

— Солнце моё, не кипишуй! — Андрей еле угомонил хохот. — Где наш убивец?

— Убивец отпросился пописать.

— Это святое. Ждём.

Инга подошла к стене, встала рядом с Маратом. Ненароком коснулась его руки. Он мгновенно отреагировал: сгрёб её пальцы, незаметно огладил бедро. Сразу расхотелось наблюдать за съёмками, беседовать с Костецкой — домой, чтобы никто не мешал. Можно даже и не домой, а в машине...

— Тишина на площадке! — разнеслось по павильону.

— Мотор!

— «По кличке Череп». Сцена десятая, кадр седьмой, дубль четвёртый!

Ба-бах!

— Звук, камера!

— Ты за это ответишь. За всё ответишь!

Он опять целился в Ингу. Она инстинктивно спряталась за спиной героини.

— Стоп! Снято! — Режиссёр поднялся со своего места. — Ну что, узники искусства? У меня было! Меняем декорацию! Постановщики на площадку! Остальным перерыв один час.

— Пойдём скорей, Тамара нас ждёт, — сказал Марат. — Туда, — он мягко повернул её вправо.

Костецкая сидела в дальнем углу костюмерки за ворохом одежды, смотрела в окно. Грязный городской пейзаж — облупленный фасад с неуместной лепниной и разбросанными коробками кондиционеров, как будто кто-то швырнул горсть головастиков на здание, те прилипли и так засохли.

— Привет! — Марат наклонился к Тамаре, чмокнул в щёку. — Как работается?

— Ты о чём, Маратик? — Она повернулась к нему всем корпусом, Инга опять оказалась за её спиной. — Халтура это, а не работа.

— Но ты молодец, выкладываешься.

— Просто не умею по-другому. — Она похлопала его по руке.

Почему все до него дотрагиваются, чёрт возьми! А она рисуется перед ним. Хотя ей на самом деле стыдно, что она снимается в таком дерьмовом сериале. Почему же тогда согласилась?

— Ну, хоть заработаешь.

— А, — отмахнулась. — Это ж не про деньги. Тренирую мышцу. Вдруг пришлют, наконец, нормальный сценарий.

— Да, нам бы ещё одного «Перебежчика». Ты там классно сработала. Твоя стихия: всё как в последний раз, на разрыв аорты.

— Так материал какой, я же говорю! — Тамара всем телом подалась к Марату. — Спасибо тебе, родной. Помнишь сцену расстрела пленных? На режиме снимали. Я её тут в монтаже посмотрела, уже со стороны. Вокруг красотища, птички поют, солнышко уже пригревает и так странно: вот это всё рядом, простая понятная жизнь, которую у тебя отнимают, потому что так получилось. И никто не виноват.

— Я тебе точно говорю, фильм «Золотого Орла» ещё получит! Ты звезда, что уж там! — Марат чуть наклонился влево, показал на Ингу: — Это, кстати, моя знакомая, журналист, очень хотела с тобой познакомиться.

Тамара обернулась, приподняла брови, как будто только что увидела.

— Знакомая?

— Инга Белова. Веду свой блог...

— Не слышала. — Тамара обворожительно улыбнулась.

— У меня к вам несколько вопросов, — Инга не ответила на улыбку, — по поводу Эвелины Джи.

— Вы про Галю Белобородько? — Тамара продолжала широко улыбаться.

— Вы дружили в школе.

— Ну да, лет сто назад. — Костецкая повернулась к зеркалу, начала аккуратно распускать причёску. Инга молчала. Тамара разглядывала их с Маратом через зеркало. — А почему вы интересуетесь? — спросила наконец она.

— Её убили, — коротко объяснила Инга.

Глаза Тамары расширились, она быстро их опустила.

— Не может быть, — произнесла на выдохе. — Как это случилось? Когда? — Она застыла со шпилькой в пальцах.

— Подробности мне неизвестны, — ответила Инга. — Полиция нашла её голову в ливневом стоке.

— Голову? — Тамара рывком обернулась.

— Да. — Инга пристально наблюдала за девушкой. — Галине Белобородько отрезали голову.

— Какой ужас! — Тамара закрыла лицо руками.

И вовремя. Не сделай она этого, Инга не сомневалась, что увидела бы на её лице не способное укрыться ни за какими створками самообладания торжество.

Оранжевый! Она даже не может сыграть потрясение — до того захвачена мстительной радостью. Да её просто трясёт. Как спортсмена, который выиграл гонку.

— Простите, что принесла вам плохие новости, — медленно произнесла Инга, — примите мои соболезнования.

— Спасибо, — сдавленно ответила девушка.

Она сидела, как под напряжением, не отводя рук от лица, пытаясь справиться с собой.

Марат подошёл к Тамаре, нежно погладил её по плечам. Как на съёмочной площадке — когда не получается быть убедительной, партнёр приходит на помощь, вытягивает сцену.

Зачем он вмешался?

Тамара заплакала.

— Кто мог сделать с ней такое? За что? Она была... такая добрая...

— У неё могли быть враги? Кто-то мог желать ей смерти?

— Смерти? — Тамара подняла заплаканные глаза. — Не знаю. Может быть. У неё было много... поклонников. Роковая женщина. — Она махнула рукой, задела ворох одежды на столе, и цветастая юбка змеёй скользнула на пол.

Тамара подняла глаза на Ингу; она уже вполне владела собой.

— Из-за чего вы поссорились? — быстро спросила Инга.

— Поссорились? Почему вы так решили?

— Вы же довольно тесно общались. Вы, Лида Тихонова и Галя. А потом вдруг как отрезало.

— Да нет, не было никаких ссор. — Тамара поймала руку Марата. — Просто, знаете, школа кончилась, а вместе с ней и детство, началась взрослая жизнь. Мы первое время пытались друг за друга держаться, а потом разлетелись кто куда. Так бывает.

— Когда вы в последний раз с ней виделись?

— Давно. Года два назад. Когда поднялась вся эта шумиха вокруг Туми. — Тамара вдруг недобро посмотрела на Ингу. — Не без вашего участия, насколько я помню.

В первый раз слышишь обо мне, значит. Как же!

— Я всего лишь делала с ней интервью, все материалы слили в сеть без нашего ведома, — сухо сказала Инга. Ей самой было неприятно, что вся эта история до сих пор её ранит.

— Туми, кстати, не так уж и больна была. Не знаю даже, как вам удалось сделать такие кошмарные снимки. Она нормально тогда выглядела, вы явно перестарались! — Яд сочился из каждого её слова.

Инга списала внезапную враждебность на ревность к Марату.

Ну и пусть. Гораздо интереснее другое.

— Но Туми лежала в частной закрытой клинике. Откуда вы можете знать, как она тогда выглядела?

Тамара вскочила со стула.

— Вот только не надо цепляться к словам.

Внезапно распахнулась дверь, влетела в стену, окно тоненько задребезжало.

— Вот вы где! Слава богу! — В комнату ворвалась девушка, видимо, ассистент режиссера. — Тома, пожалуйста, на перегрим и перекостюм! Ты ещё и причесон не распустила!

Они вышли. Марат закурил, выпуская дым из презрительной улыбки. Инга уже успела забыть, как часто раньше с ним случались эти перемены: то он страстно опекал её, то раздражался по всякому поводу, то был безразличен до высокомерия. Вспомнилось их последнее свидание тогда, в институтские годы: Марат отвечал невпопад, торопился её проводить и даже не обнял на прощание. На тот момент она уже встретила Сергея — понятного и постоянного, как расписание электричек.

Давно с ним? — Давно.

— Отвезёшь домой? — спросила Инга.

Он кивнул.

Оба молчали. Инге казалось, что вся машина наполнилась её вязкой ревностью. Ревность можно было брать руками, отламывать по куску и жевать. Наверное, на вкус она была бы сладко-горькой и горячей, как расплавленная карамель.

Тяжесть поднималась от пяток до корней волос и оттуда мурашками сбегала по спине. И снова начинала свой круг.

Вот он сидит рядом, переключает свои дурацкие скорости, думает про светофоры и перекрёстки. Только протянуть руку, дотронуться — такое простое обыденное движение, которое невозможно.

Инга смотрела на его колени, круглые и гладкие, затянутые в вечные джинсы.

Он не острил, не умничал. Она видела, что и он время от времени скашивает глаза, смотрит на её ноги, но выше их взгляды не поднимались.

Скоро мой дом. Я выйду, хлопну дверцей, скажу дежурное «ну, до связи», и всё оборвётся, как в тот раз.

Марат вдруг остановился у края парка, не доехав до её дома пару кварталов. Уже стемнело, вокруг было пустынно и тихо. Вода висела в воздухе, всё вокруг было размыто, плыло.

Он обнял её — внезапно, душно. Инга сграбастала его воротник, с треском отлетела пуговица, её рот уже был в его губах, стукнулись зубами, его руки повсюду. Дыхания не хватало. Но дышать было не нужно. Думать было не нужно. Было плевать на всё. Он содрал с неё свитер. Она выгнула спину, прижавшись к его уже голой груди.

ГЛАВА 12

— ...вот только вошёл. Обыскали каждый сантиметр. — Инга, стараясь не двигаться, переложила телефон к другому уху.

— Ты можешь не шевелиться? — зашипел Дэн. — У меня синяк на висок съехал!

— Сделай меня изможденной, а не избитой, — одними губами сказала Инга Дэну. И громче, Кириллу: — Подожди секунду!

Она поставила телефон на громкую связь и положила на трюмо, чтобы не мешать Дэну гримировать её.

— Говори!

— Да что там говорить — ничего не нашли, — хмуро продолжал Архаров, — ни порошков, ни таблеток, ни ЛСД, ни кокса. Чист твой Иванушка. Странность только одна — ключи от «Купера» в кармане куртки, при этом никакой тачки на Безмернова не зарегистрировано. Во дворе дома, у клуба — тоже ноль «Куперов».

— А Никита Бу? Этот морской тюлень, который клеил Безмернова в «Житнице»? — спросила Инга. Дэн хмыкнул. — Вернулся из своего Тая?

— Завтра прилетает. Как раз собираюсь к нему. Вдруг подкинет мне новостей.

— Он мальчик ранимый, визит полиции может произвести на него впечатление. — Инга сидела ровно и старалась говорить, не разжимая губ.

— Белова, насчёт клиники этой, про которую ты мне говорила. Без самодеятельности, о'кей? — сказал Кирилл. Рука Дэна с кисточкой замерла около Ингиной щеки. — Сама не лезь туда.

— Продолжай, — прошептала Инга Дэну, и тот снова задвигался, накладывая ей «депрессивный» грим.

— Ты же помнишь, как было в прошлый раз: психа этого вспугнула, а самой в Сочи пришлось прятаться. Ты здесь вообще?

— Здесь, — тихо сказала Инга. — У полиции пока нет никаких оснований туда соваться, шуму будет много, а толку мало. А у меня...

— Дай угадаю, чуйка?

Инга промолчала.

— Клиника неврозов? Vitaclinic? — Кирилл помолчал. — Ты права. У нас на неё вообще ничего нет. Если Безмернов хотя бы выдавал себя за хахаля Белобородько, то клиника, в которой кто-то там когда-то лежал... это не то что за уши притянуто, это вообще ни о чём.

— У меня не только интуиция, — сказала Инга, — логика. Ты послушай! — повысила она тон, боясь, что Архаров сейчас перебьёт её. — Было три подруги: Галя, Лида, Тамара. Последняя, казалось бы, самая успешная из них — актриса, красавица. Но когда я прихожу к ней на съёмочную площадку и сообщаю, что Эвелине отрубили голову, она так радуется, что аж глазам больно! Дальше: я спрашиваю, когда она видела Джи в последний раз. И первая ассоциация, которая приходит ей в голову, — Туми и клиника.

— Может быть, она начиталась газеток и её захлестнула вторая волна вашего занимательнейшего скандала? — ядовито вставил Кирилл.

Дэн покивал, показывая, что бессловесно согласен с Архаровым.

— Может быть, — Инга не стала отрицать, — но, согласись, это странно! И уже в который раз я упираюсь лбом вот в это — два года назад. Два года назад что-то произошло, о чём никто не хочет говорить!

— Скажи мне это вслух. — Кирилл всё понял.

— Я еду туда с Эдиком.

— Остановить тебя я никак не могу, правильно я понимаю? План-то хоть у тебя есть?

— Прикинемся супружеской парой с проблемами. Сделаю вид, что у меня невроз. Постараемся поговорить с главным врачом. Короче, буду действовать по обстоятельствам.

— Ага, твоя любимая тактика. Не боишься, что узнают? Ты же была там со Штейном, кто-нибудь да вспомнит, что ты журналист. Па-па-рацци.

— Ой, да ладно! В таких клиниках текучесть кадров, как инфляция в Зимбабве. Кто там меня узнает?

— Эдуарда твоего от счастья не разорвёт?

— Архаров!

— Ты уверена, что он не спалит тебя, как в «Коне»?

— Я уже с Эдиком договорилась. Он будет действовать по инструкции.

— Ага. Ты по интуиции, Эдуард — по инструкции. Эта перспектива уже внушает мне первобытный ужас. Короче, я ничего не слышал, то, что слышал, — не понял, а то, что понял, — сразу забыл. И вот ещё что, Белова.

— Что?

— Пусть сосед-парикмахер загримирует тебя пострашней. — Дисплей телефона погас.

— Мне показалось, или правоохранительные органы одобрили твою шпионскую вылазку? — ехидно спросил Дэн.

* * *

Матовые двери бесшумно раскрылись перед ними. Инга огляделась: светло-зелёные коридоры расходились в обе стороны. Кожаные кресла, картины спокойных тонов. В сетчатых стойках — «Ведомости» и модные журналы, Инга выцепила глазом логотип «QQ». За широкими гладкими дверьми палаты — стены, обшитые деревом, плазменный телевизор, ортопедическая кровать — Инга хорошо всё это помнила, когда брала интервью у Туми.

За стойкой регистратуры — состаренный дуб, камень, сталь — миловидная блондинка что-то тюкала на компьютере, за ней во всю стену коллаж: зелёный росток пробивает асфальт. Листики образовывали галочку, латинскую букву «V», от которой тянулась надпись: «itaclinic».

Инга перестала озираться, скрестила руки и уставилась в пол. Пальцы нервно ходили по предплечьям туда-сюда. Эдик подошёл к регистратуре, протянул ей брошюрку:

— Дорогая, тут просто спа, как в Италии, смотри!

— Я знаю, ты хочешь избавиться от меня, — не меняя наклона головы, прошипела Инга, — отдать.

— Пребывание здесь пойдёт тебе на пользу, мы уже обсуждали это, — терпеливо ответил Эдик, приобняв её.

— Чем могу помочь? — лучезарно улыбнулась им девушка. Бэйджик на груди сообщил: Светлана.

— У моей жены нервный срыв. — Эдик склонился к ней доверительно и горестно. — Я хотел бы определить её в вашу клинику. Мне сказали, вы одни из лучших!

— Вы по предварительной записи? — поинтересовалась Светлана.

— Ничего не хочет, — причитал Эдик, — днями лежит, уткнувшись в стенку. Почти не ест!

Инга рассматривала брошюру. Вокруг ростка, такого же, как на стене, было написано: «Клиника функциональных нарушений. Лечение неврозов». Далее, на фоне цветущего сада — мелким чёрным шрифтом: «К неврозам относят группу заболеваний, вызванных психогенной травмой, не имеющих в своей основе органических поражений нервной системы». И жирно внизу: «Лечение психических расстройств в Vitaclinic проводится на анонимной основе».

— Как я могу к вам обращаться? — спросила девушка, открывая файл со списком направлений.

— Эдуард Алексеевич. Мы не записывались, — сказал Эдик. — Я надеялся получить консультацию на месте. И устроить супругу в стационар... ну, вы понимаете.

— Я понимаю, — Светлана улыбнулась холодно и вежливо, — но для госпитализации нужно направление лечащего невролога, в зависимости от...

— Светлана, — Эдик сделал упор на её имя, — наш случай — особенный. У нас острое состояние. Нужны срочные меры...

— А также анализы: моча, общий анализ крови и — на гормоны щитовидной железы, дофамин, серотонин, окситоцин, эндорфины, — невозмутимо продолжала девушка. — Вас интересует одноместное или двухместное размещение?

Эдик секунду колебался:

— Одноместное. Всё самое лучшее для тебя, — он обернулся к Инге.

Та еле заметно дёрнулась, как от несильного удара.

— Так... — Девушка прокручивала мышкой другой файл. — На данный момент палат на одного пациента нет. Ближайшая освободится через двенадцать дней. Семьдесят тысяч в сутки.

— Милая девушка, деньги — не проблема, — излишне суетливо проговорил Эдик.

— Понятно. — Светлана, не удержавшись, изогнула бровь в презрительной дуге. — Для того чтобы сделать резервацию, вам нужно предоставить данные пациента. Вы также можете решить, под каким именем вы хотели бы записать вашу супругу. Мы соблюдаем прайвиси. За двенадцать дней вы сможете сдать необходимые анализы, получить направление и встретиться с лечащим врачом...

— Но постойте, — Эдик изобразил возмущение, я не могу столько ждать. Я рассчитывал, что сегодня...

— Ничем не могу помочь, — без всякого сожаления сказала девушка.

— Может быть, мне поможет разговор с вашим начальством?

Инга, не поднимая головы, отошла чуть в сторону. Старинное здание, переделанное из особняка под клинику. Коридор слева оканчивался туалетами. Лестница уходила наверх. Она знала, что в клинике было три этажа и ещё один корпус — Индивинд прислал ей схему постройки. Она посмотрела на двери в надежде увидеть на них фамилии, но табличек нигде не было.

— Что у вас тут происходит?

У регистратуры остановился высокий мужчина в расстёгнутом врачебном халате. Он положил стопку папок на стойку и внимательно смотрел на Эдика. «История пациента», — прочитала Инга на верхней.

— Эдуард Алексеевич требует встречи с главврачом, — объяснила Светлана.

— Громушкин Антон Викторович, — мужчина протянул Эдику руку, — завотделением. Что вас интересует?

131

— Супругу хочу к вам положить, а мне говорят «нельзя»! Что ж у вас за врачи тут, которые отказываются помочь больному? — Эдик чересчур увлёкся своей ролью.

Инга поправила взлохмаченные волосы, взяла «мужа» за локоть.

— Мы никому пока не отказали, — успокаивающе сказал Антон Викторович и посмотрел на Ингу.

...он вошёл в палату, когда я опускала жалюзи, — у Туми была светобоязнь. «Глаз выколи, — ворчал Штейн, спрятав лицо за матово-чёрным «Никоном», — придётся ISO 1200 ставить. Зерно будет с таракана!» Туми сидела на кровати, свесив похожие на макаронины ноги. «Что здесь происходит?» — та же фраза. Он посмотрел на меня и положил папки с историями болезней на прикроватный столик. «У нас согласованный визит для интервью». — «Согласованный с кем, интересно мне узнать?» — и тон был такой же.

Она увидела, что, несмотря на грим, врач тоже узнал её.

— Мы с удовольствием поможем вашей супруге, — продолжил он, — я выпишу вам направление на анализы. Сдать можете здесь. У нас есть собственная лаборатория.

— Спасибо! — Эдик бросил победоносный взгляд на Светлану.

— Будьте добры, присядьте сюда, — Громушкин указал на кожаный диван. — Я сейчас попрошу, чтобы вам сделали назначение. Светлана, историю не заводите, я сам всё оформлю. — Он достал из кармана джинсов телефон и набрал номер. — Извините, что заставляем вас ждать.

Когда они сели, Инга положила голову Эдику на плечо и прошептала ему в шею:

— Он меня узнал. Надо валить.

Но встать не успели: перед ними, как двое из ларца, выросли санитары. Одинаковые короткие стрижки, расплющенные носы, чёрные брюки из-под чистых, накрахмаленных халатов.

— Антон Викторович просил вас пройти в кабинет 101. На анализы, — металлическим голосом сказал один из них.

Инга почувствовала, что Эдик, вжившийся в роль «заботливого» супруга, жаждущего избавиться от жены, отчаянно придумывает отговорку, и, чтобы пресечь его очередную возмущённую тираду, быстро произнесла:

— Да-да, хорошо. Дорогой, проводи меня.

В дверь входили новые клиенты. Светлана быстро вскочила со своего места: встретить.

— Мы вас ожидаем с девяти утра, — проворковала она, обращаясь к молодому человеку. Тот поддерживал пожилого статного мужчину.

Инга узнала бывшего ведущего ток-шоу «Бисер перед свиньями» на Первом.

Продолжая улыбаться, Светлана стрельнула глазами одному из санитаров-охранников.

— Пойдёмте, — тот угрожающе взял Ингу под локоть.

Инга прекрасно знала, куда их ведут: кабинет 101, если верить схемам Индивинда, находился в самом конце коридора, рядом с дверью «Запасный выход».

— Наша клиника гордится системой безопасности и уровнем конфиденциальности наших клиентов, — бугай будто зачитывал им «конституцию». — Когда они ложатся к нам, мы гарантируем им защиту от папарацци и прочих мошенников. — Он больно сжал руку Инги и резко отпустил.

Она машинально сделала несколько шагов назад и чуть не упала на ступеньках крыльца.

— Ты думала, дёшево намалякалась и всё можно? — Второй был менее официальным. — Журналюга поганая. Опять намылилась звёзд нафотать? Ты в чёрном списке здесь, усекла? Вали-вали давай и «муженька» своего прихвати. Ещё раз сунешься — так просто не отделаешься.

— Да что ты себе позволяешь?! — заорал Эдик. — Сука!

Это слово, такое нехарактерное для него, вылетело и лягушкой распласталось в воздухе. Инга улыбнулась.

— Пойдём. Не связывайся. Нечего.

На заднем дворе Vitaclinic вовсю буйствовал май: земля заросла нечёсаной травой, две молодые берёзки стояли в пуху свежей листвы. Инга направилась к выходу. Очень хотелось смыть краску с лица.

Архаров, чёрт его дери, был прав: нечего мне было сюда соваться. Это ж надо было, чтоб так «повезло»: из всего персонала встретить этого козла Громушкина, который тогда заходил к Туми.

— Докопались всё-таки? — В арке, у тротуара, курила девушка. Кроксы, салатовый халат, затянутые в пучок волосы — медсестра из клиники. — Я вас знаю. Гадов этих из групп самоубийц вы раскрыли. Ну хоть кто-то и про этот Освенцим правду напишет.

— Мы напишем правду, если нам расскажут правду. — Инга понятия не имела, о чём говорит девушка.

— Я думала, вы и так всё знаете, — уверенности в девушке поубавилось, — раз приехали.

— Мы знаем, что здесь творится что-то неладное, — Инга говорила наугад, — и что руководство усердно это скрывает. Мне нужен источник в Vitaclinic. — Она сделала паузу. — Разумеется, анонимный.

Девушка затянулась, молча глядя на Ингу. Она раздумывала.

— Мы можем встретиться не здесь, — продолжала Инга. — Возьмите мою визитку. Я приеду, куда скажете.

— Ну уж нет. — Медсестра ткнула окурок в стенку. Вниз посыпался серебристый пепел, похожий на карнавальные блёстки. — У меня близнецам четыре года, а муж объелся груш.

Инга ждала. Девушка явно не договорила. Она достала телефон, прокрутила список контактов вниз.

— Вот, — ткнула пальцем. Инга уже переписывала номер себе в айфон. — Его найдите. Игорь Лавренюк. Он её врачом был. Быстренько они его сплавили — за один день человек работу потерял.

Чьим врачом?

— Спасибо. — Инга щёлкнула кнопкой блокировки. Девушка сунула руки в карманы медицинского халата:

— Напишите про это. Вы смелая. Нельзя такое спускать, — и направилась к заднему входу клиники.

Эдик, всё ещё тяжело дыша от ярости, подошёл к Инге уже за воротами. Она стояла, прислонившись к дереву и уткнувшись в телефон.

— Назначение он, видите ли, пошёл оформлять, как же, — буркнул он, — а сам охрану вызвал! — Он заглянул ей через плечо, прочитал:

Inga
Подключен (а)
Срочно нужен полный список пациентов клиники неврозов Vitaclinic. Период 2015—2018

— Никуда они от меня не денутся, — сказала Инга довольно.

ГЛАВА 13

— Я у них психиатром-вегетологом работал, — носком широкого ботинка он перекатывал ком сухой земли, — по профилю.

Инга не стесняясь разглядывала собеседника — небритые щеки, всклокоченные волосы. Доктор Лавренюк чем-то походил на любимого Довлатова. Рукавам белого халата, вороту рубашки, брючинам не хватало длины — большой, будто умноженный на коэффициент, он был выше всех на голову, как неловкий Гулливер.

— Это что за специальность? Звучит так, будто с неуравновешенными растениями работаете. — Рядом с его растоптанными «лаптями» Ингины кроссовки казались детскими.

— Можно и так сказать, бывало, что и растения привозили. — Он усмехнулся где-то глубоко в животе и посмотрел на неё. — Вы правда хотите знать или так, поболтать просто?

— Интересно, расскажите.

Они шли по внутреннему двору, огибая здание серого кирпича. Неровный оштукатуренный цоколь отливал свежей синей краской, первый этаж окон был закрыт полосками решёток.

— Хорошо. У вас горло иногда перехватывает, дышать тяжело?

— Бывает, а что?

В ответ он загнул мизинец, будто начиная детскую игру.

— А ноги стынут в жару?

— Дома всегда в шерстяных носках, откуда знаете? Он пригнул к ладони безымянный палец.

— Настроение скачет?

— А у кого нет, смеётесь? — Инга улыбалась, а он добавил средний, сделав из руки пистолетик, и направил на неё.

— А спите как? Признавайтесь!

— Как, как — как попало! — Инга наклонила голову, будто отстраняясь от выстрела.

Игорь в ответ рассмеялся, закрыл указательный и накрыл всё большим пальцем.

— Ваша вегетативная нервная система сигналит. — Он погрозил ей сжатым кулаком. — Это «серый кардинал» организма — держит всё тело в норме. И как только «руководящий орган» истощается и даёт сбой, системы начинают вести себя неадекватно.

Он раскрыл ладонь, будто выпустив пойманную муху.

— Доктор, всё плохо? — Инге нравился этот нежный великан.

— Раньше я бы посоветовал на пару недель лечь в Vitaclinic, там с этим отлично справлялись. Своя лаборатория, специальные разработки, новые препараты. Такие были результаты! Привезут неживого почти — буквально с карниза снимут. Через месяц-два выходит как новенький. Но туда просто так с улицы не попасть. Клиника для особых пациентов. Я бы замолвил за вас словечко. — Лавренюк вздохнул, пригладил волосы. — Но теперь это не ко мне.

— А сейчас что посоветуете?

Оба закурили у сине-золотой вывески «ГБУ здравоохранения города Москвы «Наркологический диспансер № 24. Служебный вход». Напротив остановилась машина «Скорой помощи». Санитары под руки выводили мужчину: «Давай, давай, шевели копытами! Сейчас тебя примут, тёпленького».

— Больше спать, меньше нервничать, — он горестно кивнул в сторону проходящих, — ну и это — с алкоголем поосторожнее.

Интонация ровная, как сплошная чернильная линия кардиограммы. Похоже, у него у самого депрессия, причём довольно давно.

— Игорь, скажите, почему вы ушли из клиники?

— Не я ушёл, меня ушли.

Ответил резко, залив слова тёмно-зелёной тоской.
Во дворе диспансера не было людей, хоть уже пригревало солнце. Они двинулись по просохшим дорожкам, перешагивая редкие зеркала луж. За решётками на этажах плавали белые тени, с кухни доносился прогорклый запах больничной еды.

— А здесь чем заняты? Терапия? Консультации?

К дверям главного входа семенили посетители. Их встречала суровая вывеска: «Посещение больных с 11:00 до 16:00. Передачи строго после проверки персоналом. Алкоголь в диспансер проносить запрещено!»

— Клизма и капельница с физраствором — такие у меня теперь консультации.

— Игорь, а что случилось там, в клинике?

— Да я и сам до конца не понял. Работал у них больше года, всё путём шло. Я за острых отвечал — агрессивные проявления, неврозы, психические атаки, тяжёлая депрессия. Ко мне претензий не было, только с этой Игоньской странно вышло, бред какой-то.

— С Игоньской? А что именно произошло?

— Она как раз по моему профилю поступила. Ситуация обычная, вроде даже не особо острая, ну я и начал лечение по нашей схеме. У клиники своё ноу-хау. Нигде не купите.

— В смысле? У клиники свои собственные разработки? Лицензированные?

Но Лавренюк не заметил вопроса, спешил рассказать, его как будто прорвало:

— Игоньская в двести одиннадцатой палате лежала. Заходить к ней мог только определённый персонал — у них всё на магнитных пропусках, прайвиси, как они любят повторять. Всё очень строго. На лекарства поначалу реагировала неплохо, через несколько дней пошли улучшения — сон наладился, она успокоилась. А потом вдруг началось.

— Что? — Инга заглянула ему в глаза снизу вверх, пытаясь считать эмоции.

— Да чёрт его знает! Говорю же — бред полный. — Закрыл виски большими ладонями, как шорами. — Утренний обход был, как обычно, — палата за палатой, вхожу к ней, а она на полу лежит в рубашке, волосы по полу, глаза закрыты, бормочет что-то... ну такое — про мужчину, как он пришёл-ушёл, девственности кого-то лишил...

— «Он встал, оделся, отпер дверь... и та, что в дверь вошла... уже не девушкой ушла», — на автомате процитировала Инга.

— Точняк! Я тоже помнил, но вылетело всё из головы. Я сначала подумал: рецидив, увеличил дозу. Подключил нейролептики. Но она всё равно... стихи, высоким таким стилем, как вы вот сейчас сказали. Что-то про палача, полночь и безграничную власть.

— Погодите! — Инга на секунду замерла. — «Кто власть тебе такую дал, палач, над бедной надо мною? Меня будить ты в полночь стал...»[1]

— Да вы ходячая энциклопедия!

— Рудименты гуманитарного образования. А вот по медицинской части всё гораздо хуже, — призналась Инга. — Скажите, Игорь, а пациенты часто так себя ведут?

Его ладони раскрылись, показывая пустоту.

— Понимаете, можно сказать, это в пределах нормы. Обычное бредовое состояние — нарушена связность мыслей, затуманенное сознание. Человек не может сосредоточиться, даже видит галлюцинации. Или придумывает что-то. Я и не удивлялся поначалу — она то ли певичка была, то ли модель, в клинике много пациентов

---

[1] Гётс. «Фауст». Монолог Маргариты.

из этого цеха. Но со временем я понял, что говорит она о конкретном человеке: будто бы он к ней приходит и, как бы это помягче... грубо с ней совокупляется.

— Вы имеете в виду, в её воображении? Или нет?

— Непонятно. — Игорь заговорил чётко, опять загибая пальцы на руке. — Для депрессии характерна утрата интереса к обычным занятиям. Типичные симптомы — вялость, ощущсние собственной никчемности, крайне выраженное или необоснованное чувство вины. Сексуальные фантазии возникают редко. Скорее, значительное снижение либидо. А тут наоборот. Зацикленность на теме. Приду к ней, а она только об этом: приходит, издевается, насилует. Я же точно знал: у нас это невозможно, железный порядок, а значит, психосексуальное расстройство.

— И как вы её лечили?

— Решил, что это реакция на лекарство. Изменил схему — ввёл нормотимики, препараты лития — они «острые углы» смягчают, убирают вспыльчивость. А она — только хуже. Приду, бормочет: «Гость, ночной гость». А один раз схватила за руку: помогите, говорит.

— И тут вы начали, наконец, подозревать?

Он даже хлопнул её по плечу, отчего Инга чуть присела.

— Да! Я к службе безопасности, осторожно выяснить. Думал, может, из них кто ходит, паскуды. А начальник мне на это: «Не лезь туда, это дела Агаджаняна. Не связывайся лучше».

Инга споткнулась:

— Арега Саркисовича?!

Игорь посмотрел на неё с профессиональной тревогой.

— Ну да, Арега Саркисовича, — неуверенно повторил Лавренюк.

— А он тут при чём?

— Так он настоящий владелец клиники. Трудовой договор со мной подписывал некий Ломышев, но это так, зиц-председатель, фикция.

Некоторое время Инга пыталась осмыслить услышанное. Арег Агаджанян, владелец холдинга «Минерва», выкинувший её из «QQ», оказался ещё и собственником Vitaclinic. И именно его ассистентом была Эвелина Джи! Вот почему Арег так разъярился из-за истории с Туми. Тут могли открыться новые причины их со Штейном увольнения.

— Я тогда впервые подумал, что сам с ума схожу, — снова заговорил Игорь, возвращая её к истории с таинственной Игоньской. — Привезли больную с обычной депрессией, слегка подправить, а она в острейший психоз на глазах сваливается, кататоническая симптоматика. Решил для себя: надо её показать гинекологу, ну а вдруг? — Он резко повернулся к Инге. — Но действовать надо было не через главврача, а через заведующего научной частью. Он, конечно, ставленник Арега, но человек порядочный. Но он меня даже слушать не стал. Это ваша работа, сказал, продолжайте лечение.

— И что?

— А ничего! Сдрейфил я. Дай, думаю, ещё пару деньков понаблюдаю, и уж тогда... — Он поднял воротник, и Инга только теперь разглядела тени под глазами и мелкое дрожание пальцев. Лавренюк, судя по всему, крепко пил. — Это же чистый мой косяк был! А наутро она пропала.

— То есть?

— С утра переполох, забегали все. Пациентка сбежала! Соседка её, из соседней палаты, мается, причитает.

— Соседкой её, случайно, не певица Туми была? — внезапно осенило Ингу.

— Откуда знаете? — Лавренюк покосился на неё.

— Неизвестная Игоньская, Туми, Арег, Эвелина, — прошептала Инга. — Интересный пасьянс складывается.

— Я совсем растерялся, зашёл в палату Игоньской, гляжу, а из-под подушки что-то тёмное торчит, потянул, а это мужские часы. Откуда они у неё?! В Интернете пробил, Patek Philippe Grand Complications, двести тысяч долларов стоят. Вот такие дела...

— Всё-таки не галлюцинации?

— Я опять к Вертману. — Игорь остановился, Инга видела смятение в его глазах. — Сую ему эти часы. Что за чертовщина у нас тут творится, спрашиваю. А он мне тихо так: «Вы, Игорь Константинович, домой идите, а мы разберёмся. И часики оставьте». Часики! А на следующий день приезжаю на работу, а у меня уже пропуск заблокирован! Больше я там и не был. Расчёт получил на карточку, и всё, адьё, доктор Лавренюк. Теперь здесь. Реамбин, трисоль, милдронат — вот и вся наука.

Вертман?! Это не может быть простым совпадением.

Он поёжился, достал из широкого кармана плоскую фляжку. Жестом предложил Инге, она мотнула головой. Рассказ Игоря никак не укладывался в голове.

— Вы сказали «опять к Вертману». Это он — заведующий научной частью?

— Да, он. Анатолий Ефимович Вертман. Вы его знаете?

— Пока нет. Какой он?

— Настоящий учёный, одержимый. В чём-то даже гений, — задумался Лавренюк.

— Спасибо, Игорь. — Инга протянула руку.

Она смотрела в его широкую спину; в походке было что-то обречённое. Инга дошла почти до ворот, села на скамейку. Набрала Холодивкер.

— Холодильник. Теперь нам точно пора увидеться с твоим Вертманом.

ГЛАВА 14

...Была у Оли Гривы ещё одна специализация, о которой я узнал позже, когда сам уже ходил с центровыми. Она поставляла девчонок. Сначала из своей школы, потом из техникума. Свободных хат у нас ни у кого не было, ну разве что самодельная качалка в подвале, но то был штаб Зуба, и использовать его для развлечений было запрещено. Пацаны решили проблему просто — облюбовали парикмахерскую номер три. Она находилась в отдельном доме у промзоны, далеко от жилых кварталов и людных мест. Раньше, когда работал завод и относящиеся к нему мастерские, парикмахерская стояла на проходном месте, но потом жизнь переместилась в сторону вокзала и рынка, и она оказалась на отшибе. Владелец, армянин Ованес, занимался в основном точками на рынке, а в салоне с утра до вечера крутилась Надя. Одна на всё: стрижка, маникюр и прочие бабские штучки. Пацаны дали Оле задание: наладить контакт с Надей, получить ключи. Запугивать долго не пришлось — Надя сдалась сразу. Три комнаты парикмахерской по вечерам были в полном распоряжении центровых. Ованеса в дело не посвятили — не хотели связываться с армянами.

Оля работала просто. Пацаны выбирали понравившуюся девочку, Оля с ней знакомилась, на дискотеке или на занятиях, потом звала за компанию с собой в парикмахерскую, предлагала бесплатный маникюр или завивку. Девчонки велись легко. Ну а в парикмахерской их уже встречали, с цветами и шампанским. С водкой, проще говоря. Пацаны любили всё обставлять празднично — никакого насилия. Это называлось «вечеринка». Сначала культурно выпивали, нюхали, если было что, потом предлагали девчонке по-хорошему. Если она соглашалась, её потом отвозили домой и больше не трогали. Если начинались крики и угрозы: «Я папе расскажу! Я вас в милицию сдам!», то с ней не церемонились. Были и такие, кто не по одному разу побывал на «вечеринках». Скоро на Центре не осталось ни одной симпатичной девки, которую бы пацаны ни попробовали. Было два привода за это, и оба не дошли до суда. Дела были закрыты — потерпевшие отказывались от показаний. Я так думаю, Зуб прилагал усилия, чтобы своих отмазать. Виталька тоже участвовал в «вечеринках», ему всё в кайф было. А мне нет.

Я ведь про девчонок мало что знаю. Точно они с другой планеты — существа какие-то блестящие, хлипкие. Визгу от них много, хнычут, наряжаются, ничего толком не делают, ну вот рожают иногда, по глупости, наверное. Я их всегда старался стороной обходить.

Мне тогда как раз тринадцать исполнилось, Виталька сговорился с Домушником: «Давай малого просветим, у него ещё ни разу не было». В обход меня решили, гады. Суббота была, мы сделали рейд по центру, без предъяв, всё чисто, получили в ларьке положенных нам два литра и пакет томатного сока. «А теперь в салон красоты!» — загоготали пацаны. И кто-то сунул мне в руки обломанную ветку сирени. Я знал, конечно, про те дела, но чего-то так стрёмно стало, хоть волком вой. Как отдали меня на средневековую площадь, в кромешный стыд и боль.

У салона Оля Грива вышла навстречу: «Готова». Мы заходим, вижу — Верка с нашей школы, из 9 «В», в джинсовой узкой юбке, губы блестящим фиолетовым намазаны. Глазами хлопает, не понимает. Никогда бы не подумал, что мне впервые выпадет с Веркой. Начался всегдашний базар, вытащили стаканы, разлили спирт пополам с соком. Верка задрожала: «Мальчики, я домой пойду, ага?» А Домушник берёт ножницы с парикмахерского столика и бретельки ей на майке отстригает. Она криком заходится. Пацаны смотрят, не трогают до поры.

Я махнул разом полстакана — к голове жар поднялся. Стою, как дурак, держу эту сирень и цветы обкусываю. Виталька локтем толкает: давай, мол, братишка. А я этот грёбаный блеск на губах вижу и отлетаю куда-то. Потом они уложили её на диван, стянули юбку. Я подошёл, сел на край, даже прикоснуться не могу. Она уже не кричала, дрожала мелко. И тут подкатило изнутри, я едва успел выскочить на улицу. Когда очухался, не стал обратно заходить, пацаны веселились там вовсю.

Я после того случая в школу ходить бросил — вдруг, думаю, с Веркой в коридоре столкнусь? Просто не вынес бы, если бы оказался рядом с ней. Отчего так бывает: вроде ничем ты человека не обидел, а видеть его невмоготу? Хоть в петлю лезь, только бы с глаз долой. Убил бы, наверное, её, если бы в городе случайно встретил. Но бог миловал.

Вот так сложилось у меня с ними — с женщинами то есть. Были потом ещё, но вот кто, где — не помню и припоминать не хочу.

В городе тем временем происходили перемены. Когда Рощу забрали в армию, Лак резко посыпался. Дохляки они там, вырожденцы. Кроме нанюхаться и балдеть, никаких интересов в жизни. Новый лидер Лака против Зуба не пошёл и сам присягнул ему на верность. Центр бескровно взял власть. Прекратились схватки на стадионе, на площади у горсовета, и мы наконец смогли нормально поделить город на сектора. Зуб ходил королём. Настала абсолютная монархия, как по учебнику. Никто нас не трогал вообще, что такое правоохранительные органы, мы знать не знали. Получали дань со всех палаток. Мы даже подумывали сделать свой флаг и установить его над домом культуры. Виталька тогда сильно продвинулся, одним из самых верных Зубу людей стал и меня подтянул к себе. Кликуха Китаец так и прилипла к нему, он даже стал свой фирменный знак рисовать на стенах домов: толстощёкий китаец с узенькой бородкой в квадратной шапке — клёво у него получалось и быстро, за пять секунд.

В то время состоялась наша первая, а за ней и вторая поездка на электричке в Казань — размяться хотелось, мир посмотреть. Потом Набережные Челны, Нижний Новгород. Из каждой такой поездки кто-то не возвращался. Мы выпивали за него не чокаясь и ехали мстить. Я участвовал в двух крупных разборках в Казани — еле ноги унесли, а в Нижнем так, мелюзга одна, хоть и большой город.

Но однажды из Казани к Зубу приехал Валера Петряев. Петрушка, так он тогда назвался. Погоняло вроде смешное, безобидное, но как оскалится — хуже смерти. Понятно было, что приехал он от серьёзных людей и лучше против него не переть. Петрушка под самим Кляпом ходил. Пришлось прекратить мстить казанским, и мы ездили туда уже по делам: получать килограммы дури и передавать дальше на запад, в Москву. Облав на нас не было, всё шло ровно.

Конец этой жизни пришёл довольно неожиданно.

Роща вернулся из армии раньше срока, комиссовали его по болезни, рак крови нашли. Но по виду не скажешь, что больной — бугай стал здоровенный. Он раньше на Лаке первый нюхач был, с самого детства на химии, а как в армии его лишили этого удовольствия, вот мышцы и наросли.

Выбора особого у Рощи не было — все его люди ходили теперь под нами. От него ждали повиновения, до поры не трогали. И тут — здрасьте, приехали: на Рощу запала Оля Грива. А может, он на неё, кто их знает. Только их стали вместе видеть — в парке, на улице, на танцах. Оля нас кинула. И обязанности свои больше не исполняла.

То ли крышу у обоих так снесло, что даже не шифровались, то ли Оля думала, что ей всё можно? Зуб проявил снисходительность к боевой подруге: дал сроку неделю, чтоб завязала, и обещал за то сохранить Роще жизнь. Но она взбрыкнула: «Иди ты со своими гарантиями! Ему жить осталось год». И ушла. А через день Зуба нашли с проломленной головой в подъезде. Ясное дело — Роща постарался. Надо было кончать их обоих, пока не сбежали.

Как оно было, мне потом рассказал Виталька. Дознались, что Оля купила билеты на проходящий ночной поезд — ларёчница с вокзала пропалила. В Москву собрались, значит. За несколько часов до прибытия пацаны окружили вокзал, прочесали все прилегающие улицы. Нет нигде. А беглецы тем временем в товарняке прятались, сидели в нём почти сутки. И когда подошёл поезд, выскочили и по путям попытались к нему пробраться. Думали, спасутся, темнота ж вокруг. Но братва их накрыла. Когда они поняли, что спасения нет, началось страшное. Роща своими руками взял Олю за горло и задушил. Осторожно положил на землю, простился. И потом человек шесть наших положил, прежде чем его самого убили. Хватал и со всей силы головой об рельсы. Или бил насмерть, такой удар у него был.

Дело прогремело на всю область. Вот тут нас всех менты и взяли в оборот. Половину центровых закрыли. Витальке повезло — его как раз в армию забрали. Была осень девяносто четвёртого.

ГЛАВА 15

Туми потянулась, с удовольствием провела руками по талии. Ни одного лишнего грамма. Главное — смогла справиться с этим сама, только спорт и правильное питание, никаких таблеток. Посмотрела на себя в зеркало: маленькое, чуть асимметричное лицо, с еле уловимыми азиатскими чертами. Она выглядела моложе своих двадцати семи. Пожалуй, даже лучше, чем два года назад. Как точёная шахматная фигурка.

Она прошла на кухню, заварила травяной сбор, поставила чайник прямо на широкий мраморный подоконник. Скоро листья совсем закроют высокий второй этаж дома, и не будет видно ни машин, ни дома напротив, ни чужой ненужной жизни, ни суеты переулка.

Её первый в жизни вид из окна был совсем другой. Чахлые низкие клёны где-то далеко внизу, блочные девятиэтажки и круглое синее небо. Она любила забираться на широкий кухонный стол, упиравшийся краем в стекло, и растопыривать руки в стороны. Ей казалось, что она птица, которая кружит в небе, трогает пальцами-крыльями влажные и тёплые облака. Бабушка сходила с ума от страха. Сгребала её со стола и говорила, что в следующий раз возьмёт её к себе, только когда сделает решётки на окнах. Но решётки так и не появились. А бабушка всё равно забрала её, потому что родители слишком шумно разводились. Согласны они были только в одном: для ребёнка будет лучше временно пожить у бабушки. Временное превратилось в постоянное. И стало первой настоящей удачей в её жизни.

Любимым воспоминанием детства были бабушкины рассказы, Туми их слушала, привалившись к уютному боку и накручивая на палец бахрому старого платка. История всегда начиналась в Харбине, где прадед Туми, Михаил Васильевич, работал инженером-путейцем на КВЖД, а в свободное время играл на трубе с самими братьями Лундстремами.

— Отца в городе любили, — говорила бабушка. — Везде он был желанным гостем.

В 1935 году КВЖД продали японцам, семья переселилась в Казахстан. Братья Лундстремы со своим оркестром поехали в Москву, но оказались в ссылке — в Казани. Мудрый Михаил Васильевич, хоть и беззаветно любил музыку, рассудил, что от центра лучше держаться подальше. Но разнарядка НКВД настигла его и на окраине советской империи — по обвинению в шпионаже в пользу японцев Михаила Васильевича арестовали и через три дня приговорили к расстрелу.

И вот тут начинались чудеса. Приговор приводили в исполнение в местечке под названием Албасты Сай — овраг, где водится нечисть. Эти слова в бабушкином пересказе звучали страшнее любого проклятия ведьм. И стали тайным заклинанием для Туми. «Албасты сай», — шептала она, когда ей было жутко одной в темноте. «Албасты сай», — говорила, когда вытягивала экзаменационный билет. «Албасты сай», — бормотала под нос перед тем, как выйти на сцену.

То ли эта самая нечисть, то ли счастливая случайность спасли её прадеда от смерти. Расстрельной работы в те времена было много, и даже если конвоиры после приведения приговора в исполнение слышали стоны раненых, то берегли пули — для следующей партии обреченных. По опыту знали, что из этого оврага никто не возвращался.

Но раны Михаила оказались не смертельными. Он выбрался из-под тел убитых, дополз до ближайшего хутора и потерял сознание на пороге чужого дома. Там жила семья счетовода Эркена, и казахи, несмотря на безумный риск, спрятали Михаила и выходили его.

— Они просто не побоялись открыть дверь и втащить еле живого врага народа в дом. С этого момента, — рассказывала бабушка, — начинается вторая жизнь нашего рода.

Когда Михаил окреп, он вышел на центральную улицу посёлка и направился прямиком в НКВД, потому что не собирался всю жизнь прятаться по подвалам, как червь. И вот тут произошло второе чудо — реабилитировать его, конечно, никто не стал, но местное начальство рассудило, что казнить два раза нельзя. Михаила отпустили с миром. Туми, которая была последняя в роду, как реликвию, хранила характеристику Михаила Васильевича с абсурдной записью: «...образованный, коммунист. И даже после расстрела честно служил своей родине».

Жизнь связала Михаила с Эркеном не только историей чудесного спасения. Проработав несколько лет учителем музыки в школе, Михаил женился на Агнешке, светловолосой учительнице математики. Теперь две семьи дружили домами. Бабушка любила говорить, что познакомилась со своим женихом, сыном Эркена, прямо в колыбели.

— Мы друг без друга жизни не могли представить, — говорила она, убирая внучке чёлку со лба, — вот и поженились, когда время подошло. Только представь, сколько в тебе намешано!

По воле деда Михаила в доме всегда звучала музыка. Бабушка стала фольклорной певицей и мечтала, что Туми, у которой оказался абсолютный слух, пойдёт по её стопам.

Именно бабушка после переезда в Москву нашла для внучки хорошего педагога по «народному» вокалу. Но Туми этого было мало. Втайне от бабушки она собрала свою рок-группу. В девятом классе из Анели Тумишевой превратилась в Туми. Борька, их гитарист из параллельного класса, придумал. Ты, сказал, как Туми Иши — пирамидка из камней по-японски. Так и прилипло. Исполняли они в основном каверы. Борька даже договорился, чтобы их пускали поиграть в «Пятнадцать центнеров», на один вечер в неделю — за пиво.

Там-то её и услышал модный продюсер и композитор Макар Фалалаев, больше известный в Москве как «Фа-мажор» — за крутость, а для своих — просто Фафа. Фафа взялся за них всерьёз. Через неделю уволил Борьку и всех школьных музыкантов, подогнал опытных лабухов, запер Туми в студии на три недели, записал диск, оплатил ротацию на радио и отрядил новую группу «Туми» из Москвы — на первый «чёс по провинции». И понеслось: сольники в клубах, сборные концерты на стадионах, корпоративы. Папарацци и подкармливаемая Фафой пресса полюбили Туми. Потихоньку дошло и до изданий «лайф-стайл», была даже одна эротическая сессия у модного фотографа Артемия Могильникова, который особо эффектно снимал азиаток. Где-то между студией и очередным клубным гигом Туми и Фафа забежали в загс, где их в тот же день — звезда же! — и расписали. А потом — потом всё разладилось.

В тот день Туми сидела в студии. Фафа накреативил, что надо записать диск с «коллаборациями» — старый русский рок и новые рэперы. Туми со звукорежиссёром Костей писали голос на трек Инны Желанной «Блюз До-минор». Не получалось ничего. Туми в сотый раз слушала оригинал — ровный и отстранённый вокал Инны, смотрела в ноты, понимала, что нет там ничего, что она не сумела бы спеть, даже смогла бы и чище. Но Костя каждый раз доброжелательно и с адским терпением отматывал фонограмму назад и просил повторить. В какой-то момент, когда Туми готова была сдаться, дверь в студию открылась и вошёл маленький, какой-то несуразный человечек с большой головой, крошечными руками, косой на один глаз. Он молча встал рядом с пультом, послушал, что-то шепнул Косте и пошёл в студию.

— Что ему надо? — спросила в микрофон Туми.

— Это Андрей Мусикян, поговори с ним, — только и успел ответить ей в наушники Костя.

Андрей уже стоял рядом.

— Смотри, милая, ты молодец, отличный голос. Но не зажимай ключицы. И не морщись, не напрягай лицо. Ты когда-нибудь видела, чтобы Элла Фитцджеральд морщилась на высоких нотах? Или Эми Уайнхауз? И попробуй вот что: не пой ты эту соль-бемоль, это ж не урок сольфеджио. Нотки знаешь? Ну умница. Пой «фа», но про себя думай, что поешь «соль», услышь его, в голове у себя услышь.

— Это как? — Туми ничего не поняла.

— И ещё. — Андрей не обратил внимания на вопрос. — Это хоть и блюз, но хитрый: рисунок триольный, Инна Желанная поёт на шесть четвертей, а барабаны играют двойками, как в обычном блюзе на четыре четверти. Смотри!

Он сел за барабаны и начал играть. На четвёртом такте Костя запустил минусовку.

— Пой! — приказал ей Андрей.

И Туми запела:

> Не смотри на меня — я уже не у дел.
> Допьём эту ночь не всерьёз.
> Ты меня променял, ты меня проглядел
> Легко, без слов, без слёз.

Она слышала барабаны Андрея в наушниках и понимала, что вот так — вот именно так! — надо играть. Ей вдруг стало удивительно легко. Она незаметно для себя докатилась до этой самой кучерявой нотки.

> Не грусти обо мне,
> я уже не вернусь.
> Я ветер в твоих облаках.

«Как он говорил, поёшь «фа», слышишь «соль»? — пролетело у Туми в голове. На какой-то момент ей показалось, что она вновь маленькая девочка, сидит коленками на стуле и пальчиками тянется к клавишам бабушкиного пианино. — Где тут «соль»?»

> Но когда в тишине
> ты услышишь мой блюз —
> Ты захочешь ко мне,
> ко мне...[1]

Краем глаза она видела, как довольно кивал за пультом Костя, а Андрей, продолжая играть, выкинул вверх левую руку с барабанной палочкой и показал большой палец. И в этот момент у неё кончилось дыхание. Но вместо того чтобы из последних сил на связках дотянуть ноту, она отпустила лицо и все мышцы, голос нырнул в фальцетный срыв и — чудо — сам вывел её в нужную альтерацию тонального аккорда, совершив какую-то странную, совсем необычную фиоритуру, практически на субтонс, шёпотом.

Костя восторженно сделал локтем знак «Йес!» и откинулся на спинку кресла. Андрей, улыбаясь, сидел за барабанами, показывая ей руками: «Ну ведь можешь же!» Его здоровый глаз смотрел мимо Туми.

«Где же ты был всё это время, странный человек?» — пронеслось в голове.

— Что за хернёй вы здесь занимаетесь! Ты что, только один трек наваяла? Пачки ещё не писали? Оставь вас одних! — В студии стоял Фафа, злой как собака. — Я, между прочим, за это деньги плачу, а вы тут джем замутили! Мусикян, я, конечно, рад тебя видеть, но ты со своим джазом пишешься после нас, так что будь добр, не лезь в мою епархию.

---

[1] Блюз До-минор. Слова И. Желанной, музыка С. Калачёва.

Обычно улыбчивый и спокойный Костя резко встал, да так, что кресло отлетело назад, и объявил:

— У меня обед.

Андрей аккуратно сложил палочки и молча вышел из студии.

— Заебись ты тут устроилась! Думаешь, я тебе дам без конца гонять эту шнягу туда-сюда? Мне сегодня на твой трек еще Васю писать. А он ждать не будет! Я тоже!

Фафа продолжал что-то орать, но Туми не слушала. Она старалась сохранить в себе это чувство восторга, которое испытала несколько минут назад. А потом вползло тучей и закрыло всё второе чувство — Фафа стал ей противен.

Дверь в студию распахнулась, вошёл Мусикян, молча протянул ей огромного плюшевого медведя. Она обняла и прижала мягкую голову к щеке. В наушниках раздалось:

— Ну, вы совсем отвязались! Что за «Спокойной ночи, малыши!»? Завязывайте со своими ласками!

— Пошёл ты на хуй, Фафа! — выдохнула Туми, первый раз в жизни ругнувшись матом.

Конечно, Фафа открыл её. Он дал ей музыкантов, репертуар, концерты. Только сам он считал, что создал Туми и может единолично ею распоряжаться. Продюсером её он остался. Работа есть работа, другой не было. Но в тот день её мужем и учителем Фафа быть перестал.

Туми отошла от окна, налила полную кружку чая, глянула на часы. Было два, Инга Белова придёт в пять. Туми согласилась на разговор, потому что её мучила совесть. И не только за статью в «Шарме», где она свалила вину за слом своей карьеры на Ингу. Белова с этим фотографом из «QQ» просто оказались не в том месте и не в то время. Как жирный восклицательный знак в конце предложения.

Сломал её Фафа. Просто загнал как лошадь. Когда у неё заканчивались силы, пичкал какими-то таблетками. Эффект сначала был хороший: энергия, кураж били ключом. Но потом наступало бессилие, ни отдых, ни сон не помогали, и вернуться в норму уже можно было только при помощи таблеток. А когда от инсульта умерла бабушка, стало совсем плохо.

А потом случился этот обморок прямо во время концерта. Фафа никак не мог допустить, чтобы Туми была не в форме. Укатал её в частную клинику, где распорядился любыми способами поставить звезду на ноги за две недели. Но тут Туми дала, наконец, отпор: вызвала нотариуса прямо в палату и подала на развод.

Тогда-то и появилась эта Белова с фотографом. И всё покатилось под откос. Конечно, Туми винила в этом Ингу. И только неделю назад бывшая помощница Фалалаева рассказала ей всю правду. Организовал то ужасное интервью для «QQ» именно Фафа. Фотографии и рабочие материалы слили в Интернет тоже по его наводке. То ли из мести за развод, то ли из коммерческих соображений — рассчитывал подхлестнуть интерес, а может, и то и другое вместе. Сколько и чем — деньгами или услугами — он заплатил редактору «QQ» Бубнову за этот слив, Туми не знала и знать не хотела. Что она знала наверняка — так это то, что пора, наконец, снять этот груз с души. Когда Инга позвонила договориться о встрече, Туми решила, что это отличный шанс дать опровержение публикации в «Шарме».

Она расскажет Беловой про предательство Фафы. Инга опубликует это в своём блоге. Что ж, пусть наравне с музыкой продаётся и личная жизнь. А музыка ещё будет, будет ещё много музыки. «Рано они меня в «клуб 27» записали. У меня новый продюсер, я в прекрасной форме, в столе лежит подписанный контракт. Я собрала пирамидку Туми Иши».

— «Всё переплетено, море нитей, но! Потяни за нить, за ней потянется клубок! — Слова отлетали от зеркала, Туми ткнула в отражение. — Этот мир веретено. Совпадений ноль. Нитью быть, или струной, или для битвы тетивой!»[1] На хип-хоп, что ли, перейти…

Мелодичный перезвон дверного звонка разнёсся по квартире. Она посмотрела на старые бабушкины ходики: до интервью ещё три часа, наверное, Инга перепутала время.

Она открыла дверь: это была не Белова.

— Албасты сай, — прошептала Туми.

* * *

«Я на месте. Ты где?» — отстучала она эсэмэску.

Старое кафе «Дядя Стёпа», стилизованное под советскую квартиру, было их с Кириллом штабом. Инга устроилась в закутке под ковром с оленями. Над головой висело допотопное радио, из динамика негромко и проникновенно бубнил Кобзон про секунды. Пахло жареным луком.

Как назвать материал? «Потерянная голова»? «Таинственная голова»? Заголовок надо придумать хороший, броский — это увеличит количество просмотров.

— Заказывать будете что? — Над ней нависла упитанная официантка в кружевной наколке.

— Пока эспрессо, я друга жду.

Друга? Ну да, конечно, друга. Друга, с которым в любую разведку не раздумывая.

Кирилл появился в дверях, и по резким шагам, которыми он пересёк зал, Инга поняла, что Архаров не в духе.

— Закрыли дело. — Он ухнул перед ней на стул.

---

[1] Oxxxymiron. «Переплетено».

— Какое дело? О чём ты говоришь? — спросила Инга, хотя уже понимала о чём. Желание в красках рассказать про «40К» и Vitaclinic сдулось, как воздушный шарик, проткнутый зубочисткой.

— Огонь в глазах притуши — спалишь заведение. — Кирилл уставился в меню. — Дело об оторванной голове. Убийца пойман и посажен за решётку.

Вот он, заголовок: «Дело об оторванной голове».

— Спасибо тебе за помощь, ты навела нас на него, раздобыла детали. — Архаров захлопнул меню. — Пожалуй, есть я не буду. Голодным быстрей закончу — отчёты строчить до ночи.

Он начал подниматься, но Инга схватила его за руку:

— Сядь. Ешь. Рассказывай. Ты что-то знаешь, чего не знаю я. За это тебе полагается суп.

Кирилл нехотя опустился обратно. Немного подумал, как будто решался на что-то, и кивнул официантке.

Когда принесли борщ и плошку кабачковой икры с чёрными гренками, Инга попросила:

— А теперь по порядку.

Архаров помедлил, зачерпнул ложкой суп:

— Я после того разговора с тобой к Никите Бу собирался...

— Это я помню, — перебила Инга. Кирилл обжёг взглядом, и она поспешно добавила: — Ладно-ладно, солируй.

— А тут звонит знакомый дэпээсник. Тебе интересно будет, говорит: «В машину твоей жертвы «Мазда» въехала. Красный «Мини Купер», госномера такие-то...» — Архарова явно тяготил этот разговор. — Случайность, короче. «Мазда» эта разворачивалась и тюкнула «Купер» на стоянке ТЦ «Столица». Там огромная такая парковка, катакомбы. Стали искать хозяина «Купера» — никого. Чувак пождал-пождал и ментов вызвал.

Те пробили собственника по базе. Оказался им Никита Буланов. Но в машине обнаружили генеральную доверенность на Галину Белобородько. Тут я вспомнил и про ключи, которые нашли у Безмернова.

— Ну и? — спросила Инга. — Дальше-то что?

— Стали досматривать. — Архаров вяло намазывал икру на гренку. — Я её фонариком и так, и сяк. Багажник, бардачок. Везде пусто. Уже вылезать хотел, случайно буквально на верх бардачка светанул. А там флешка, приклеенная скотчем.

— А в утке той — яйцо, а в яйце том — игла.

— Ну, короче. — Кирилл даже не улыбнулся. — Никита Антонович Буланов по кличке Бу оказался педофилом, о чём свидетельствовали домашние фильмы, снятые самим Бу и записанные на найденную нами флешку. Он детей... подростков... мальчиков совсем... за айпады и плееры покупал. Гнида. — Архаров отложил ложку, уставился на ковёр с оленями.

— Насиловал?

— Растлевал. Они сами к нему шли. Кто за модные кроссы, а кто и за чупа-чупс.

Инга помолчала. Видела, что Архаров борется с отвращением.

— В общем, — подытожил он, — мы заново вскрыли ноутбук Эвелины — он у нас в вещдоках уже запечатанный лежал. Прорыскали там почту на конкретный предмет. Ну и нашли письма. Белобородько шантажировала этого урода. Деньги у него сосала. Тот же «Мини Купер» от Бу к ней приплыл.

— Понятно, — сказала Инга.

— Я к Буланову с ордером. Он сразу сознался. Ну, почти. И в совращении малолетних, и... в убийстве. Так что спасибо тебе. Ты нам этого Бу на блюдечке принесла.

— Подожди-подожди. — Инга удивлённо смотрела на него. — Про педофилию я поняла, но убийство? Где доказательства?

— Она его шантажировала, он её прикончил, чисто-сердечное написал, какие тебе ещё нужны доказательства? — ответил Кирилл раздражённо. — Ему теперь прямая дорога на зону, а на зоне ему доходчиво объяснят степень его вины.

— Ну, как он у вас признание написал, я, положим, догадываюсь. Лютая ненависть к таким, как Бу, хорошо известна. Я тебя про доказательства спрашиваю. Письма Джи не являются прямыми уликами. Может, он годами ей платил, и всех всё устраивало...

— Да какая разница? — вдруг гаркнул Кирилл. — Он педофил! Мальчишек трахал, скотина конченая! Если ты его защищать вздумала, я лучше сразу уйду.

— Да не защищаю я его! — Инга тоже повысила голос. — Он рассказал, как именно убил Эвелину? Чем отрезал ей голову? Зачем? Как голова оказалась в канализации? Почему её машину нашли на стоянке ТЦ? Давно она там стояла или кто-то её туда перегнал? Кроме «да, это я», он смог вам что-то внятно объяснить про убийство?

Архаров молчал.

— Кирилл. Даже на самого распоследнего ублюдка нельзя вешать то, что он не совершал. Ну кому я это рассказываю?

— Зачем ты покрываешь его, я не пойму? — прошипел он.

— Да что ты заладил: покрываешь, покрываешь?! Хорошо, ты подозреваешь его на основе шантажа. Но хоть что-то ещё, хоть одна деталь говорит о том, что убийца — он? Что ты дело-то сразу закрываешь? У меня, например, появилось много новой информации, которая позволяет сделать вызо...

— Счёт принесите! — Кирилл поднял руку.

— Нет, ты меня дослушай! — Инга всё больше злилась. — Ты не понимаешь, что, посадив Никиту Бу за убийство Белобородько, ты покрываешь настоящего убийцу? А что, если он ещё кого-то убьёт? Ты согласен нести ответственность за эту новую смерть?

Не дождавшись нерасторопной официантки, Кирилл кинул пару купюр на стол, вскочил и направился к выходу, сшибая по пути стулья и углы.

Какое-то время Инга сидела в тишине.

Поговорили. А вдруг он прав и зря я на него так насела? Вдруг ни клиника, ни «40К» не имеют никакого отношения к смерти Эвелины? Вдруг всё банально просто: этот Бу избавился от неё от страха и жадности?

Эдик подошёл не сразу.

— Ты можешь сейчас говорить? Не отвлекаю тебя? — спросила Инга в трубку.

— Не совсем. — Эдик перекрикивал какой-то строительный шум.

— Я ненадолго, — она перехватила айфон в другую руку, — хотела спросить. Я когда в «Житнице» за Безмерновым в фойе пошла, Никита Бу, который был с ним, ничего подозрительного не делал? Может, звонил кому? Не помнишь? — Она понимала, что хватается за соломинку.

— Инга, я работаю, — сказал Эдик. — Навскидку не вспомню. Давай так: я сейчас здесь всё закончу и к тебе! Заодно и поболтаем?

— Не получится. — Инга отвела телефон от уха, глянула на часы. — У меня интервью с Туми через сорок минут. Не знаю, сколько времени займёт. Может, пару минут, а может, пять часов. В любом случае сегодня никак.

* * *

— В четвёртую квартиру, фамилия — Белова, — сказала Инга консьержке.

Двери лифта открылись. Инга очень удивилась, когда Туми легко и сразу согласилась на разговор, была мила и радушна — ни враждебности, ни старой обиды, ни тем более оскорблений.

А может, это ловушка?

Инга позвонила в дверной звонок. Подождала. Тишина.

Ну вот. А я губы раскатала... Можно уходить.

Стало досадно. Она ещё раз позвонила. Глухо. На площадке — никого. Она приложила ухо к двери. Для опоры взялась за ручку, дверь неожиданно подалась, Инга потеряла равновесие и буквально ввалилась в квартиру.

В прихожей горел свет. Она увидела в большом арочном проёме гостиную и две двери: одна была открыта, виднелся кусочек кухни, другая не пропускала ни одной полоски света.

— Ау! — крикнула Инга в пространство. — Есть кто дома? Я вошла.

Она недолго потопталась у порога. Тщательно пошаркала ногами о коврик, стараясь произвести побольше шума, покашляла и, оставив входную дверь нараспашку, прошла в гостиную.

Большой чёрный рояль занимал полкомнаты. Через портьеру пробивался свет, в нём плясали пылинки. С улицы донёсся детский смех. Прямо под козырьком подъезда курили и шумно переговаривались водители персональных машин, припаркованных во дворе. Сверху от соседей донёсся звук перфоратора.

— Туми, вы где? — Инга сморщилась, уж очень глупо прозвучал вопрос.

Она огляделась и насторожилась. Ей почудился какой-то посторонний звук — как будто сквозняк сдвинул на

161

несколько сантиметров тяжёлую дверь. Инга достала мобильник, набрала Туми. Пока ждала, нервно отстукивала ногой по паркету. Где-то в глубине квартиры раздался музыкальный рингтон: «Не грусти обо мне, я уже не вернусь...» — пел тягучий женский голос. Инга пошла на звук.

Телефон лежал на широком каменном подоконнике, соединённом с кухонной столешницей. Инга осмотрелась: кухня как кухня, матовые серые поверхности, строго, стильно, функционально. Ничего лишнего.

Что-то не так. Сильно не так. Когда? Где?

Она прошла к мойке, обратила внимание на лужицы вокруг, даже на полу, как будто кто-то впопыхах мыл посуду. Только посуды нигде видно не было, один чайник с какой-то бурой жидкостью стоял на подоконнике. Инга присела на корточки и увидела, что вода на полу насыщенного розового цвета, как будто здесь недавно резали свёклу.

В прихожей!

Инга резко выпрямилась. В груди больно бухало сердце. На негнущихся ногах, стараясь ступать неслышно, она вернулась в прихожую.

Входная дверь была наглухо закрыта.

Во рту моментально пересохло. Как сомнамбула, она подошла к плотно притворенной двери в комнату и взялась за ручку. Выдохнула весь воздух. Постояла, закрыв глаза.

И рывком распахнула.

Это была спальня. Туми лежала на кровати поверх золотистого покрывала. Босая, в зеленых джинсах и белой блестящей майке. Её поза была самая естественная, как будто певица просто прилегла отдохнуть после работы. Вот только голова... Голова лежала рядом, недалеко от тела. Волосы были красиво разложены по покрывалу, на лице — идеальный макияж.

Ноги у Инги подкосились, она протянула руку в поисках опоры, зацепилась пальцами за край туалетного столика и, уже падая, смахнула с него одинокую чёрную шахматную пешку.

ГЛАВА 16

— Мам! Ма-а-ам! — Катина рука трясла её за плечо. — Мам, Женя звонила, она к нам с Кириллом едет. Просыпайся, первый час дня. Ты бы умылась, что ли.

Видения, висевшие над ней всю ночь, не уходили. Туми бродила по комнате из угла в угол, со спутанными волосами, босая, в несвежем балахоне — такая, какой Инга увидела её в больнице два года назад. Туми смеялась, залезала на подоконник и докуривала грязные окурки, глядя за окно в мокрый сад. Когда она отворачивалась, становился заметен багровый шрам у неё на шее. Потом её тело начинало разваливаться и кусками падало на пол, а голова катилась по полу, вращаясь, словно пущенный шар боулинга, — две пустые глазницы и открытый в немом крике рот.

— Ну, ма-а-ам!

Инга открыла глаза, тут же заныло в правом виске. Катя сидела на краю постели.

— Ты давай не пугай меня, а? Ты какой фигни вчера наглоталась? — Дочь кивнула на раскуроченную пачку таблеток, лежавшую на тумбочке.

— Так. От нервов, — поморщилась Инга. В памяти медленно всплывал вчерашний день: опергруппа, протокол, Кирилл. И закрытая входная дверь... Она была в шаге от убийцы.

Комната нагрелась от солнца, но Инга только плотнее закуталась в одеяло.

— Полежу ещё немного.

Но в дверь уже звонили, часто и нетерпеливо.

На кухне Женя поднялась ей навстречу. Кирилл остался сидеть.

— Вот и наш главный свидетель, измождённый блогер-одиночка. Любитель походить по сомнительным местам. Спасибо, что живой. — Холодивкер обняла Ингу.

— Я загнанная лошадь, которую давно пора пристрелить. — Инга опустилась на стул и машинально взяла чёрствую корку хлеба. — Кать, ты гостей...

И замолчала на полуслове, наткнувшись на взгляд Кирилла. Он крутил в пальцах зажигалку и смотрел как чужой.

— Дочь твоя обеспечила нас набором юного фитнес-тренера. — Женя кивнула на две чашки кофе и горку тёмно-красной клубники на блюдце. — Хлеба нормального в этом доме давно не наблюдаю, сахара тоже нет, хорошо, я запаслась круассанами и колбаской.

— Доволен? — спросила Инга.

— О чём ты? — непонимающе спросил Кирилл.

— О чём я? О чём я? — Инга понимала, что Архарову и без неё несладко, но сдержаться не смогла. — О закрытом деле Эвелины Джи! О фейковом убийце! О том, что вместо того, чтобы ловить преступника, вы повесили глухарь на педофила! О том, что Туми теперь тоже мертва!

Кирилл ничего не ответил. Инга недобро сощурилась.

— То есть как дело закрыто? — Холодивкер растерянно переводила взгляд с Инги на Кирилла. — Где вы взяли преступника? А мне сказать? Что молчите? Кто убийца?

Инга не сводила с Кирилла глаз.

— Приятель Безмернова, Никита Бу у нас преступник, — сказала она. — Педофил. Эвелина с него деньги требовала за молчание. В полиции его прижучили, и Бу написал самое чистосердечное признание года.

— Только про мораль мне опять не надо. Это было лучшее решение на тот момент, — отрезал Кирилл.

Женя с грохотом отодвинула стул, встала и, опершись ладонями о стол, нависла над Архаровым всей своей массой.

— Служители закона хреновы! Вершитель правосудия, Уоргрейв![1] Вот ты, Архаров, считаешь себя порядочным человеком, а чем ты, по сути, отличаешься от Рыльчина? Та же подтасовка фактов.

Кирилл поморщился:

— Ну чего ты разошлась, Евгения Валерьевна? Ладно Инга. Но ты-то должна меня понимать!

Женя неловко взмахнула рукой, и фарфоровая чашка с кофейной гущей полетела на пол.

— Я тебя не то что понимаю — я тебя насквозь вижу. А ты элементарно не можешь просчитать, что будет дальше. То, что ты хотел как лучше, — это и ёжику понятно. Но ты соображаешь, что чистосердечное признание — это вообще ни о чём? Дело даже до суда не дойдёт, прокурор вернёт на доследование. Обвиняемый смог внятно объяснить, как совершил убийство? Нет? Следственный эксперимент был? Нет? Где спрятал останки? Тоже нет? До свидания.

— Обвиняемый — псих. Действовал в состоянии аффекта. Ничего не помнит.

— Освидетельствование где?

— Будет.

— А если не будет? Архаров, да ты пойми: с тем набором липы, что мы сейчас имеем, ты полностью в руках у этого убийцы-самозванца. И у прокуратуры. Он на суде возьмёт и выложит, мол, майор Архаров заставил меня написать самооговор, применял физическую силу. Ад-

---

[1] Уоргрейв — судья из романа Агаты Кристи «Десять негритят».

вокаты поднимут шум, подключится пресса, они сейчас такое любят. И что тогда?

— Да у нас девяносто процентов таких дел прокатывает на ура. Кто станет вписываться за педофила?

— А вдруг на тебе «ура» кончится? Вдруг понадобится подновить статистику оправдательных приговоров и разоблачить оборотня в погонах? Знаешь теорию фонарного столба — каждого пьяного гонщика ждёт персональный телеграфный столб. Вопрос времени.

— Не беспокойся, разберусь как-нибудь. Начальству выгодно дело закрыть — Хрущ вовсю старается.

— Ах вот оно что! — Инга бахнула по столу. — Хрущ старается.

Женя села, закрыла глаза рукой. Инга собирала с пола осколки чашки.

— Слушай, ну что ты греческую трагедию разыгрываешь? — Кирилл наклонился к Холодивкер. — Сама же мне по дороге говорила, что характер убийств разный. У нас два не связанных между собой преступления...

— Два разных дела с отрубленными головами? — язвительно поинтересовалась Инга.

— Представь себе! — не менее ядовито ответил Кирилл. — Почерк другой. Эвелину убивал вандал, Туми — хирург. Обозначим их так для ясности. Вандал убивал долго, грубо, наспех, возможно, в панике. Тумишеву Хирург убил виртуозно. И выставил напоказ, как на витрине.

— А может, в этот раз он просто не успел избавиться от тела, потому что пришла я? Об этом ты не думал? — хрипло и зло сказала Инга.

— Значит, так! — Холодивкер рубанула воздух. — Если вы не прекратите сраться, разговора у нас не выйдет. Либо засовываем свою гордыню куда подальше, либо разбегаемся по домам и пьём валерьянку.

— Если бы он не психанул вчера и выслушал меня... — начала Инга.

— Он ей голову резал, пока мы борщ жрали! — перебил её Архаров. — В этот самый момент, Белова! По-любому было поздно!

— Инга, ну что ты, в конце концов. — Женя заговорила мягко. — Уймись уже. А ты, Архаров, дело Белобородько на дознание всё же верни...

Кирилл мрачно кивнул.

Он и так всё понимает, а я его ещё и добиваю. Надо будет извиниться... попозже. Когда успокоюсь.

— Выглядишь замученным, — примирительно выдавила она.

— Норм. Устал просто. — Кирилл щёлкал зажигалкой, выбивая огонь. — Ничего, завтра еду дочку навещать в лагере, оторвусь хоть ненадолго от ваших маньяков.

— Ты его и замучила. — Холодивкер плеснула Инге кофе и села напротив с видом репетиторши, готовой спрашивать домашнее задание у нерадивой школьницы. — Ладно, я рада, что пик кризиса миновал. Мирись-мирись-мирись и больше не дерись?

— Нашли что-то в квартире Туми? Орудие убийства? — мрачно спросила Инга.

— Делаем, что надо. — Кирилл аккуратно положил зажигалку на стол. — Обнаружили следы крови на кухне, видимо, резал там. А орудие унёс с собой. А жаль, лично мне было бы очень любопытно на него взглянуть.

— Мне тоже, — кивнула Женя. — Судя по характеру среза, оно больше всего похоже на хирургический скальпель. Или на гильотину. Идеально сработано. Жертва сопротивления не оказала. Смерть наступила в результате отсечения головы слева направо, других травм на теле не обнаружено. Допускаю, что он ей пережал сонную артерию и уже потом...

— И что, правда не похоже на Эвелину? — спросила Инга.

— Насчёт Джи Архаров прав, — ответила Женя. — Её реально будто вандал убивал. Небрежно... или вообще случайно!

— Ты как себе представляешь это «случайно»? — Кирилл даже встал. — Сначала кислота, потом удар в височную область тяжёлым предметом, а потом голову тупой пилой? Ах, простите, гражданочка, я такой неловкий!

— Ну, понимаешь, как-то уж очень это всё чересчур, не находишь?

— Ну а Туми? — спросила Инга у Холодивкер.

Женя не спеша протёрла очки.

— Судя по всему, убийства действительно совершены разными людьми, это почти доказанный факт, — сказала она. — Но нельзя исключать, что в рамках одного преступления. Охотники за головами или что-то в этом роде.

— Да уж, соревнованьице, — тяжело выдохнула Инга.

— Или, — Холодивкер ткнула пальцем в Кирилла, — имитатор! Который маскирует одно преступление под другое! Фильм такой был, ну же!

— Мудрёно. — Кирилл неопределённо пожал плечами. — Но. Тело Эвелины так и не нашли. Это раз. Голова всплыла только благодаря странному стечению обстоятельств, ну... или городской программе благоустройства. Если бы не нашли люк, забытый Богом и Водоканалом, то Эвелина считалась бы без вести пропавшей. Это два. — Кирилл загнул второй палец.

— И мы до сих пор понятия не имеем, как эта голова оказалась в столь неожиданном месте, — вставила Инга. — Кирилл, вы не проверяли, может, там всё-таки есть какие-то старые трубы, хоть что-то. Телепортации же не существует!

— А хорошая была бы версия, — подхватила Женя. — Неудачная транспортировка из пункта А в пункт Б. По частям. Стартрэк в стиле Тарантино. Мне нравится.

— Вот что, — сказала Инга. — Сделаю-ка я запрос Индивинду. Вдруг что нароет.

— Это правильно. — Кирилл кивнул и продолжил: — Хирург же, наоборот, выставил Туми, как на параде, — полюбуйтесь моей работой. И это три.

— То есть не копирует, а издевается, — уточнила Женя. Она изучала содержимое холодильника. — Я открою? — Достала банку огурцов.

— Конечно. Я вот думаю, — сказала Инга. — Если бы мы поняли про голову, то весь пазл бы сложился сразу. Одна связь очевидна. Та, о которой я тебе не успела вчера рассказать. Это Vitaclinic. Туми там лежала, клиника принадлежит Арегу. Индивинд эту информацию подтвердил, прислал мне копии документов. Эвелина работала на Арега...

— И что? — Холодивкер соорудила бутерброд из круассана, огурца и колбасы. — Будешь?

— Мне тоже сделай, — попросил Кирилл.

— Всё завязывается на клинику и Эвелину. Вот, смотрите!

Инга взяла карандаш и начертила несколько условных фигур.

— Белобородько, она же Эвелина, вполне могла отлавливать потенциальных клиенток, используя для этого закрытую интернет-группу «40К». Клиника частная, небольшая, нигде не светится, нет ни сайта, ни рекламы. Лежат там в основном телеведущие, светские львицы и звёзды шоу-бизнеса, такие как Туми, огласка им не нужна. В своё время, кстати, некое отношение к этой клинике имела Тамара Костецкая, одноклассница Эвелины.

— Какое такое некое? — спросила Холодивкер с набитым ртом.

— Пока не знаю. Она случайно проговорилась. Поэтому обязательно выясню. Сама она, судя по спискам, которые мне прислал Индивинд, в клинике не лечилась. — Инга прочертила жирную линию к фигурке N. — А вот это, — она обвела фигурку, — загадочная жертва, которую, возможно, это точно не доказано, насиловали в этой клинике.

— Новые вводные. — Кирилл навис над Ингой. Его тон уже был гораздо мягче, он быстро оттаивал после ссоры. — Дай мне данные жертвы. Выясню, кто такая.

— Не уверена, что выяснишь. — Инга покачала головой. — Без обид. Но мой хакер не смог её разыскать.

— Вымышленное имя?

— Наверное, — кивнула Инга. — В Vite это практикуется. Лежала незнакомка под фамилией Игоньская. Индивинд нашёл мне двух младенцев и пожилую тётку, на красоток точно не тянут. Лавренюк сказал, что никакого острого состояния у пациентки поначалу не было и что она попала в клинику по протекции Арега. И вот что я думаю. — Она пристально посмотрела на Кирилла. — А вдруг так получилось, что это Эвелина привела в клинику эту Игоньскую, а её там действительно насиловали? За такое можно убить, согласитесь.

— Безмернов с Туми в эту схему не вписываются, — проговорила Холодивкер.

— Туми что-то знала, это точно. Лавренюк сказал, она лежала в соседней палате с этой Игоньской. Её могли убить как свидетеля или даже соучастника. — Инга отрицательно помотала головой: — Нет, ерунда!

— Подожди, в этом что-то есть. Месть как мотив, — задумчиво произнёс Кирилл. — Эта неизвестная. — Он постучал по фигурке N. — Давайте подумаем, могла ли она стать таким мстителем? Представим, что всё это правда. Издевательства по ночам. Никто не хочет помочь. Туми, например, могла, но отказала. А попала в клинику N действительно с подачи Эвелины.

— По-моему, рабочая версия, — согласилась Женя.

— Разве женщина на такое способна? — Инга с сомнением смотрела на друзей.

— Женщина в принципе может такое сделать, — сказал Кирилл. — Особенно в состоянии аффекта.

— Расскажу-ка я вам пару историй. — Холодивкер прикончила бутерброд. — Кэтрин Мэри Найт, Австралия. Зарезала своего бойфренда, тридцать семь ножевых. Сняла с трупа кожу и повесила костюмчик на дверной раме в гостиной. Потом отрезала ему голову и потушила с овощами...

— А ещё в Америке была такая в тридцатые, — подхватил Кирилл. — Ну, которая всех подряд убивала и у себя в саду закапывала.

— Бельве Ганнес, — кивнула Женя. — Полиция обнаружила более сорока тел, зарытых недалеко от её дома. Были среди них и обезглавленные. Или вот вам, пожалуйста: Диана Даунс. Из-за страсти к мужчине убила собственных детей.

— Пипец. Медея. — Инга ходила туда-сюда по кухне.

— По жестокости женщины могут переплюнуть мужчин, — спокойно подытожила Холодивкер.

— И уж больно характер преступлений неординарен. — Кирилл почесал в затылке. — Хорошо, давайте пока эту версию отложим. Ещё есть мысли?

— А что, если, — Инга показала на фигурку с именем Арег, — Эвелина и Туми что-то пронюхали про это заведение и Арег их убрал как ненужных свидетелей? Сначала Эвелину, а потом, когда не удалось совсем концы в воду, то и Туми. И оформил убийство под маньяка?

— Или вот. — Холодивкер открыла ноутбук. — Группа «40К», та самая. Эвелина при помощи Безмернова и в том числе через эту группу толкала какую-то дурь. Они называют её Веточкой. Может, это наркотик, может, сильнодействующее психотропное средство, которое способствует похудению. Активность группы после смерти Эвелины и Безмернова — её модераторов — почти сошла на нет. Сначала там все как с цепи сорвались: где Веточка? Дайте Веточку! А сейчас полный тухляк. Хотя... смотрите. Какая-то Вероника пишет: «Походу теперь только в «коне» можно взять».

— Кирилл, нужно ещё раз потрясти «Красный конь», — сказала Инга. — Я ж тебе говорила, Безмернов там что-то мутил с барменом по имени Слава.

— А может, нанести ещё один визит Лиде Тихоновой? — спросила Холодивкер. — Она же сидела на этом препарате.

— Да, но только в группе её фото были под чужим именем. И посты писала явно не она. Сейчас её там не видно, не слышно.

— Но про препарат-то она может рассказать? — Кирилл оторвал взгляд от экрана.

— Почему нет? — согласилась Холодивкер. — Вот ещё версия, в порядке бреда. — Женя отобрала у Инги карандаш. — Из того, что мы узнали об Эвелине, можно сделать вывод, что она пыталась заставить своих обеих подруг работать на себя. Лида об этом помалкивает. — Женя подчеркнула Лиду. — Но мы же можем допустить, что она тоже дилер Веточки? Можем. А Тамара Костецкая, — она подчеркнула Тамару, — возможно, тоже соучастник в распространении Веточки. Или наоборот, противник этого. Тамара могла угрожать Эвелине, даже мстить. — Женя обернулась к Кириллу. — Передел рынка по-женски?

— А что там в этой Веточке, как думаешь? — спросил Кирилл.

— Эвелина толкала её как невинный БАД для похудения, а там кто его знает. — Холодивкер нашла в морозилке пельмени. — Мне бы её на экспертизу... хоть одну таблеточку. Инга, ты так ничего с утра и не поела.

— Аппетита нет совсем...

— Надо себя заставлять, — сказала Женя. — Мне вчера девочку одну привезли. Тихий ужас. Худющая, кости выпирают, губы и ногти синие...

— А мне поесть дадут? — на кухню заглянула Катя. — А то слышу, кастрюли гремят.

— Накрывай пока на стол, — велела Холодивкер. — Там симптоматика странная. Умерла она не от истощения. В заключении написано «анафилактический шок». Но там явно какая-то неведанная грёбаная фигня — это медицинский термин такой. — Катя замерла с тарелками в руках, поймала взгляд Инги. — Но родители наотрез отказались от вскрытия.

— Анька твоя как? — спросила Инга у Кати.

— Живая. — Катя посмотрела на Женю. — Моя подруга так же, — Катя запнулась, — чуть не умерла.

— Диагноз поставили?

— Ну да. Вот этот вот шок.

— Это может быть какой-то неизвестный вирус? — Инга обеспокоенно смотрела на Катю.

— Не похоже, — сказала Женя. — Хотя знаешь, коллеги мне рассказывали, что у них аналогичные случаи тоже были.

— Поесть дайте, меня друзья ждут. — Катя плюхнулась на стул.

— Странно всё это, — сказала Инга. — Может, они принимали что-то? Что-то типа Веточки?

Женя пожала плечами. Некоторое время молча ели. Инга почувствовала взгляд Кати, оторвалась от тарелки. Дочь серьезно смотрела на неё, как будто оценивая.

— Катёнок, ты чего? — спросила она. — Что-то не так? — Катя мотнула головой. — Ты что-то хочешь сказать?

— Я? — Катя дёрнула плечом. — С чего ты решила?

Затренькал дверной звонок.

Как не вовремя!

Если бы за дверью оказался пришелец из космоса, Инга, наверное, была бы менее потрясена. Но это было удивительной гибкости растение, увенчанное чёрными цветами с бордовой каймой. Довольное лицо Эдика просунулось сквозь листья.

— Ну, как тебе? Угадай, кто такая?

— Что за похоронный венок ты мне принёс? — Инга потрогала бархатные лепестки, на пальцах осталась красноватая пыльца.

— Lilly Landini — неповторимая чёрная лилия, — обиженно сказал Эдик. — Её ещё называют азиатской. Смотри, не погуби. Она без полива зачахнет. Катька! Помоги с сумками!

Они шумно ввалились на кухню, на стол из сумок перекочевали лотки с едой. Холодивкер, которая складывала грязные тарелки в раковину, довольно кивнула и пробормотала что-то вроде: «Ну хоть поесть принёс». Инга поставила керамический горшок на полку.

— Не сюда! — с досадой воскликнул Эдик. — Неужели ты не видишь — тут жарко от плиты, а ей нужна прохлада. И вообще, кухня не место для растений, лилия — это тебе не укроп.

— Да я эту плиту, небось, в первый раз включила, — пробурчала Женя.

— У вас мозговой штурм? — спросил Эдик.

Архаров неприязненно покосился на него, подвинулся вместе со стулом, чтобы Эдик мог сесть.

— Топчемся на месте, — ответила Инга, вернувшись из комнаты.

— Я гулять! — крикнула Катя из прихожей.

— На чём стоим? — Эдик по-хозяйски накрыл стол по-новой.

Кирилл показательно вздохнул:

— Да всё на том же — на голове.

— Той самой Джи?

— Появилась ещё одна, — с энтузиазмом сообщила Женя. — Туми. Расчленёнка. Инга вчера обнаружила. Тело, правда, было на месте.

Эдик встревоженно посмотрел на Ингу:

— Ты в порядке? Какое-то у тебя особое везение, Градова! За какое дело ни возьмёшься — выходишь на серийного убийцу.

— Только не надо всё в одну кучу! — возразила Женя. — Дались вам эти серийники. Это выгодный персонаж для мыла — один маньяк способен прокормить целую съёмочную группу в сезон. Вон хоть у Марата спросите! А в жизни все приземлённее, гораздо чаще держится на шкурном интересе. Конечно, идейный убийца куда любопытнее, у него возвышенный, поэтический мотив.

— Или научный. — Инга показала на фигурки. — Тут не хватает ещё одного человека, возможно, ключевого. — Она нарисовала человечка раза в два больше остальных. — Что, если у нашего убийцы научные амбиции? Пытается изобрести какой-нибудь новый препарат и ничем не гнушается — даже опытами над людьми? — Инга вопросительно посмотрела на Холодивкер.

— К чему ты клонишь? — Женя нахмурилась.

— Твой друг юности Вертман. Он в Vitaclinic — заведующий по научной части.

— Это ни о чём не говорит! — отрезала Женя. — Должность не преступление.

— Я так понимаю, ты ему не звонила.

Женя не ответила, повернулась к ним спиной, стала закрывать окно.

— А что, если за всеми этими преступлениями стоит именно он? — сказала Инга её спине. — Что, если действительно идёт передел рынка неизвестного сильнодействующего препарата, который вывел гениальный учёный? — Под человечком Инга аккуратно написала: «ХИМИК». — Я твоего Вертмана не знаю. Я говорю только о фактах! Безмернов в телефонном разговоре упоминал какого-то химика. И боялся его как огня. Было? Было! На нелегальном рынке всплывает Веточка, от которой все худеют. У Вертмана идеальное прикрытие — есть и место, где это делать, и необходимые знания. Есть даже своя поляна, где он может тестировать препарат на людях!

— У Вертмана всегда была масса недоброжелателей. — Холодивкер опять закурила, помахала рукой, разгоняя дым. Она села за стол, поставила перед собой рюмку, велела Кириллу: — Налей даме. — Выпила, причмокнув. — Расскажу вам про Вертмана. Его забрали прямо из института, с третьего курса — в спецлабораторию. Это третье управление Минздрава. Руководили ею военные, там разрабатывали психотропные препараты...

— Ну вот, — не удержалась Инга.

— Чтоб вы понимали, — Женя покосилась на Ингу, — разработки не совсем чистые, основу некоторых притаскивала разведка, а наши доводили до ума. Reverseengineering в действии. Вертман свободно говорил на трёх языках и был настоящим магом в фармакологии. Когда мы защищали свои жалкие дипломы, он практически руководил этой лабораторией. Давай по второй. — Она подождала, пока Архаров наполнит рюмку, выпила, захрустела огурцом. — А потом наступил крантец. Сначала прекратилось финансирование, было принято решение лабораторию расформировать. Знаю, что Толя поднял волну, чуть ли не на одиночный пикет ходил. Поэтому он был первым, от кого избавились.

— А дальше? — Кирилл снова взялся за бутылку, но Женя отодвинула рюмку в сторону.

— А дальше пришла нищета. Я как-то встретила его на улице, поняла, что ему хлеба не на что купить. Предлагала варианты. Но он от меня чуть ли не бежал. Ему было стыдно, что я вижу его таким. — Холодивкер замолчала.

— Это точно ваш Вертман в клинике? — спросил Эдик.

— Послушайте! Вижу, вы совершенно не понимаете! — Холодивкер опять закурила и теперь часто затягивалась, отчего её речь наполнялась паузами, как воздушными пузырьками.

Интонация сбивчивая, пузырится волнением, как газировка «Буратино», лучистый янтарь. Впервые вижу Женины слова такими.

— Это человек совершенно иной природы. Он из Люденов!

— Кого?

— «Волны гасят ветер» читали? — Женя безнадёжно махнула рукой. — Есть такая теория, Стругацкие на эту тему писали, что наше ДНК эволюционирует и даст начало новому виду людей со сверхразвитыми интеллектом и ответственностью. Вертман именно такой, у него есть тот самый «зубец-Т на ментограмме»! Оттого он так одинок, нынешнему поколению учёных его не понять, они безнадёжно отстали, морально в том числе. Выгода, слава, комфорт, грязные опыты его никогда не интересовали. Он не стал бы синтезировать левак для похудения и толкать его в соцсетях даже ради науки. Это слишком мелко для его масштаба, он выше всего этого. — Она смяла сигарету и повернулась к Эдику. — И да, это наш Вертман. Я видела его около клиники.

— Чёрт, — Инга даже привстала, — ты... он... ты его... — Она осеклась.

Янтарный цвет! Что я торможу, ведь она влюблена в этого Вертмана! Химика!

— Вертман не может быть связан с этими убийствами, и точка! — веско произнесла Женя.

— А почему бы вам просто не поехать к нему и поговорить по душам? — спокойно спросил Эдик.

— Езжайте к Вертману, — согласился с ним Кирилл. — А я наведаюсь... — он ткнул карандашом в Vitaclinic на Ингиной схеме, — к Агаджаняну Арегу Саркисовичу.

ГЛАВА 17

Кирилл подпёр коленками руль, забросил руки назад за голову, резко потянулся до хруста в позвонках. Качнулся вперёд, крутанул ручку громкости радиоприемника и одновременно с силой вдавил палец в кнопку водительского стекла. В салон машины ворвались свист и ветер. И запах молодого лета.

— А-а-а-а-а! — заорал он в открытое окно.

С лобового стекла встречной фуры на него высокомерно глянули полуголые красотки в компании генералиссимуса, усатый дальнобойщик в бейсболке покрутил пальцем у виска, и грузовик съехал в зеркало заднего вида, обдав плотной стеной воздуха машину Кирилла. На МКАДе он сбросил обстоятельства и обязательства, на траверсе Подольска отстали, наконец, мысли о начальстве и службе.

В глубине души плескался только неприятный осадок, оставшийся после ссоры с Ингой и Женей. Хорошо, что они помирились, но всё же... ссадина осталась.

На него набегала дорога, на неё — наступал лес, лес разрывал холмы, покрытые некошеной травой, проносились заборчики и палисадники. Иногда вставлялись оранжевые кубы логистических центров. Но чем дальше от Москвы, тем меньше оставалось суеты, тем дальше видели глаза.

«Господи, как мы живём! Злые, чумовые, дом — работа — «Дядя Стёпа», и то иногда. Вся жизнь — в экране компьютера, смотришь как в щель из вонючего танка, громыхаешь прямо по друзьям и родным. Сбежать, что ли, из города нахрен?»

Машина запрыгала на стыках моста через Оку, Кирилл въехал в Тульскую область. Через пятьдесят километров он увидит дочь и проверит, наконец, что это за зверь такой — военно-патриотический лагерь «Молодой гвардеец». Архаров понял, что улыбается, и вырубил радио совсем.

Дорога стала хуже, а настроение — лучше. На обочинах стоп-кадрами мелькал придорожный ритейл: клубника, чахлые саженцы, банки с белой бумагой внутри. До скрипа в зубах захотелось глотнуть тёплого молока только что из-под коровы, как на каникулах в детстве.

Вскоре показался знак на «Синегорье», Кирилл свернул. Теперь над дорогой с обеих сторон навис лес. Он сбавил скорость и до конца опустил окно. Игольчатый влажный воздух окончательно вытеснил городской кондиционированный. Через пару развилок увидел деревянный стенд «Добро пожаловать в «Молодой гвардеец». Православный военно-патриотический лагерь!» И внизу на бумажке — «Парковка для родителей справа. На территорию лагеря не въезжать!» Заглушил мотор.

Вика уже неслась к нему.

— Чего долго так! — потащила за собой. — Там началось уже всё!

Они вышли из леса и оказались на поляне. В центре была выстроена большая деревянная конструкция с часто подвешенными автомобильными покрышками, между которыми на скорость бегали мальчишки. Покрышки нещадно лупили их по стриженым затылкам. Справа дети в камуфляже, цепляясь за канаты, перепрыгивали через ров с водой.

— Куда мы сейчас? — Кирилл еле поспевал за Викой.

— Я быстрее всех автомат разбираю, — тараторила Вика на ходу. — А потом стрельба. Увидишь!

Они прошли мимо группы детей в противогазах, проскочили рукопашный бой и лекцию священника на открытом воздухе, где в основном тихо сидели мамы «гвардейцев».

— Смотри! — Вика отпустила руку Кирилла и встала к столу, на котором лежал «калашников».

Он увидел, как она сосредоточилась, сжала губы — в одну складку. Он знал, что делает точно так же, решая сложную задачу. Щёлкнул секундомер, и быстро-быстро заработали её руки — такие тонкие и детские. Вика мастерски разобрала и собрала автомат. Ствол в небо. Затвор вниз-вверх, клацнула планкой предохранителя.

— Девятнадцать секунд! Теперь в тир!

Она снова потащила его через весь лагерь — мимо подтягивающихся парней на турнике, мимо висячих лестниц и шатких мостиков.

Тир оказался вполне серьёзным. Вика подвела Кирилла к инструктору.

— Василь Васильич, — сказала она. — Это папа мой.

— Здравствуйте. — Рукопожатие оказалось очень крепким, с хрустом. — Давай, Вика, покажи отцу класс. — Он наклонился почти к самому уху Кирилла: — Отличная девчонка растёт. Правильно воспитываете. Нам такие бойцы нужны.

Вика счастливо улыбалась. Кирилл смотрел, как его хрупкая дочка в маскировочных штанах, в тяжёлых армейских берцах, с облупленным носом и искусанными руками умело держит винтовку-мелкашку, как правильно прицеливается и плавно, между выдохом и вдохом, нажимает спусковой крючок.

«Когда она всему этому научилась?» — с невольной гордостью подумал он.

— Ни одного в молоко, как всегда! — похвалил её инструктор. — А папа твой что стоит как гость?

Расстояние было детское, Кирилл без труда выбил десять из десяти. Василь Васильич одобрительно хмыкнул:

— Отец-то у тебя снайпер.

Вика сияла.

— Я тебе планшет привёз, — сказал Кирилл. — Нужен?

— Есс! Только вот... — Вика насупилась. — У нас сети-то нет. А знаешь, как здесь называют все эти гаджеты? Дэ-эн!

— Это ещё что такое?

— «Дьявольское наваждение»! Так отец Иннокентий говорит. Он классный, вчера с нами по лесу бегал. У нас «Зарница» была. Вот это жизнь!

— Марш-бросок в противогазах с полной выкладкой? А отец Иннокентий в рясе химической защиты и с тактическим кадилом ближнего боя? — не удержался Кирилл.

— Не нуди! Знаешь, кем он был до священника? — Вика за руки потянула его вниз, ему пришлось согнуться, она строго смотрела в его глаза. — Слушай, я тебе сейчас одно секретное место покажу. Но обещай, что могила!

— Чья могила? Ладно, понял, молчу. — Кирилл на всякий случай скрестил пальцы.

— Не жульничай! — Вика как следует потрясла его руку. — Без звука!

За палатками сразу начинался лес. Они продрались сквозь частый кустарник, дошли до забора. В заборе не хватало трёх досок.

— Ты что? — громко сказал Кирилл. — Из лагеря бегаешь?

— Тссс! — Вика закрыла ему рот ладошкой. — Ты обещал! — Сверкнула глазами.

Кирилл недовольно полез в заборную дыру. Обжёгся крапивой, влетел лицом в паутину и уже был готов сказать всё, что он думает про дурацкие секреты дочери, как увидел сосновый оранжевый лес. Он ступил на перину из иголок, вдохнул. Наверху заскрипело дерево, орали непуганые птицы, где-то вдалеке лупил по дереву дятел.

— Ну, где ты там? — Вика нетерпеливо подпрыгивала на месте.

Они пошли дальше и ещё дальше. Лес был немного чудной. Кирилл даже не сразу понял, что тут не так. Земля шла длинными перекатами-волнами, как будто недавно это было море и так в одну минуту и застыло.

— Вот, — прошептала Вика.

Они вышли на лужайку. Здесь «волны» были больше, между ними вполне мог бы спрятаться взрослый человек, и сплошь в зелени. Вика присела на корточки, подняла листья. Исподнее оказалось красным от ягод. Она сорвала веточку и протянула ему.

— Эх, тары нет. Маме бы набрать. — Кирилл тоже присел. Ягоды были необыкновенные — крупные и сладкие.

— А кепка тебе на что? — Вика нанизывала дикую землянику на травинку. — Смотри, шашлык!

Кирилл рвал ягоды, ел горстями, кидал в бейсболку, бросался ими в Вику. Сначала он передвигался гусиным шагом, потом лёг на живот и слизывал землянику прямо с куста. Вика лежала неподалёку.

— Обалдеть! — время от времени приговаривал он. — Никогда такого не видел. А что, местные сюда не ходят?

Солнце грело спину, жужжал шмель, ветер высоко качал кроны, густо шумел. На Кирилла напал азарт, он рвал и рвал землянику, бейсболка уже наполнилась, ягоды сваливались под ремешок, но она всё не кончалась, её даже не становилось меньше. Кирилл глянул на свои руки — ладони были красные, как будто в крови, земляничная жижа стекала по запястьям в рукава. Где-то рядом сосредоточено сопела и причмокивала Вика.

Плечи здорово напекло, но вот внутри... Ледышка жгла между лопаток. Опасность! Сколько раз это шестое чувство спасало ему жизнь? Кирилл поднял голову в поисках дочери. На зубах скрипнул песок. Что-то изменилось. Лес, ещё секунду назад стоявший безмятежной стеной, выдохнул с шумом ветра посторонний звук — тяжёлый механический гул. Кирилл повернулся и оторопел: на него прямо из-за ёлок наваливался танк.

— Пап! — Над земляничными листьями торчала Викина голова, глаза были вытаращены не столько от ужаса, сколько от изумления.

Кирилл перекатился к Вике, сграбастал её и лёг между волнами земли, накрыв дочь своим телом. Танк медленно наехал на них сверху, убрал солнце, дохнул соляркой. Гусеницы с лязгом катили железное брюхо над вжавшимися в землю людьми. Уши заложило от скрежета. Стало опять светло, и Кирилл услышал, как хрипит Вика:

— Ты меня задушишь.

Он сполз с ребёнка, перевернулся и больно стукнулся лбом о деревянный чурбан. Чурбан был аккуратно обточен, с длинной ручкой. Как учебная граната, подумал Кирилл. Он пружинисто поднялся на одно колено, отставил руку с болванкой назад, за себя, примерился. Танк уползал, оставляя после себя две грязные вмятины на земляничной поляне. Рука, очертив полный круг, ловко метнула деревяшку вслед танку. Граната бесшумно нырнула в открытый люк.

— Ой, — сказала Вика. — Метко.

Танк дёрнулся, клюнул дулом и встал. Стало совсем тихо. Только птицы продолжали надрываться.

— Лежать, твою мать! Не двигаться! — Из люка высунулся взбешённый военный, по виску стекала кровь. В руках был автомат.

— Не ори, командир. — Кирилл встал, задвинул Вику за спину. — Ребёнок тут, не видишь?

— Я сказал, лежать, блядь! — Танкист перевёл рычажок огня в боевое положение.

— Дяденька, нельзя при детях матными словами. — Вика высунулась из-за отца.

Кирилл поймал её за спиной руками и силой посадил на траву.

— Всё, всё, командир. Сидим. Лежим. Как скажешь.

Кирилл нещадно ругал себя за детскую выходку, но что толку-то?

Затрещала рация.

— Шуберт, Шуберт, — заговорил командир танка в рацию, не опуская ствол. — Коробочка полста восемь тут. Как слышишь меня? Опять гражданские на полигоне. Приём.

— Да слышу. Где вы? — донеслось из рации.

— Ну эта... на проспекте Ленина. Приезжай, разберись. Отбой, что ли.

Военный слез с танка, подошёл к Кириллу, заглянул через его плечо, встретил отчаянный Викин взгляд.

— Если б не девчонка, бля, я б тебе навалял, нах!

— Дяденька, — опять встряла Вика, — у вас кровь течёт.

Мужчина провёл пальцами по голове и щеке. На затылке у него была приличного размера рваная рана, кровь текла тёмная, венозная, она, пульсируя, заливала камуфляж.

— Ты чём думал, баран? Башку разнёс нахрен, — пробухтел он. — «Пиджаки» тупые. Говорят вам, нельзя сюда, а они всё ходят и ходят, да с детьми в придачу. Ещё бы с коляской припёрся. Чего сразу за полено хвататься?

— Не шуми, — медленно и веско сказал Кирилл. — Я не знал. Знаков, что полигон, нет. Ты меня с дочкой танком давил. Так что без претензий. Давай кровь останавливать.

— Мишка! — крикнул командир танка товарищу, который вылез покурить на башню. Третий член экипажа уже лежал в траве, рвал их землянику. — Укладка медицинская где? Тащи сюда. У меня, мать твою, боевое ранение.

— Дяденька, а вам совсем не больно? — спросила Вика. — Вас этому в армии учат? Я тоже так хочу.

Командир неожиданно ухмыльнулся:

— Не больно, когда вольно, ноги-руки на месте — налево кругом и по плацу бегом. Нет, не учат, но и не само собой получается, коза любопытная.

Переваливаясь через складки местности, из леса выкатились две машины: «УАЗ-Патриот» и «Лендкрузер». Кирилл взял Вику за руку.

Из «уазика» не без труда вылез человек гора. Он был под два метра ростом, очень широк не только в плечах, а равномерно всем телом. Камуфляж на нём смотрелся бы органично, если бы не перебор с экипировкой: боевой жилет-«разгрузка» был набит магазинами, ножами, патронами, справа и слева от короткой шеи болтались две рации, на животе — мобильный телефон и кобура с пистолетом Стечкина, на бедре — еще одна кобура, «кольт» «Дезерт Игл», определил Кирилл. Оба немаленьких пистолета на огромном теле выглядели как зажигалки.

— Шрек на войнушку собрался, — тихо ахнула Вика.

— Привет, Стасик, — крикнул ему командир. — Вот задержанные. Шеф где?

Стасик, не обращая никакого внимания на вопрос, неожиданно проворно подскочил к «Лендкрузеру», открыл дверцу.

Из машины неторопливо вышел элегантный человек с седыми, короткими и абсолютно прямыми волосами, похожими на шапочку. Одет он был странно: к льняному пиджаку и вычищенным до блеска городским ботинкам прилагались камуфляжные штаны. Мужчина облокотился на машину и стал молча разглядывать Кирилла с Викой. Старший, сразу понял Кирилл.

— Какого хера вы здесь делаете? — напустился тем временем Стасик на командира танка.

— Так новые пальцы поставили, — тот пожал плечами. — Надо же было где-то обкатать.

— Вам же сказано, с базы ни ногой.

— А где обкатывать-то? Старый полигон вон отличный.

— Ладно, иди чини башку свою дурную.

Старший махнул рукой, и военные моментально замолчали. «Дирижёр», — мысленно окрестил его Кирилл.

— Присядем? — Дирижёр кивнул на поваленную берёзу.

— Отчего же не присесть? — сказал Кирилл. Руку Вики он не выпускал.

— Что, — военный повернулся к Вике, — бегаете из лагеря?

Глаза у него были светлые, как будто бесцветные, в белых ресницах. Ото рта вниз тянулись глубокие морщины.

— Тут знаете, какая земляника! А лес, вообще-то, общий, — тут же вскинулась Вика.

— М-да, дисциплина пока хромает. Стас, займи девочку, пусть в машине посидит. — Дирижёр обернулся к Кириллу. — Ну рассказывай. Откуда, зачем? Родительский день, что ли? — Мужчина говорил тихо, не по-армейски. Кирилл никак не мог понять, что он за гусь и что это за военная база такая по соседству с детским лагерем. — Ты бы объяснил ей, почему тут нельзя, — улыбнулся мужчина.

— Да сам в толк не возьму. — Кирилл ответил на улыбку. — Лес как лес. В чём проблема?

— Во-первых, сбегать из лагеря неправильно. А во-вторых, отец Иннокентий отлично знает, что здесь техника ходит. Должен был довести до личного состава. Ты сам на землю не обратил внимания? Здесь с тридцать девятого года был танковый полигон. Потом его закрыли, теперь тут другие дела делаются. Местные знают, не суются, так юные пионеры за ягодкой повадились. — Он резко вскинул голову. — Документы при себе?

Кирилл молча протянул удостоверение. Дирижёр зыркнул сначала на него, потом на фотографию, поскрёб пальцем по краю корочки. Коротким жестом поманил адъютанта, отдал ему.

— Пробей и доложи. — Повернулся к Кириллу: — Дочка? Когда приехала?

— Да всю первую смену уже здесь.

Кирилл видел, что Стас, усадив Вику на заднее сиденье «УАЗа», говорит по телефону. Вика была в порядке, изучала пистолет Стечкина на пузе у Шрека.

— Дату заезда назови.

— Июнь, пятое число. — Кирилл понял, что его проверяют. — Сбор был на Чаянова. Договор на летний отдых имеется. Заключён в апреле.

— А ты, значит, просто к дочке? Или всё-таки по службе?

— Нет, дело семейное, я не при исполнении.

— Ты не заводись, понимаешь же, что всё вычисляется. А то как-то странно получается, танк в сосновом лесу в солнечный день наехал на целого ментовского майора. — Дирижёр задумался. — Хорошо, предположим, что совпадение.

— Так и есть.

— Ладно, принято. — Дирижёр помолчал. — Лагерь наш как бы подшефный. Присматриваем, помогаем кое-чем.

— А отец Иннокентий за это освящает танки и окормляет личный состав? — Кирилл простодушно улыбнулся.

— Ты, майор, с этим не шути. — Дирижёр продолжал в упор рассматривать собеседника. — По-всякому. Бывает, что и отпевает.

Повисла пауза. Кирилл вытирал руки о траву. Застывший земляничный сок стал бурым и грязным, как вывороченная от ранения кожа. Вернулся Стас, отдал удостоверение Дирижёру.

— Всё в порядке, Витальич подтвердил, шеф, — доложил Стасик.

— Ну что, майор Архаров, давай с тобой тогда потолкуем. — Дирижёр положил руки на колени и стал похож на фигурку каменного божка. — Значит, ты берёзовой болванкой вывел из строя боевую единицу. По военно-учётной специальности кто?

— 107646Д, — отчеканил Кирилл.

— То, что ты снайпер, я уже понял, — кивнул он на забинтованную голову командира танка. — Разведка, значит. — Помолчал. — И не скучно тебе в ментовке?

— А у вас что? Есть предложение получше?

Военный смерил его оценивающим взглядом.

— То, что ты бандитов ловишь, это, конечно, хорошо. Но мелко. Я вижу, ты парень с размахом, бесстрашный. А спрос на таких ребят сейчас имеется. Время хорошее, наше, не упусти свой шанс.

— И что за шанс такой?

— Военные компании, слышал, наверное? — Дирижёр стал водить палочкой по земле. — Можем поставить на мировой рынок до ста пятидесяти тысяч специалистов, прошедших превосходную подготовку.

— Под чьим ведомством ходите?

— А мы сами по себе. — Он без улыбки посмотрел на Кирилла.

— Ага, — кивнул Кирилл. — Статья 359 УК. Наёмничество.

— Но этот законодательный вакуум, — Дирижёр сделал вид, что не услышал реплику, — позволяет нам работать на любого заказчика, причём не только в России.

— Но некоторые из ваших всё-таки засветились в официальных кругах, если я не ошибаюсь, конечно. Я слышал, у вас из-за этого проблемы начались с оружием и техникой.

— Это для нас не проблема. Не одни, так другие. Свято место пусто не бывает. Вот как раз ждём поставки из одной бывшей республики.

— Обошлись без Минобороны?

— Мы рядом, но не вместе. А иногда лучше вообще без них. — Дирижёр внимательно посмотрел на Кирилла. — Вот представь, получили мы заказ на охрану скважин где-нибудь, ну допустим, в Африке. Африка она большая, верно? Что означает появление в чужой стране компании, встроенной в официальную силовую структуру?

— На языке международного права — военное вторжение, — ответил Кирилл.

— Правильно. А так — деловое сотрудничество.

— И кто заказчики? — спросил Кирилл.

— Прежде всего — крупнейшие частные корпорации. Охрана строек, месторождений, сопровождение грузов по всему миру. И очень хорошие деньги. А большой трансграничный бизнес — это всегда государственное дело. Так что не надо мне про статью УК, это для других.

— Зачем ты всё это мне рассказываешь, лучше скажи.

— Хорошие кадры всегда в цене. А такие бойцы, как ты, нам нужны. Я вижу, ты и дочь в правильном духе воспитываешь.

— Где-то я это уже слышал сегодня.

— Слышать одно, а понимать — другое. За нами будущее. — Дирижёр встал и начал прохаживаться перед Кириллом, как на лекции. — Мировые державы теперь воюют опосредованно. Демонстрация возможностей и амбиций происходит в конфликтах на территории третьих стран.

— Ну да, так холодная война трансформируется в затяжную мировую. Или, как теперь говорят, гибридную.

— Можно и так, — согласился Дирижёр. — Но гибель государственных военнослужащих — это всегда политический ущерб. Мы же решаем эту проблему. Потери не входят в статистику Вооруженных сил. Этому мы, кстати, у американцев научились.

Чем больше он воодушевлялся, тем сильнее мрачнел Кирилл.

— Не в наших это традициях, — кивнул Кирилл, не отрывая взгляда от «уазика» с Викой.

— И ты прав, майор. — Дирижёр переломил веточку. — Здесь кроется противоречие русской традиции ведения боевых действий. Россию издревле защищали крестьяне и горожане. Со времён Минина и Пожарского и до Чеченской войны воевал простой народ, поставленный под ружьё. Но разве это дело — бросать в огонь набранную из-за парты молодёжь? Так что кому игра в слова, а мы, между прочим, призывников бережём. И вот тут, — он взмахнул прутиком, — мы изменим ход истории!

— То есть вы патриоты?

— Да уж, не какая-нибудь пятая колонна, — сплюнул Дирижёр. — В наше время надо быть на стороне государства, или ты никто. Ну кому, как не тебе, это понимать. Хотя... ментовка иногда хуже частной лавочки.

Теперь он не мигая смотрел на Кирилла. Из-за светлых ресниц взгляд казался водянистым, неприятно пронизывал.

— Про всех-то не говори.

— Материальные стимулы работают не хуже, если не лучше. Это мы понимаем.

— Как учил товарищ Македонский: «Осёл, нагруженный золотом, возьмёт любой город».

— Как ты с таким языком до майора-то дослужился? Но вижу, ты мужик прямой. Я тоже юлить не буду. К нам сейчас валят не только «военные романтики», у кого адреналин в крови не выветрился. Кто после армии не нашёл себя, кому семью кормить надо, не всё ж в охранниках штаны просиживать. У нас есть спецы покруче, чем у кадровых. Ну и деньги, конечно, несравнимые. Но что главное? — Дирижёр выдержал паузу. — История нашей страны, если покопаться, — одни войны. Что при коммунистах, что при демократах. Мужик должен держать в руках оружие. Вот что главное.

Дирижёр замолчал.

— Я вам в качестве инструктора приглянулся? — спросил Кирилл.

— Это как пойдёт. Или с частными корпорациями поработаешь, или на государство. Что может быть важнее, в конце концов, чем выполнять задание родины? Даже если она напрямую его и не даёт. — Дирижёр пригладил волосы. — Спрашивай, если что непонятно. Я с тобой открыто говорю.

Кирилл задумался.

— Есть одна вещь, никак понять не могу, — наконец сказал он. — Почему у вас на танковом полигоне проспект Ленина?

Военный вздохнул, покачал головой.

— Из-за земляники, — ответил неохотно.

— Как это?

— Да были тут у нас образованные. Это когда языки иностранные всерьёз понадобились. Называли это место «Стробери Филдс», потом переименовали попроще — в проспект Леннона. Ну а какой нынче Леннон, сам посуди.

Кирилл встал, размялся.

— Интересный у нас тут разговор вышел, — махнул Вике рукой. — Обдумать хорошенько всё надо.

— Обдумать — это обязательно. — Дирижёр одобрительно покивал. — Товарный проезд, 20. Спросишь Геннадия Петровича. Кодовое слово «Шуберт». Держи своё удостоверение, майор Архаров.

Он не оглядываясь зашагал к своей машине. Бойцы подхватились, и через минуту никого уже не было. Ничто не напоминало о вторжении этих странных военных. Всё так же щебетали птицы, шумел листвой ветер, жужжали пчёлы. Только глубокие вмятины от танка, как рваные порезы, пересекали всю поляну. Кирилл пошёл искать бейсболку. Он уже было распростился с любимой кепкой, как увидел её. Она лежала у развороченного кома земли красной лепёшкой. Кирилл пнул кепку ногой. Он принял решение.

* * *

На заднем сиденье машины Вика сидела тихая, отревелась в лагере, когда Кирилл почти силой тащил её на выход. Время от времени она шмыгала носом, но не плакала. Нельзя показывать слёзы своему врагу, так их учили в лагере.

Не доезжая до выезда на шоссе, на лесной развилке Кирилл увидел накренившийся автобус. Спустило колесо, понял он. Кирилл свернул на обочину, заглушил мотор. Ему надо было на время выйти из машины, чтобы выпустить пар, спину жгли злые, полные обиды глаза дочери.

— Помощь не нужна? — спросил водителя, который ковырялся с домкратом, и осёкся.

Около автобуса прямо на траве сидела молодая женщина, одетая в чёрное. Она обхватила голову руками и раскачивалась из стороны в сторону, беззвучно рыдая. Кирилл поднял глаза: в стороне стояли ещё несколько чёрных женщин разного возраста.

— Откуда вы? — спросил тихо.

— Не откуда, а куда. — Водитель не поднял головы. — Вот везу их... за грузом 200. Здесь подержи. — Водитель довернул гайку, долбанул ногой по баллонному ключу с насаженной на него трубой. — Ну, вроде всё. Грави домкрат помалу. Спасибо, друг.

— Не за что.

Кирилл резко развернулся и зашагал обратно к машине. Вика стояла у капота, подняв к солнцу независимый нос. Кирилл обнял её и крепко прижал к себе. Всё, к чёрту, уж лучше в Москву.

ГЛАВА 18

— Нищета, говоришь? Да тут Аббатство Даунтон, не иначе. Что не предупредила-то, я сегодня без кринолина! — съязвила Инга.

Они шли по дорожке из крупного гравия вдоль растений, выстриженных пузатыми спиралями. В просветах открывался вид на сад: в тени плакучих крон прятались резные белые скамьи, между ними виднелись статуи в античных тогах.

Белая тонконогая левретка вилась у их ног, за ней едва успевал несмолкающий абрикосовый шпиц.

— Женька, сто лет не виделись! — Вертман вышел им навстречу: высокого роста, седой, в домашней замшевой куртке и мягких брюках из крупного вельвета. — Заходите скорее.

Холодивкер перешагнула через две последние ступени разом, неловко замешкалась на пороге, но Вертман сам крепко обнял её и дружески похлопал по спине.

— А ты совсем не изменился. — Женя разглядывала его. — Хотя нет, вру. Располнел немного.

— Ещё бы! — рассмеялся он. — Мы с тобой когда последний раз виделись, я на жёсткой диете сидел. Вынужденной. — Вертман распахнул высокую дверь с львиной мордой. — Леонора, встречай гостей!

По изогнутой мраморной лестнице зацокали каблуки. Жена была при параде — узкое, винного цвета платье, вырез, открывавший грудь, смоляные волосы.

— Я столько о вас слышала, Евгения! — Леонора чмокнула воздух у лица Холодивкер. — А вы та самая Инга Белова — бесстрашный блогер? Я ваш постоянный читатель!

— Аперитив? С чего начнём вечер? — Вертман уже тащил Холодивкер в комнату.

За их спинами Леонора отдавала распоряжения прислуге:

— Нунэ, подача через двадцать минут. — И громким шёпотом: — Чтоб не как в прошлый раз с Соболевыми. Не позорь меня.

— Да, Леонора Александровна, всё сделаю, — почтительно проговорила Нунэ.

— И скажи Мариам, чтобы спускалась. У нас гости!

Окна гостиной выходили в сад. Солнечные блики играли в резьбе золотых рам на стенах, между бархатных кресел пурпурного цвета пара сгорбленных негритят поддерживала тяжёлую мраморную столешницу. Каждый шаг по глянцевому паркету отдавался эхом в своде расписного потолка с многоярусной люстрой.

— Вермут, кампари, амонтильядо, шампанское? — Леонора обвела гостей взглядом от барной стойки. — Или предпочитаете «Кир Рояль»?

— Это водка? — Холодивкер подмигнула Вертману.

— «Помилуйте, королева, разве я позволил бы себе налить даме водки? Это чистый спирт!» — Оба рассмеялись.

— Ох уж эти ваши медицинские шуточки! — Леонора улыбалась. — Спирта у нас не бывает. Рекомендую виски, прямо из Эдинбурга.

— Ну, тогда и мне, и Инге. — Холодивкер приняла решение за двоих. — Безо льда, пожалуйста.

— А вот и Мариам!

Девочка была скорее в мать — те же большие карие глаза, стройная, чуть неловкая, но никакой хищной стати.

Вязаный балахон, рваные джинсы, гриндерсы. Узнаю подростковый протест на пике.

— Добрый день, — сказала Мариам, погрузилась в кресло и сразу уткнулась в телефон.

— Это моя дочь. — Вертман повернулся к Холодивкер, отпил из хрустального стакана. — Жень, ты всё там же?

— Да, Толь, и мне по-прежнему это нравится. — Холодивкер сделала глоток.

Леонора с узким высоким бокалом изящно присела на подлокотник кресла рядом с мужем.

— Ну как вам? Правда, божественный напиток? Никто так не умеет, как шотландцы. Мы с Анатолем в прошлом году были на високурне Кэмпбеллов...

Вертман перегнулся через колени Леоноры к Холодивкер. Было видно, что он прекрасно научился воспринимать воркование жены как фон.

— Публикуешься?

— Грех, Толя! — Холодивкер покачала головой. — Почитать по специальности ещё кое-что успеваю, но публиковаться... Увы, нет. Если не считать того, что оглашают на суде в мотивировочной части. — Она усмехнулась, заметив пристальный взгляд Леоноры.

— Не могу представить, как можно целыми днями возиться с трупами, — сказала та.

— Знаете, трупы бывают гораздо интереснее живых, — мило улыбнулась Холодивкер. — Хоть и молчат по преимуществу.

— А вы, Анатолий, — спросила Инга, — сразу поняли, в чём ваше призвание?

— Конечно, — ответила за него Леонора. — У гениальных людей по-другому не бывает.

В комнату несмело заглянула Нунэ:

— Анатолий Ефимович, к вам пришли.

— Это, должно быть, мой помощник. — Вертман поднялся. — Извини, дорогая.

Холодивкер незаметно скорчила Инге рожицу.

— Дорогой! — крикнула ему вслед Леонора. — Пригласи его отобедать с нами. Это очень милый молодой человек, — пояснила она Инге и Жене.

— Здравствуйте, Леонора Александровна. — Мужчина вошёл в комнату и первым делом чинно поцеловал хозяйке руку.

Инга не сразу его узнала: в питомнике на нём была застиранная футболка и шорты, а тут тщательно выглаженная рубашка аккуратно заправлена в брюки, из-под которых торчат остроносые ботинки. Но сомнений не было: перед ней стоял Павел, бойфренд Лиды Тихоновой.

— Знакомьтесь. — Элеонора широким жестом показала на гостей. — Евгения и Инга, наши друзья. А почему у вас рука перевязана?

Он церемонно кивнул Холодивкер, перевёл взгляд на Ингу.

— А мы знакомы. — Инга поднялась Паше навстречу. — Женя, это тот самый молодой человек, который спас меня от разъярённого пса.

Холодивкер удивлённо кивнула:

— Очень приятно.

— Какая неожиданная встреча, — улыбнулся Паша.

— И не говорите, — подтвердила Инга, — мир всё-таки тесен! Моя подруга училась в одном институте с вашим начальником.

— Можете себе представить, — стала рассказывать Жене Леонора. — Паша такой молодец. В свой досуг работает в приюте для бездомных собак. Это так мило, не правда ли?

— Хорошо, что мы встретились! — сказала Инга. — Я хотела ещё раз поблагодарить вас. Как Бастер?

— Послеоперационная вспышка агрессии, бывает, — ответил Павел. — Уже в норме.

— Какой ужас! — Леонора покачала головой. — Сильно болит?

Он мельком показал им руку. Инга заметила, что она сильно распухла, кожа по краям бинтов тёмно-красного цвета.

— Почти прошло.

— Вам бы к врачу, — сказала Холодивкер, — похоже на гнойную рану. Как бы не было абсцесса.

— Вот, — в комнату вернулся Вертман. — Бумаги подписал. — Он вручил Павлу папку. — Успеешь сегодня отвезти? Я распорядился насчёт машины.

— А как же обед? — Леонора подошла к мужчинам.

— Боюсь, Паше некогда, — отрезал Вертман. — Ему ещё обратно в лабораторию.

— Жаль, — безразлично сказала Леонора. — А у меня идея! Анатоль, ты же не против? — Она взяла с каминной полки длинный конверт в золотых виньетках. — Это вип-приглашение на роскошный маскарад, посвящённый юбилею холдинга «Минерва», между прочим, от самого владельца, нашего доброго друга! Не благодарите! Меня всё равно не будет — надо ехать в Ниццу, а Анатолий Ефимович сам на такие мероприятия не ходит. Приглашение на два лица. Повеселитесь за нас!

— Спасибо, Леонора Александровна, обязательно воспользуюсь вашей любезностью. — Паша слегка поклонился. — Всего доброго!

— Лиде привет! — сказала Инга.

— Передам. — Уходя, Паша обернулся и кивнул.

— Ну, прошу всех к столу! — торжественно провозгласила Леонора.

Нунэ беззвучно обходила гостей, разнося закуски.

— Давно вы работаете с Павлом? — спросила Инга.

— Последние три года, — ответил Вертман. — Толковый парень. Отвечает за весь технологический цикл. Попробуйте фаршированную рыбу, фирменное блюдо. — Он положил Инге кусочек. — А вы откуда его знаете?

— Случайно познакомились, — ответила Инга. — Через его девушку.

— Как интересно! — воскликнула Леонора. — Вы с ним знакомы? Нунэ, не забудь поменять приборы после рыбы! Их всему надо учить, — доверительно шепнула она Инге.

— Анатолий, а в чём заключается ваша работа в клинике? Женя говорила, что вы очень талантливый учёный.

— И она права, — с гордостью сказала Леонора.

Вертман улыбнулся, погладил Холодивкер по плечу, от чего та дёрнулась и пролила вино на белоснежную скатерть.

— Это она по старой дружбе, — сказал он, с улыбкой глядя на Женю. — Но если серьёзно, то кое-что нам и правда удалось сделать.

— Твоё «кое-что» — это как минимум госпремия? — пробормотала Женя, накрывая красное пятно салфеткой. — Или сразу Нобелевка?

— Расскажите, — попросила Инга.

— Ну, если коротко... Жень, помнишь, ещё в институте меня спецы подобрали? — Холодивкер кивнула. — Там были неплохие условия, ну, понятно, особая форма допуска, секретность, за границу ни-ни. Зато читать можно было! Сейчас этого не понять, а мы тогда за New England Journal of Medicine душу были готовы продать. А тут — спецхран, подписка, весь архив, копай — не хочу, да ещё наши штирлицы в клюве кое-какие материалы приносили, часто даже до публикации. В общем, нам удалось синтезировать одно вещество...

— Нам — это, я так понимаю, тебе? — спросила Женя.

Леонора серьёзно кивала.

— Ну да... Мы вышли на стадию доклинического исследования...

— Опыты на животных, — неожиданно громко сказала Мариам.

— Да, дочка. — Леонора недовольно на неё посмотрела. — А как иначе? Это наука. Вечный спор поколений, — объяснила она гостям.

— Анатолий, простите меня, я немного плаваю в терминах. — Инга старалась удержать линию разговора.

— Я поясню. Вещество вводится в разных дозах, в разных сочетаниях, а мы наблюдаем за реакцией: как идёт метаболизм, скорость набора и снижения концентрации, как выводятся продукты полураспада — то есть работа почек, печени. Набираем статистику, а это тонны бумаги, бесконечные отчёты. Бывает, что в ходе исследования выявляются какие-то риски. — Он поднял глаза в поисках объяснения. — Например, тератогенность — способность вызывать врожденные уродства. Или специфическое поведение подопытных во время приёма, или неожиданный побочный эффект. Как правило, такой препарат дальше не используется.

Женя подняла вилку, протестуя.

— Не всегда! Случай с виагрой доказывает обратное — её изобрели благодаря побочке, так ведь? Искали средство от давления. В стационаре проверяли вещество, которым воздействовали на сосуды и сердце. Как они думали. — Холодивкер хмыкнула. — А тут неожиданно все начали жаловаться на длительную эрекцию. Ну, то есть не жаловаться, конечно... Короче, исходное исследование срочно закрыли, препарат перепрофилировали. И вуаля!

— Э-э-э-э... — Леонора выразительно кивнула на Мариам. Та закатила глаза.

— А на каких животных проводят апробацию? — спросила Инга.

Вертман сложил приборы на край тарелки.

— Сначала берут самых воспроизводимых, — охотно начал рассказывать он. — Животные непременно должны быть одинаковыми. Первыми идут мыши, затем крысы. Количество вещества рассчитывается исходя из веса подопытных. Следом кролики, обезьяны, иногда собаки, чаще всего бигли.

— Вообще-то они все — живые существа! — Мариам оторвалась от тарелки, где ковыряла салат.

— Это всё делается во благо человечества, Мариам, — остановила её возражения Леонора. — А ты, кстати, почему не ешь?

— Я же на диете, мама, — тихо сказала Мариам.

— Умница! — Леонора гордо глянула на Женю. — Женщина должна следить за собой. Наша Мариам взяла и похудела на целых восемь килограмм! Молодец, я считаю. Да, зайчонок?

Инга увидела, как щёки девочки заливает краска.

— Мам, не надо, пожалуйста, — еле слышно попросила она.

— Хм, новая форма «бегства от свободы»! — промычала Холодивкер Вертману.

— Всё так же увлечена этим допотопным марксистом? — улыбнулся он.

— Классика не устаревает. Индивидуальность по-прежнему переплавляется в удобоваримый стандарт, девяносто-шестьдесят-девяносто, чтобы легче укладывать в штабеля. Репрессивные механизмы те же, просто инструменты изменились. Бьюти-маркетинг — вот новая машина подавления личности. Отовсюду несётся: «Надо худеть! Только стройная женщина успешна!» Успех подсовывают в качестве эрзаца счастья. Недалеко мы ушли от рецептивной ориентации — всё ищем удовлетворения от внешних стимулов. А потом начинается анорексия —

это по сути тот же невроз, «выражение моральных проблем», последствие насилия над психикой.

— Ох, Женька! — Вертман похлопал её по плечу. — Ещё тогда тебе говорил: иди в психиатрию! Замутила бы революцию в нашей карательной системе не хуже Лэйнга![1]

— Ты еще Фуко вспомни! Тогда уж в антипсихиатрию, — рассмеялась Женя.

— Конечно, если это спорт и правильное питание, — вернулась к теме Инга, — то отлично. Главное, чтобы худеть без химических добавок, которые сейчас в моде. Вот это может быть опасно. Согласна, Мариам?

— Конечно, — ответила та. — Я пойду? Спасибо, было очень вкусно.

Не просто так мы её выловили в «40К».

— Тему здорового образа жизни мы раскрыли. Теперь скажите, пожалуйста, где можно покурить? — спросила Женя.

— Леонора, спасибо за чудесный обед. — Инга встала.

Господи, как живут вместе эти люди! Как будто их пространства не пересекаются. Две параллельные реальности. Но, может, это и к лучшему? Она в Ниццу, он в лабораторию. А вот девочку жалко.

— Сбор курильщиков у меня в кабинете. — Вертман шумно отодвинул стул. — И дижестив там же...

— О, в этот частный клуб я не пойду! — сказала Леонора. — Потом неделя бронхита от вашего никотина.

Холодивкер незаметно показала Инге большой палец.

---

[1] Рональд Дэвид Лэйнг (1927—1989) — шотландский психиатр, много писавший о заболеваниях психики, в первую очередь о переживаниях во время психоза. Один из ведущих идеологов движения антипсихиатрии, к которым также причисляют Мишеля Фуко, Франко Базалью и Томаса Саса. Политически относился к «новым левым» и имел репутацию «кислотного марксиста».

Кабинет разительно отличался от всего остального дома. Большой рабочий стол, книжные полки во все стены, никаких портьер на окнах и ковров на полу, вместо картин в тяжёлых рамах — листы с летящей графикой в стиле Нади Рушевой.

— Какие талантливые рисунки! — сказала Инга. — Чьи?

— Мариам балуется. Возьмите. — Вертман протянул ей простой стакан с янтарной жидкостью. — Отличный кальвадос, попробуйте.

— Вы рассказывали про вашу работу, — напомнила она.

— Да, занимательная была история. — Анатолий Ефимович сел в кресло. — Начнём с того, что с работы меня уволили. И собирались уничтожить все мои наработки. Десять лет труда, статистика — всё в корзину.

— Ничего себе, — выдохнула Женя. — Как ты с этим справился?

— Мне понадобилось три дня. Сначала я вынес бумаги. А потом и саму молекулу.

— Вот это да! Из спецлаборатории? С охраняемого объекта? Это какой год был?

— Самый что ни на есть лихой — девяносто второй. Охраняемого? Какой там! — махнул рукой Вертман. — Такой бардак был. Можно было вынести что угодно, хоть чуму в кармане, хоть холеру в банке. И потом продавать у метро, как бабушки носки и редиску.

— Но ты?.. — Холодивкер смотрела на него с восторгом.

— Пытался дома работать. Жил-то я до этого по советским меркам неплохо — нам шло всё самое дефицитнос: мебель, телевизоры, ковры там всякие, дача. У меня даже «Волга» была! Тогда я продал всё, что мог, купил элементарное оборудование. Это, конечно, было не совсем то. А потом в какой-то момент смотрю — а вокруг меня одни голые стены, в холодильнике плесень, даже мышей кормить нечем. Пошёл к соседу натурально хлеба просить, а он в ответ: хочешь заработать? Никогда не угадаешь кем!

— Репетитором? — неуверенно предположила Женя. Вертман довольно рассмеялся.

— Челночил я, Женька.

— Ты? — Холодивкер даже привстала.

— А что? Сделал рейд — новые реактивы. Сделал второй — есть чем за крыс заплатить.

Холодивкер смотрела на Ингу, всем своим видом показывая: «Вот видишь! А ты говоришь — убийца».

— Ты знаешь, Женька, я о том времени совсем не жалею. — Вертман посерьёзнел. — Я тогда понял для себя одну важную вещь: вот занимаешься ты высокой наукой, а тут раз — и видишь самое дно жизни. Изможденных несчастных людей, которые выбиваются из сил, чтобы просто выжить. Какое там счастье, где красота, любовь, творчество, стремление к прекрасному? И я нашёл свою миссию.

— Ты хочешь сказать, что в секретной лаборатории КГБ по заданию партии и правительства делал «таблетку счастья»? Пилюлю «светлого будущего»? Коммунизмозаместительную терапию? — спросила Женя. — И что? Её собирались распылить ядерным взрывом над одной шестой частью суши?

— Тебе бы в стендапе выступать! Работа с человеческим материалом отточила твой сарказм до совершенства.

— Анатолий, не слушайте её, — улыбнулась Инга.

— Инга, милая, мы с Женькой столько соли вместе съели...

— Правда, обильно запивая це-два-аш-пять-о-аш... — вставила Холодивкер.

— ...что только смерть может нас поссорить. Ладно, это патетика. А по сути, на спецобъекте мы делали всё, что прикажут, попутно аккумулируя невероятный опыт. И мы, тут я совершенно серьёзно говорю, добрались до понимания действительно ключевых и системных вещей.

— Звучит красиво, — сказала Инга. — Но пока непонятно. При чём здесь счастье?

— Как организм реагирует на поток негатива? — спросил Анатолий Ефимович. — Тормозит, притупляет реакции, заливает антистрессовыми гормонами. При сильном испуге первым выбрасывается в кровь адреналин, он активирует скрытые ресурсы организма, которых в человеке очень много, для ликвидации угрозы. Следом идет кортизол, он своего рода антистрессовый и обезболивающий препарат. Дальше никакой компенсации не происходит, ведь стресс — это беспричинный страх. Организм живёт в постоянной гормональной атаке. И как он реагирует?

— Болью, — сказала Холодинкер.

— Даже животные, особенно высокоразвитые, как собаки, испытывают стресс, — продолжал Вертман. — В том числе и неконтролируемый. Павлов это хорошо изучил. Опыт был простой, рассказать?

— Конечно!

— Собаке показывали круг и поощряли едой, затем показывали эллипс и не кормили. Она быстро усвоила разницу. Но потом эллипс постепенно заменили кругом. И собака две недели пыталась понять, когда ей дадут еду. В результате животное заработало нервный срыв, сегодня мы такое состояние называем выученной беспомощностью. Она постоянно лежала, потеряла аппетит, забыла всё, чему до этого научилась.

— Это напоминает подростков. Сложность определения границ и смысла происходящего. — Женя кивнула в сторону Инги. — Катька год назад была сплошная выученная беспомощность.

— Нечему удивляться. — Вертман печально покачал головой. — По моим исследованиям, у нас уровень этих гормонов за сто лет вырос неимоверно. Так физиология отвечает на внешние воздействия. По сути, нами руководит невроз.

— О, с этим я полностью согласна! — кивнула Инга.

— Мы наполнены страхом. Он парализует. — Вертман на миг замолчал. — И я нашёл. Мой препарат эти страхи снимает. Человек возвращается к себе, своему естеству, воссоединяется с физиологией. Организм перестаёт ему мешать. — Он вскочил, стал ходить по кабинету. — Представьте, что вам предстоит выступление на публике, доклад или концерт. Вы готовы, но паника сковывает тело, сводит горло. Что делать? Можно, конечно, ходить к психотерапевту, вспомнить о детской травме, докопаться до первопричины, подсесть на эту бессмысленную болтовню в ожидании чуда. Психоанализ — гениальная разводка современности. Нужно понимать: вы ничего не измените в прошлом. Обозвал вас кто-то неуклюжей коровой в детстве, ранило это вас — и всё! Вы на всю жизнь ею и останетесь, это вас сформировало, вы каждый свой шаг совершали по жизни неуклюже, день за днём, и как это можно изменить разговорами! Лучше помочь медикаментозно — снять психологический зажим, раскрепоститься и выступить. И получить положительные эмоции. Что в ответ сделает психика?

— Поверит? — Инга подняла указательный палец вверх.

— Правильно, поверит. Вы поймёте, что способны на большее, ваш потенциал выше, а тормозит вас только страх. Мой препарат так и работает — даёт вам крылья, снимает зажим. Даже боль на время купируется.

Закрепляет положительный опыт, — довольно сказал Вертман.

— На добровольцах уже тестировали?

— Да, пробовали. Не всегда удачно. Но так уж устроена наука — без проб и ошибок, даже без жертв не обойтись, — отрезал Вертман.

— А как насчёт биомедицинской этики?

— Этику никто не отрицает, а конфликт этот с XVIII века существует, Женя. Идея блага в деятельности врача, учёного неоднозначна. На одной чаше весов — здоровье конкретного одного пациента, а на другой — всё человечество. Павлов тоже ставил опыты над детьми, между прочим, раньше, чем доктор Менгеле. И кто ему сейчас это вспоминает? Я создал препарат, который дарит людям радость, энергию, силы, уверенность в себе. И при этом практически без побочек.

— То есть ты готов эстрагировать счастье из чьего-то единичного, подопытного несчастья? Вопросом Великого инквизитора ты не мучаешься, как я погляжу. — Женя нахмурилась, посерела. Продолжила скучающим тоном: — Получается, что всякие там «Файзеры», «Байеры», «Новартисы» и другие фарм-гранды нервно курят в сторонке? Тогда почему ты не защитишь свою разработку — патентом, лицензией?

— Они большие и неповоротливые — сидят и ждут, когда какой-нибудь стартап или одиночка придумает невиданный ранее субстрат. Тут они налетят, как вороны, и купят его. И уже под своим именем доведут до прилавка.

— Так ты сделал это?

— Мне осталось доработать мелочи. Сейчас у меня все условия. И средства. В начале нулевых мой приятель, Арутюнян, помнишь? Учился в моей группе, — Холодивкер покачала головой, — свёл меня с Арегом Агаджаняном, может, знаете, известный коммерсант? Арег как раз создавал свою клинику, ему был нужен специалист. Я, конечно, согласился. Он принял все мои условия и дал лабораторию в моё полное распоряжение.

— Как называется этот препарат? — спросила Инга. — Название-то у него есть?

— Да, есть. Витазидон.

— Вита — то есть жизнь, — кивнула Холодивкер.

— Вы сказали, что побочек практически нет. — Инга осторожно поставила стакан на стол. — Значит, что-то всё-таки есть? Одышка, например, или потеря веса... аллергия?

— Нет, ничего такого, — решительно помотал головой Вертман. — Я просто хочу сделать свой препарат идеальным. И сделаю.

— Анатоль! — в кабинет вошла Леонора. — У тебя завтра в восемь утра процедуры. Тебе пора отдыхать. А у нас чай. С профитролями!

Остаток вечера Женя и Инга провели под стрёкот Леоноры, делая вид, что внимательно рассматривают фотографии из многочисленных путешествий, невпопад охая и ахая. Вертман почти сразу оставил их, сказал, что он жаворонок, и ушёл спать. А Леонора всё не унималась. Она бойко перескочила с Франции на Канары, с Шотландии на Хорватию, куда ездила каждый год: «Дубровник — такая сказка!» Но Инге это вдруг оказалось кстати: Катя с отцом и его Дашей собиралась в отпуск именно в те края, и Инге было важно показать дочери, а даже больше — Сергею, что она тоже участвует в планировании поездки. Она даже записала пару мест, куда «вы должны обязательно добраться, за любые деньги!», и уточнила у Мариам, что может быть интересно в этих местах девочке-подростку.

Оставалось ещё одно дело.

— Женя, ты не видела мой шарф? — Инга изобразила растерянность. — Мой любимый, «Этро»! Куда я могла его подевать?

— Ты его в кабинете оставила, растяпа, — проговорила Женя с набитым ртом. Жена Вертмана всё-таки оказалась для нее тяжёлым испытанием, и она купировала стресс, опустошая блюдо с профитролями. — Можно ещё чаю?

— Сейчас распоряжусь! Инга, вы же помните, куда идти? — Леонора как будто боялась оставить Женю один на один с хрупким чайным сервизом.

— Разумеется, не стоит беспокоиться, я на секунду!

Инга поднялась наверх. Вот и кабинет. Она тронула дверь, чтобы скрип был слышен внизу, но внутрь не пошла. Её больше занимала другая дверь — в комнату Мариам. Она была открыта. Инга подошла к мольберту: сиреневое поле люпинов колыхалось на ветру. Тонкая прекрасная акварель. На спинке стула висел небольшой рюкзачок, она быстро раскрыла его: кошелёк, пудреница, блеск для губ, расчёска, блокнот. Больше ничего. Инга тронула внутренний кармашек. Под ним оказалось потайное отделение. Там, на дне, лежала небольшая коробочка с таблетками.

ГЛАВА 19

На айфон шмякнулись первые капли дождя: «ушли в лабу колёсики твои».

В Москве парило со вчерашнего вечера. Ингу будто пищевой плёнкой обмотали: глубоко не вздохнуть. Но пока они с Катькой катались на роликах в парке, небо затянуло, а в воздухе запахло озоном.

Экран снова загорелся, предыдущее сообщение прокрутилось вниз: «точно не хочешь сказать, откуда товар?»

Инга выбрала смайлик, который изображал смеющегося до слёз человечка. День назад она запаковала три таблетки из коробочки Мариам в вакуумный пакет и отдала Холодивкер на экспертизу.

«Но это ведь Веточка из 40К, она?» — Сообщение снова пришло моментально. Женя сгорала от любопытства.

— Когда ты угомонишься-то? — тихо сказала Инга телефону. Она понимала, что «не раскрывать источник информации» Холодильнику нечестно, но очень уж не хотелось признаваться, что, пока Женя поедала профитроли, Инга копалась в сумочке малолетней дочери её друга.

Конечно, это та самая Веточка, кто бы сомневался. Во-первых, без неё скорей всего Мариам не смогла бы скинуть так быстро восемь кило. Во-вторых, девочка состоит в группе, где толкают препарат. Наконец, никакой маркировки на коробке — только берёзовая ветка. Явно самопал. А вот невинный это БАД или наркота, и могли ли из-за неё убить Эвелину, Туми и Безмернова, нужно выяснить.

Ливень набирал силу: капли летели сильные и тяжёлые, как артобстрел. Люди засуетились по парку. Прятали под дождевиками коляски, с хлопком раскрывали зонты, ускорялись, прикрываясь пакетами, задрав на головы футболки. Седой мужчина убирал в дипломат шахматную доску и табличку «играю бесплатно».

— Кто не спрятался, тот и виноват!

Катька, давно обогнавшая Ингу, теперь возвращалась назад, подставив лицо дождю. На роликах она, в отличие от мамы, каталась хорошо и сейчас делала ногами изящно-небрежные «фонарики с перехлёстом». Инга же еле-еле переставляла ноги на колёсиках и на такие прогулки всегда брала с собой аптечку — на всякий пожарный.

Дочка схватила её за руку:

— Погнали! — и они припустили по аллее.

Ливень прибивал пыль, скатывал тополиный пух в мокрый войлок, асфальт под роликами был неровный, и Инга чувствовала, как вибрирует и трясётся всё тело. Включая щёки. Майка неприятно прилипла к спине, но дышать стало намного легче.

Под навес «Проката в парке» они заехали полностью мокрые. Тинейджеры, дети, бабулечки в платочках и молодые мамы стояли там плотной толпой, расстроенно поглядывая на стену дождя. Громко разговаривая, люди старались перекричать дождь и ветер.

— К скамейке пробивайся. — Инга подтолкнула Катьку вперёд, снимая налокотник.

В прокате пахло резиной и мокрым деревом. Катя плюхнулась на свободный краешек лавки и начала быстро расшнуровывать ботинок, одновременно стягивая его с пятки. Было душно, Инга мгновенно вспотела, хоть и была промокшая. Она присела рядом с дочерью, чувствуя, как высыхающая на лбу прядь скручивается от влажности в жгутик. Толпа подростков, нависающая над ними, шумно выясняла отношения.

— Ты заметила, что этим летом люди как с цепи сорвались? — шепнула ей Катька, зыркая на тинейджеров. — В магазинах, в метро, в летнем лагере у нас при школе все злые как черти, не обращала внимания?

— Есть немного, — согласилась Инга. — Сиди тут.

Она взяла свои и Катины ролики и стала протискиваться сквозь толпу к прилавку проката.

— Извините, можно?

Но подростки её не слышали. Тоном: «сама дура!» — «нет, сама дура!» — они выкрикивали друг другу что-то сложносочинённое из мата и сленга.

Кто-то резко толкнул Ингу в спину так, что она рефлекторно пробежала пару шагов вперёд и ударила роликами девушку с синей чёлкой.

— Ты совсем опухла, что ли? — Та обернулась, потирая тощую руку.

— Меня сзади кто-то пихнул... — начала было Инга, но девушка смотрела ей за спину.

Белый канат молнии блеснул на небе, на секунду осветив искажённое яростью полудетское лицо. Гром, широкий и близкий, сделал неслышным её слова.

— ...ля, ты охренела в толпень на гиро?!.. — Она оттолкнула Ингу и бросилась на худую девчонку, которая на полной скорости въехала под навес на гироскутере, врезавшись сразу в нескольких человек.

Парень сбоку грубо матерился. Девочка на скутере, по-идиотски улыбаясь, попыталась увернуться от кулака Синей Чёлки, но гироскутер взбрыкнул, как дикая лошадь, завибрировал и скинул её. Раздался неприятный звук сильного удара: ныряя назад, девочка тюкнулась затылком парню в нос. Кровь хлынула у него струёй, как из открытого на полный напор крана.

Резко и одновременно, будто получив одну и ту же немую команду, подростки накинулись на упавшую с гироскутера девчонку. Несколько женщин, несмотря на дождь, подхватили детей под мышки и поспешили из-под навеса на улицу.

Инге стало страшно: она вспомнила, как в детстве её окружили дикие собаки, их страшные, оскалившиеся от злости морды. Она поднырнула под кулаки и колени, вцепилась девочке в руку.

Краем глаза увидела, что двое мужчин продираются к драке сквозь толпу. Один из них явно был сотрудником проката, который спасал казённый инвентарь. Другой — в бежевой форме охранника парка.

Инга, получив пару десятков несильных ударов по спине, вытянула девчонку из центра драки и с трудом посадила на скамейку рядом с ошалевшей дочерью.

— Мам, ты обалдела? Ты куда полезла? — заорала Катька.

— Рюкзак мой открой! — крикнула Инга. — Там перекись должна быть и пластыри.

У девочки была разбита губа, ссадины на щеке и на локте кровоточили, под глазом наливался синяк. Но она будто не замечала того, что её спасли: взгляд не сводила с того места, откуда Инга её вытащила, рвалась назад, туда, где все ещё клубилась драка.

— Гироскутер там! — выбрыкивалась она. — Отец меня убьёт!

Здоровый мужик влетел под крышу и начал раскидывать дерущихся подростков, как Балу — взбесившихся бандерлогов.

— ...Прекратить, кому сказал!!! Школота хренова! Полиция, вашу мать!

От слова «полиция» толпа раскололась, как тарелка об кафель. Подростки кинулись вон. Они улепётывали под проливным дождём, петляя, будто опасаясь, что по ним будут стрелять. Посередине опустевшего проката остался мигать фиолетовыми огнями брошенный гироскутер. Увидев, что он не сломан, девочка перестала рваться, обмякла на скамейке. Инга смочила перекисью ватный диск, осторожно обработала царапину на щеке. Потом мельком глянула наверх и охнула:

— Господи, Архаров! Ты меня напугал! Откуда ты взялся?

— Да так, пришел проверить, почему на звонки не отвечаешь. Теперь понимаю, у тебя тут руки дракой заняты, не до меня. Сосед твой Дэн сказал, что вы здесь на роликах катаетесь. — Кирилл убрал корочку в карман джинсов и наклонился над ними. — А это, оказывается, жёсткий контактный спорт. Оставь вас на минутку... — Он выпрямился и огляделся. — Охренеть, махались-то девки в основном! Куда катится мир? Катька, привет!

— Здрастье, — хмуро ответила Катя. — Мам, можно тебя на минутку?

— Прямо сейчас тебе приспичило? — Инга зубами открывала пластырь.

— Да не надо, я нормально, мне норм, — вяло отмахивалась избитая девочка.

— Прям сейчас, — твёрдо сказала Катя, — на минутку. Дождь уже кончается.

— Кирилл, вот эти две обработай ещё. И вон тому остолопу с разбитым носом по ватке в каждую ноздрю и в травмопункт. Вдруг перелом.

Они вышли из-под навеса под колкую, холодную и мелкую моросню. Только сейчас Инга заметила, что Катька сжимает в кулаке белую коробочку с нарисованной на ней веткой.

— Что это? — спросила Катя таким тоном, будто это Инга была её дочерью, а не наоборот.

— Таблетки, — спокойно ответила Инга.

— Мам, ты сдурела?!

Инга резко вырвала коробочку из Катиных рук:

— В сумке моей рылась?

— Рылась?! — Катя аж икнула от обиды. — Ты сама попросила аптечку достать!!! Мам, это не шутки, слышь? Эта шняга — фирменный яд. У нас в школе её вовсю толкают... Похудательная какая-то байда.

— Ты их тоже пила? — Инга заговорила тише.

— Я себя ещё люблю пока что! Не то что некоторые! Признавайся, сидишь на них?

Инга отрицательно помотала головой:

— Они мне для расследования нужны. Нашла в одном... месте. Хочу, чтобы Женя сделала экспертизу.

— У кого б ты их ни нашла — скажи, чтобы не жрали! И сама не жри! — не унималась Катька. — Я своим уже всем сказала, но кто меня слушать будет!

— Всем сказала, а мне не говорила? — Инга схватила дочь за предплечье, но потом скользнула рукой вверх и обняла её за шею. — Ты молодец, — шепнула она.

— Да ты б поседела, если б я тебе всё рассказывала. — Катька поколебалась, но обняла её в ответ за талию: — Ты думаешь, эти колёса — единственное, что у нас в школе толкают, что ли?

— Раненые обработаны и отправлены по домам. — К ним вышел Кирилл, протянул Инге чёрный зонт. — От травмпункта и подачи заявлений отказались согласно пятьдесят первой статье Конституции.

— Отлично. — Инга без улыбки взялась за ручку.

Катя под взглядом Архарова высвободилась из материнских объятий.

— Поговорить надо. — Кирилл вмиг тоже стал серьёзным.

* * *

Они шли вдвоём по дорожке парка. Катька убежала с подружками в кино.

— Вот за такое мы и не любим «бизнесов», — закончил свой рассказ Кирилл. — Так что по делу — ноль, пусто. Только карму себе испортил.

— Да, узнаю Агаджаняна. Он может словами человека по стене размазать.

— Я не человек, я мент при исполнении, — буркнул Кирилл.

Инга проверила пару скамеек:

— Мокрые все!

— В песочницу давай пойдём, — Кирилл показал в сторону детской площадки, — там крыша есть, сидушки не промокли.

Детская площадка была новая, в скандинавском стиле: когда Катька была маленькая, Инга видела такие только в Хельсинки. Видела и завидовала: «Как у них всё удобно, почему у нас вместо этого лишь скрипучие качели да облезлая паутинка?» Теперь и Москва обросла такими: мягкое покрытие, круглые качели а-ля гамак, закрученные в спираль горки, верёвочные лестницы. Зону с песком для самых маленьких было трудно назвать песочницей: огромное пространство со скамейками по периметру было заполнено насосами, акведуками и экскаваторами для выкапывания каналов.

— Сам бы в такое играл, — кивнул Кирилл на затейливые конструкции. — Везёт современным детям. А у нас что было — камушки да ржавые гвоздики.

— Жаль, Катька выросла, — согласилась Инга, — Вике твоей тоже уже неинтересно это всё небось.

— Ладно, давай к делу, — сказал Архаров. — Что теперь?

— Будем открывать тебе третий глаз!

— Не штопором, надеюсь?

— Мы с Холодивкер называем это Total Recall.

— Это точно не больно? Я сегодня на всю голову травмированный.

— Вот туда мы сейчас и полезем! Это быстрый допрос. Я задаю много вопросов, не обязательно относящихся к делу. Не может быть, чтобы мы ничего из твоей встречи с Арегом не получили. Ну, просто не может.

— Я-то как раз получил, прям по морде. Морально.

— Хватит сопли на кулак мотать. Начали. Глаза.

— Что глаза?

— Закрой и отвечай не задумываясь.

— Ох! — Кирилл зажмурился.

— Опиши кабинет.

— Хром, дерево, блестит, ни пылинки.

— Запах?

— Дерьм...

— Кирилл!

— Ладно, ладно, не буду. Как называется у мужиков то, что у вас «Шанель номер 5»?

— HugoBoss, Kenzo, OldSpice?

— Нет, не то... стерильно у него.

— Рука?

— Я протянул, он не пожал.

— Улыбка?

— Э... не знаю. Не улыбался он. Наверно, мерзкая, холодная, кривая. И ещё зубы жёлтые и пахнет изо рта.

— Копыта видел? Рога? — Инга стукнула его по макушке. — Слушай, кончай с импровизациями, мы же важным делом занимаемся. Вот если бы у тебя был подследственный, который бы всё время над тобой стебался, что бы ты сделал?

— Наручниками к батарее. Стёб сразу проходит.

— Вот за такое мы и не любим ментов, — передразнила Инга Архарова. — Давай так: теперь ты отвечаешь его фразами. Вспомнишь?

— Ещё бы! «Вам по рангу положено беседовать с моим секретарём».

Инга усмехнулась: она ясно увидела своего бывшего босса.

— Алиби?

— Загородный клуб. Оба раза. «Новая Рига luxury village».

— Проверил?

— Проверю.

— Туми?

— «Ну да, мы пересекались пару раз на светских мероприятиях. Что с того?»

— Как он держался? Где находился? Сидел? Стоял?

— Сел за стол, руки выложил перед собой. Как баррикаду.

— Вид?

— То, что называется: «У вас ровно три с половиной минуты».

— Эх, какой же... индюк. Узнаю!

— Белова, не отвлекайся.

— Больница?

— «В клинике оказывают медицинские услуги звёздам шоу-бизнеса. Они много и тяжело работают и всё время на людях. Поэтому когда они у нас, главный принцип для персонала — конфиденциальность. На меня, разумеется, это тоже распространяется, поэтому я клиентов не обсуждаю».

— Эвелина?

— «Да, она была моим ассистентом. С нынешнего апреля её заменяет другой сотрудник».

— А ночь, когда погиб Безмернов?

— «На каком основании интересуетесь?»

— Как он закончил беседу?

— Беседу? Он, гад, её даже не начинал, так, слова ронял в моём присутствии.

— Архаров! Вот ты встаёшь, идёшь на выход, что происходит?

— Ему позвонили, и он жестом показал мне на дверь.

— Кто позвонил?

— Откуда ж я знаю!

— Ты успел что-нибудь услышать?

— Он договаривался с кем-то... в теннис играть, что ли.

— Как точно звучала фраза?

— Белова, ну какая разница?!

— Кирилл, как точно звучала фраза? Постарайся вспомнить.

— «На спорт?» А дальше какая-то белиберда про хорьков и поезда.

— Про хорьков и поезда?

— Да. Странно. Сейчас, подожди... «...На спорт? Мангуст уже там? Отлично! Тогда как обычно, в двадцатом товарняке». Кажется, так. Он что, зверей в цирк поставляет?

— Вот оно! Мангуст — это не хорёк! И не зверь! Это человек! Стоп, недавно же было... Вот только где? Что-то коричневое, лживое, льстивое. И властное... запахи: ладан...

— Кладбище? Поминки? Кого хоронили? Давай теперь ты Total Recall. И почему у меня ухо не зацепило сразу? — задумчиво сказал Кирилл. — Ну, какой такой спорт в двадцатом товарняке?

— Петрушка! — радостно и испуганно вскрикнула Инга, уставившись на Архарова.

— Петряев? — удивился Кирилл. — Тот румяный ублюдок-депутат, которого мы не смогли прищучить два года назад? Дуба дал, наконец?

— Жив, к сожалению. — Инга возбуждённо затараторила: — Я когда с Лидой поговорить ездила на экскурсию в Новый Иерусалим, я видела его там. В храме. Забыла тебе рассказать. Он на коленях молился, а как домолился, ну, всё Господу нашему Богу доложил по протоколу, так и гаркнул головорезу своему: «Мангуст!» Тот его за руку поднял. Кирюш, таких совпадений не бывает! Мангуст — телохранитель Петряева! А значит...

— Арег поехал на встречу с Петрушкой! — закончил за неё Архаров. — И, судя по всему, у них какой-то общий бизнес, связанный с жеде-поставками. Двадцатый товарняк, двадцатый товарняк... Почему мне это кажется знакомым?

— А это мы сейчас проверим. — Инга достала телефон, открыла карты. — Есть Товарная улица, Товарный проезд... О! Смотри-ка, даже Товарный проспект!

— Белова, стоп! — Архаров закрыл ей рот рукой. — Спугнёшь. Отмотай назад. Проспект, проезд, товарный. Двадцатый товарняк. Товарный проезд, 20, спросишь Геннадия Петровича. Кодовое слово «Шуберт».

— Архаров, ты в порядке? — невнятно пробубнила Инга из-под руки Кирилла.

— В полном. Я этот адрес слышал недавно, когда к Вике в лагерь ездил. Помнишь, рассказывал про этот «Молодой гвардеец»? И представляешь, наткнулся там на военную базу с красивым названием «Синегорье». Меня, как бы это сказать, вербовать пробовали.

— Вербовать? В молодые гвардейцы?

— Бери выше. В наёмники. База там, похоже, серьёзная. Слушай, а работает твой Recall!

— Вот видишь! Не зря ты к Арегу наведывался.

— Вот что. Съезжу-ка я в этот Товарный проезд. Спрошу Геннадия Шубертовича.

— А мне чем заняться?

— А тебе задание полегче и побезопаснее. Последи за клиникой. Она в твоей зоне интересов. Внутрь больше не лезь, посиди рядом. Помощника найдёшь, думаю. М-да, если связь действительно есть, — проговорил Кирилл, — бля, Белова, ну мы с тобой и попали!

ГЛАВА 20

Было тихо и безмятежно. Воздух застыл, в нём растворился гул городской магистрали, проходившей совсем рядом, за линией домов. Инга открыла окошко, в салон машины влетел запах летнего уставшего дня.

— Хорошая у Кирилла работа, — зевнул Марат. — Сидишь себе в засаде, медитируешь.

— Ага, только у него пистолет и ему за неё платят, — сказала Инга. — А мы с тобой недонародные недодружинники, нам за это даже отгулов не дают.

— Не тебе жаловаться, — возразил Марат. — Благодаря этим расследованиям твой блог сейчас в топе.

— Спасибо за букву «т», — улыбнулась она.

— А могли бы сейчас ко мне поехать... — Он покосился на Ингу.

— Это вопрос или предложение?

— ...или никуда вообще не ехать. — Марат перебирал Ингины волосы. — Вот не знал, что ты щекотки боишься. — Марат убрал руку, неодобрительно глядя на Ингу, которая ни с того ни с сего громко расхохоталась.

Она придвинулась к нему и зашептала сладострастным, как ей казалось, тоном:

— «Он прильнул губами к её телу, и она ощутила, как нежные прикосновения пробуждают в ней горячий ток».

Инга опять зашлась в смехе.

— И что это было?

— Не дуйся, тебе не идёт, и вообще это не про тебя! — Она выставила руку в окно, дождь приятно остужал пальцы. — Сто лет назад, в другой жизни, главред «QQ» решил печатать в журнале дамские романы. Редактуру свалили на меня. Я сначала думала, что это стёб такой, а потом познакомилась с авторами — оказывается, они это всё всерьез. И тётки читают в метро — всерьёз. А тексты такие... липкие. Разбуди ночью, я абзацами могу шпарить.

— Тогда давай ещё! — сказал Марат.

— Ты серьёзно?

— Ну-у, это лучше, чем те сценарии, которые мне приходится читать.

— Тогда цитата на цитату, — оживилась Инга. — Кто первый сблюёт — проиграл!

— Господи, — вздохнул он. — Что я слышу из нежных женских...

— Смотри! — Инга ткнула пальцем в лобовое стекло.

Замигала сигнальная лампочка на воротах, железо ухнуло и поехало в сторону.

— Товарищ сыщик, у нас экшен! — Марат выпрямился, потянулся к ключу зажигания. — Разрешите приступить к преследованию?

Из ворот Vitaclinic медленно выезжала синяя «Газель». Инга сфотографировала номер.

— Разрешаю, — кивнула она. — Не зря мы тут полдня проторчали!

Марат пропустил перед собой две машины, пристроился в хвост какому-то «Мерседесу».

— Ты начальнику доложи, что сознательный гражданин Ибатуллин засёк шайтан-газель. Сейчас догоним их и закидаем беляшами.

— Уходят направо, на съезд, — перебила его Инга.

— Женщина! По-твоему, у меня глаз нету, сам не вижу? — то ли шутя, то ли зло ответил он, свернул на Третье кольцо и уткнулся в пробку.

— Анан сэгыйыйм! Так и знал. Сейчас ещё часик постоим и поедем ко мне.

— Это как вести себя будешь. — Она не улыбалась.

На улице серело. Дворники ритмично смахивали воду, в салоне было уютно и тепло, негромко играла музыка. Инга скинула кроссовки, поджала одну ногу под себя.

— Может, кофе? — не дожидаясь ответа, потянулась на заднее сиденье, достала термос. — У всех пробка, а у нас — пикник!

Машины еле ползли, но Инга этому даже радовалась: ей надо было собраться с мыслями. Мыслей было много, но они никак не хотели выстроиться в логическую цепь, а просто скакали в голове, как кузнечики в банке. Возможно, «Газель» действительно просто отвозит рабочих. Накануне она видела, что на заднем дворе переделывают ограждение. Но Инга надеялась, что ведут они эту машину не напрасно. Кириллу номер она отправила сразу с коротким указанием: пробей. Потом вспомнила, как он ненавидит, когда она командует, и добавила «пожалуйста!». Подумала и прилепила к благодарности целую строчку смайликов, как делала Эвелина в группе «40К».

«Газель» вела их за собой по Третьему кольцу, потом из второго ряда ловко ввинтилась в спуск на Варшавку. Пришлось хамить и Марату, расталкивая таксистов. Чуть не потеряли синий фургон. Инга задёргалась. Но уже под эстакадой кольцевой железной дороги они снова её увидели.

— Куда ты с Варшавки в час пик денешься, — буркнул Марат. — Может, ну её? Видимость так себе, да и дорога скользкая. Дождь ещё.

Инга упрямо мотнула головой. Азарт поднимался от пяток к животу, щекотал в груди. Марат сжал губы.

На Симферопольском стало посвободнее.

— Съезжают, кажется. — Инга подалась вперёд. — Давай вправо!

— Ещё раз дашь мне указание, — прошипел он, — повезу тебя домой!

Марат рывком перестроился. Когда выходили на съезд, она внесла в навигатор точку поворота. Дорога пошла под уклон. Минут двадцать они ещё ехали по асфальту, потом свернули на село Барсучье, и хорошая дорога кончилась. Начались колдобины и выбоины, как будто недавно здесь была бомбёжка. Марат только успевал уворачиваться от ям. Домики с палисадниками за покосившимися заборами остались в стороне.

— Как бы не срисовали нас, — сказал он. — На всей чёртовой дороге только мы да они. Больше-то дураков нет.

— Если это простые рабочие, то нам нечего беспокоиться. А если нет... — Машину подбросило, ремень больно впился Инге в плечо. — Эй! Поаккуратней можно?

— Подвеску угроблю. — Марат скрипнул зубами.

Минут десять ехали в молчании. Дворники заработали чаще. Марат приотпустил «Газель». По тому, как она ловко объезжала ямы, было понятно, что местность водителю хорошо знакома.

Дорога пошла на подъём, «Газель» блеснула мокрым боком и, нырнув вниз, исчезла из поля зрения. Через минуту и «Форд» Марата взобрался на холм. Фургона нигде не было. Фары выхватывали из темноты лужи, рваные лопухи борщевика, который плотными рядами стоял вдоль обочин. Справа показались уложенные кое-как бетонные плиты с торчащей арматурой, вдалеке светились окна деревушки, тускло горели фонари на столбах. Слева в низине чернел остов здания. Инга насчитала пять этажей — по выбитым окнам-глазницам. «Газели» нигде не было. Марат съехал на плиты и заглушил мотор.

— Приехали, поезд дальше не пойдёт. Просьба освободить вагоны.

Инга отстегнулась, начала натягивать дождевик.

— Я туда и обратно, — ответила она на удивленный взгляд Марата.

— Ты же не думаешь, что я отпущу тебя одну?

— Оставайся лучше в машине, мотор не выключай. Один человек меньше бросается в глаза.

— Так не пойдёт, — сказал Марат, но Инга уже выскочила из машины.

Дождь перестал. В рваных разрывах облаков скользила луна. Деревья лениво отряхивались от капель. Инга глубоко вдохнула. После долгого сидения в машине воздух казался невероятно свежим. Хлопнула дверца.

— Буду следить за тобой. — Марат разминал ноги. — Далеко не отходи!

— Смотри. — Инга показала ему на экран телефона. — Сеть отличная. Даже вайфай есть. Какой-то местный Kolobok. — Она усмехнулась. — И от бабушки ушёл, и от дедушки ушёл. Но вообще странно — в таком глухом месте. Посмотри пока, где мы очутились.

— Ничего странного, — Марат показал рукой, — вон у заброса вышка стоит.

— Вот именно это и странно, — задумчиво сказала Инга.

Она прошла метров пятьдесят к деревне. Подумала, резко развернулась и направилась к заброшенному зданию. Марат уже сидел в машине, уткнувшись в телефон.

Инга вернулась назад на холм, стала вглядываться в темноту. Но, кроме зияющих окон, сквозь которые проглядывали звёзды, ничего не увидела. Тогда она медленно пошла вперёд. Чтобы не угодить в лужу, включила фонарик. Стена борщевика неожиданно кончилась, и Инга увидела плотную гравийную дорогу. Она начиналась как раз за большим деревом, неудивительно, что в темноте они её проскочили.

Дорога огибала брошенное здание. Инга пробежала вниз до бетонного забора. Дошла до угла, осторожно выглянула. Дорога вела к воротам. У будки охранника горел свет, внутри работал телевизор. Инга разглядела двоих человек в форме. В приоткрытой щели ворот темнела потерянная ими «Газель» с работающим мотором, вокруг которой суетились ещё трое.

Интересные рабочие.

Она повернула назад. «Газель» могла выехать с минуты на минуту. Инга выключила фонарик и побежала, стараясь производить как можно меньше шума. За поворотом было совсем темно, она не заметила, что уклон здесь круче, ноги поехали по мокрой глине, Инга упала, её понесло вниз. Она пыталась затормозить, но дождевик оказался очень скользким. С размаху въехала в куст, оцарапала лицо. В этом месте бетонный забор кончался, начинался профлист. В раскрытых дверях, в длинном прямоугольнике света стояли два человека, для такого места одетых очень странно. Оба были в синих медицинских костюмах, с голубыми шапочками на головах, на шеях болтались изолирующие маски. Из кармана одного из них свешивались пальцы латексных перчаток.

Мужчины закурили.

— Долго ещё? — спросил первый.

— Как транспорт отчалит, так и начнём.

— Слушай, а если спалимся? — Первый нервно переступал с ноги на ногу.

— Не ссы, браток. — Второй хлопнул его по плечу. — Или передумал?

— Да какое там «передумал», на мне ж ипотека висит. — Первый аккуратно стряхнул пепел в урну. — Не будь этой халтурки у Химика, хоть почку продавай.

Если от второго этажа здание напоминало развалину, то весь первый, скрытый от посторонних глаз забором, был новёхонький. Внутри горел яркий свет, виднелись металлические столы, огромные чаны и какие-то навороченные агрегаты. Инга увидела ещё одного человека внутри, тот возился с колбами.

— Сахар-то привёз, а то я не купил? У Химика закончился. — Мужчина щелчком отправил окурок в сторону забора. Тот пролетел в дыру и почти угодил в Ингу. — Ты, кстати, проверил, суспензия вся прибыла?

— Субстанция, — поправил первый. — Всё на месте.

— Да похрен. — Второй натянул на лицо маску. — Ну пошли, браток, сусло твое варить, бабло стругать.

Первый тяжело вздохнул, шагнул следом, плотно прикрыл за собой дверь. Прямоугольник света скользнул вслед за ними.

Подождав немного, Инга начала карабкаться наверх, цепляясь за ветки кустов. На обочине ноги опять поехали по глине, она пошатнулась, но тут кто-то вцепился ей в плечо. Она размахнулась, но ударить не успела.

— Где тебя носит? — Марат развернул её к себе. — Я чуть с ума не сошёл! Астагафирулла! — выдохнул он. — Ты бы себя видела! Давай в машину!

— Не кричи. — У неё сводило горло.

Она побежала вперёд, разбрызгивая лужи. Через секунду они уже сидели в машине.

— Что происходит?

Из низины уже выползала «Газель».

— За ними, — прошептала Инга.

— Что опять, безумная женщина?!

— Нашёл что-нибудь про это место?

— Нашёл. — Марат не отрывал глаз от прыгающих красных огоньков впереди. — В конце пятидесятых здесь был завод химволокна. Работал себе на полную мощность лет двадцать. Кормил всю деревню Барсучье, которую мы с тобой проезжали. Рабочие династии, фалян-туган. В девяностые завод встал. Разворовали его, растащили по домам, буквально по кирпичику. А потом и люди разъехались, сейчас там осталось домов восемь.

— Где ты всё это успел нарыть? — Инга нашла влажные салфетки, стала оттирать лицо и руки.

— Места знаю. Есть такие сайты по забросам. Мы ими пользуемся, когда локацию для фильмов ищем.

Они выехали на шоссе.

— Наконец-то нормальная дорога! — обрадовался он.

Инга пошарила в сумке.

— Ещё кофе остался. Будешь? — Её колотило.

— Потом.

Марат нагонял «Газель», Инга налила себе кофе в стаканчик.

— Там что интересно, — продолжил он. — В нулевых эти земли скупил какой-то Курбанов. Потом он обанкротился, земля отошла банку, тот её перепродал. Но кому — непонятно. Следы теряются. — Он покосился на Ингу. — Дальше я читать не стал, пошёл тебя искать.

«Газель» резко сбросила скорость, Марат ударил по тормозам, и, если бы не ремень, Инга бы впечаталась лбом в стекло.

— Чёрт! Чёрт! Чёрт! — Она трясла рукой. — Теперь я ещё вся в кофе!

«Газель» перестроилась и ехала справа от них.

— Что творят! — Марат ругнулся и прибавил газу.

Они вырвались вперёд, «Газель» встала за ними. В зеркало заднего вида ярко светили её фары.

— Засекли нас? — спросила Инга.

— А ты как думаешь! — Марат был зол. — Что будем делать, если они свернут куда-нибудь?

Снова пошёл дождь. Справа их обошла фура, обдав фонтаном воды, дворники заметались по стеклу. Марат приглушил радио, перестроился в правый ряд, сбавил скорость. «Газель» продолжала ехать в левом ряду, но скорость не набирала. Инга обернулась.

— Они за нами наблюдают.

Промелькнул указатель с разворотом на Москву. Она заметила, как Марат проводил его тоскливым взглядом.

— Здесь сейчас будет прямой участок. — Он показал на экран навигатора. — Я поднажму, а потом вот на этой заправке встану. — Инга разглядела на экране синенький значок АЗС. — Пропущу их вперёд и опять сяду на хвост.

— Отличный план! Молодец!

— Кто бы сомневался.

Марат вдавил педаль газа, машина как будто только этого и ждала. Зеркало заднего вида почернело. Сбоку наваливался громадой лес. В лучах фар косым пунктиром черноту разрезал белёсый дождь.

Наконец показалась бензоколонка. В окошко кафе было видно, как, положив голову на руки, дрыхнет заправщик. Марат выбрал место потемнее, встал, погасил огни. Дождь барабанил по крыше, дворники делали ритмичное «вжух-вжух».

— Вот они! — Марат молча выехал на дорогу.

— Только близко не заходи! — строго сказала Инга.

— Ты снова за своё, женщина! — Марат так и не зажигал фары, единственным ориентиром им служили красные огни впереди.

«Газель» шла быстро, но Марат уверенно держал скорость. Инга почувствовала, как шею свело от напряжения. Редкие встречные машины на мгновение обливали их светом.

— Только этого не хватало. — Марат тревожно посматривал в зеркало.

— Что там? — Инга обернулась.

— Грузовик, кажется. — Марат подался вперёд.

Сзади приближались два световых пятна.

— Надеюсь, он нас видит, — сказала Инга.

— Не уверен. — Марат сквозь зубы чертыхнулся и в последний момент врубил фары.

Грузовик сразу ушёл вправо, воздух за окном разрезал злой гудок.

— Сам дурак! — крикнула ему вслед Инга.

— Зато эти теперь тоже нас видят. — Марат кивнул в сторону «Газели».

Не включая поворотник, она перестроилась в правый ряд и теперь ехала наравне с ними.

Инга повернула голову. Водитель в этот момент затянулся сигаретой, лицо осветилось красным, он в упор посмотрел прямо на неё.

— Надо сваливать, — сказал Марат.

— Ни за что! — Инга увидела, как профиль Марата стал жёстким и холодным.

— Диуана! — ругнулся он.

В этот момент водитель «Газели» открыл окошко и бросил в их сторону окурок. Искры осыпались по стеклу. Инга инстинктивно отпрянула и закрыла глаза, а когда снова посмотрела в окно, оно было тёмным — «Газели» не было.

— Где они? — прошептала она.

— Сзади, — мрачно ответил Марат.

Он увеличил скорость, но дистанция между машинами быстро сокращалась. Из-под колёс с глухим звуком вырывалась вода, дождь лупил по крыше, фары пробивали ночь метра на три, не больше. Неожиданно Ингу мотнуло вперёд, она по инерции схватилась за приборную доску и только потом услышала звук удара.

— Таранят нас! — Марат бросал короткие взгляды в зеркало.

«Газель» снова подошла вплотную, удар, толчок, машину развернуло боком, Марат лихорадочно закрутил рулём, их повело, и Инге показалось, что они плывут по воздуху.

— Держись! — закричал он, но она уже и так вцепилась одной рукой за рукоять слева, а второй — за скобу над окном. — Ты обалдела? — заорал Марат. — Отпусти ручник!

230

Последовал новый удар, машину занесло, развернуло, и они оказались нос к носу с «Газелью». Их ослепили фары, Инга зажмурилась.

— Мана сине! — прорычал Марат, включил заднюю скорость и втопил педаль газа.

«Газель» не отставала. Инга упёрлась в неё взглядом, как будто пыталась оттолкнуть фургон от себя. Марат смотрел то в зеркало, то в навигатор. Потом на долю секунды мотнул головой и неожиданно взял резко вправо. «Газель» проехала мимо них. В этом месте дорога делала крутой поворот, «Форд» Марата вписался, а фургон — нет. Раздался противный скрежет, это водитель «Газели» ударил по тормозам, её понесло, и Инга с Маратом увидели, как фургон, показав раму и бешено крутящийся карданный вал, падает с дороги то ли в кювет, то ли в овраг.

Марат съехал на обочину. Руки у него дрожали, Ингу бил озноб. Они завороженно смотрели, как «Газель» переворачивается, как лопается лобовое стекло, распахиваются задние дверцы и из багажника в грязь вываливаются картонные коробки.

— Так им и... — начал говорить Марат. — Эй, ты куда опять? Стой!

Но Инга уже неслась к коробкам. Он выскочил следом.

— Смотри! — Она присела и перевернула одну из коробок. — Что здесь написано? Посвети!

Марат щёлкнул зажигалкой.

— П. Синегорье какое-то. — Он передёрнул плечами, вода скатывалась за воротник. — Слушай, они живые там? — сказал неохотно. — Может, стоит полицию вызвать?

— Посёлок Синегорье? — Инга отняла у него зажигалку, вгляделась в название. — Кирилл говорил, там военная база. При чём тут «Газель» из клиники?

Они синхронно посмотрели в сторону «Газели». Она лежала брюхом вверх, колёса ещё крутились. Идти туда совсем не хотелось.

Темноту разорвала маленькая оранжевая вспышка, они услышали громкий хлопок, и коробка рядом с ними подпрыгнула.

— Не поняла, — сказала Инга, но Марат уже бросился на неё, свалил с ног, мокрая трава забилась в нос и рот. Земля рядом с ними пускала фонтанчики. По ним стреляли.

— На счёт «три» бегом к машине, — скомандовал он. — Раз, два, — Инга рванула вверх по склону, — три! Марат дёрнулся было за ней, но Инга вдруг резко развернулась, чуть не сшибла его с ног и побежала обратно к коробкам. Мимо виска как будто пролетел на огромной скорости шмель. Стараясь не думать, она запустила руку в коробку, схватила пригоршню маленьких упаковок, побежала обратно, теряя их на ходу. По пути вспомнила, что видела недавно, как подростки в парке петляли, убегая от полиции, сделала зигзаг, не удержала равновесия, чуть не упала, обернулась и увидела, как человек от перевёрнутой машины несётся прямо на неё. Это придало сил.

Она буквально взлетела на обочину, Марат, перегнувшись через сиденье, что-то ей кричал, но она не поняла ни одного слова. Плюхнулась рядом, дверь закрывала уже на ходу. В руках она держала блистеры с таблетками. «Витазидон» — красовалось на обратной стороне. Сзади раздались выстрелы, и правое зеркало разлетелось в брызги.

ГЛАВА 21

Валерий Николаевич поёрзал в кресле, выстраивая зрительную ось: глаз, стакан, куда официантка лила масляно-жёлтый «Лагавулин», стекло галереи второго яруса, фигурка человека внизу. Фигурка приседала, выкидывая сцепленные руки с пистолетом перед собой, из дула вырывался дымок. Валерий Николаевич медленно разогнул второй палец на руке: «Двойной!», официантка склонилась вместе с бутылкой еще ниже, и жидкость утопила человечка с пистолетом с головой. Звуки выстрелов на второй ярус, откуда можно было наблюдать за происходящим в тире-полигоне, еле проникали.

Место для разговора Петряев выбрал не случайное — элитный Центр практической стрельбы. Пару лет назад Арег сам спросил у него про инструктора. Валерий Николаевич тогда дал ему самое лучшее, что у него было, — Мангуста, своего бессловесного верного пса. Никого профессиональнее по этому делу он не знал — поразительный глаз и отменная реакция.

Петряев нервничал. Бывало это с ним крайне редко, он очень не любил состояние тревоги и потери контроля над ситуацией. Даже в злые девяностые всегда знал: вывернется, подомнёт, уничтожит, но добьётся своего — любой ценой. Он карабкался вверх, цепляясь зубами. Где надо — ползал на брюхе, гнул позвоночник. Но как только чувствовал слабину — бил. А как иначе? Иначе он бы до сих пор семечками на базаре торговал.

Валерий Николаевич отхлебнул виски, сжал губы, чтобы сохранить аромат во рту, и глянул вниз. Арег, московский мажорный мальчик, старательно перебегал с рубежа на рубеж, менял обоймы, клал пули по выскакивающим мишеням направо и налево — чистый Голливуд, не наигрался еще в пистолетики! Себя Петряев таким не помнил, он всегда был цепким и хитрым, на слабо не вёлся и в дорогие игрушки не играл. Хотел настоящей, не муляжной, силы и власти.

А началось всё в Казани, больше двадцати пяти лет назад. Смешно сказать — с гальюна. В городе была сходка, приехали авторитетные люди. Он тогда работал по ларькам, собирал с коммерсов положенный процент. Его любили посылать к особо несговорчивым, потому что не жалел никого. Избивал с упоением, даже сладострастно, в мясо. Да ещё со всякими шутками-прибаутками. Погоняло тогда и прилипло — Петрушка, кукольный пройдоха тоже всегда веселился, когда лупил дубиной по башке очередного лоха.

Тем утром заказ он выполнил быстро: ларёчники уже знали, кто в городе и зачем, с порученцем самого Кости-Быка работали быстро и уважительно — и теперь Петряев пёр на себе два ящика спирта «Роял» по набережной. Погода стояла отличная. И солнце светило, и не жарко, бриз дул приятный. Волга серебрилась чешуёй, морщилась на ветру. А вот и яхта, название смешное: PulaDura. Тихо покачивалась на волнах. Петрушка сам перетаскал ящики на борт. Аккуратно так нёс, медленно, как золотое яйцо, по неверному трапу. Думал, вдруг повезёт, выйдет из белоснежной глубины сам Ваня-Колесо, увидит его, поманит пальцем. Мечтал. Украдкой посматривал в недра: сидят? разговаривают? И тут живот скрутило. Да так, что мочи не было терпеть. Петрушка посинел лицом, бросился к шестёрке, что недалеко от гальюна стоял. И тот, странное дело, пустил, видимо, испугался, что он прямо на палубу нагадит, — такое у него было лицо в тот момент выразительное.

Петрушка засел в сортире. Лоб в испарине, живот крутит нещадно, тошнота такая, что кишки выворачивает. Как первый спазм прошёл, он огляделся. Туалет оказался совсем небольшим, но таким же белоснежным, как и весь корабль. Рядом была душевая кабина. Надраено всё до колючего блеска. Дорогими духами пахло. Петрушку аж повело от лёгкости и приступа счастья: у меня такая же будет, умру, а будет!

И тут голоса. Он обмер, застыл камнем над отхожим местом. Не то что пошевелиться, дышать боялся. Голос одного узнал сразу — их местный Костя-Бык, его начальничек. Второго слышал впервые. Говорил-то в основном второй, коротко и ясно, почти без фени. Костя-Бык только поддакивал.

— Сработаешь чисто, отдам район тебе. Облажаешься — могилу себе руками голыми выроешь.

— Не подведу, — тявкнул Бык, как «Служу Советскому Союзу!» отчеканил.

Петрушка сразу сообразил, что к чему. Слухи о переделе ходили в городе уже неделю. «Не гнали, значит! Вот оно!» В груди замерло от предвкушения бойни. Страшно ему не было ни секунды. А было то же лёгкое чувство, которое минуту назад шепнуло ему, что ждёт его яхта не хуже. Теперь Петрушка знал, что на кровавой волне сможет вынырнуть со дна. Не продупли свой шанс, пацанчик!

Петрушка слетел с очка, подобрал штаны и рванул строить новую жизнь. Разыскал Кляпа, против которого и готовился заговор, предупредил. То, что он заложил своего же Костю-Быка (того вскоре нашли в лесу, голова была накрепко замотана клейкой лентой), Петрушку не парило. Теперь он был при настоящих делах. Кляп иногда говорил, поучая молодняк: «В нашем деле все равны — если есть талант и верность, то и из говна можно попасть в авторитеты!» — и косил на Петрушку с улыбочкой. Из банального рэкетира Петрушка превратился сначала во владельца ларьков по всему городу, а потом и вовсе сел на логистику: разрабатывал и отслеживал маршруты для трафика дури. Дело суперответственное, ну и уважения прибавилось во сто крат.

Из потока воспоминаний его выдернуло трезвучие телефона.

— Кого ещё несёт?

В эсэмэс была просто ссылка. Валерий Николаевич замешкался лишь на секунду, открыл: «Газета «Гардиан» получила подтверждение смерти репортёра Джекки Голдстоун. Неизвестный прислал в редакцию видеофайл с записью казни журналистки. Отвественность на себя взяла одна из террористических организаций, действующих на северо-западе Сирии. Джекки Голдстоун работала как фрилансер для английских изданий в районе Алеппо. Российские читатели помнят её по репортажам из Чечни, когда она попала в плен...»

— Загонял меня твой парень. — Арег опустился в кресло рядом с Петряевым. Вытер шею и лоб махровым полотенцем с монограммой клуба. — Что там у тебя?

— Хорошая новость. И ко времени. Наши с тобой предки бегали от мамонта, а теперь это называется спортом. Цивилизация идёт вперед. Рад тебя видеть, Арег, — протянул руку. — Выпьешь?

— Здравствуй, Валера. — Рукопожатие было сильным. Но Петряев сжал крепче. — Воды без газа.

«Не ломал ты хребет, сынок. И от мамонтов не бегал. Непростой будет разговор, печёнкой чую». — Петрушка отхлебнул виски.

Валерий Николаевич махнул официантке. Та без подсказки сразу принесла двойной.

— И воды принеси! — проводил взглядом, облизал губы. Дать бы ей по заднице, да так, чтоб вскрикнула, Зина-Зинуля.

Первый раз он сорвался, когда пятнадцати не исполнилось, — на «вечеринке». Чуть не убил тогда девчонку, успели оттащить. Перепугался, с тех пор старался гасить в себе этот «недочёт». Кляп как-то сказанул ему: «У всех свои косячки, Петрушка. Но если ты эту свою ктырь не сровняешь, то тогда мы сами тебя сровняем.

Ты меня понял, пемфигус грёбаный?» Кляп, когда злился, любил всякие непонятные словечки пользовать, часто вместо мата. Этот опасный разговор случился после того, как Петрушку отмазали от группового изнасилования. Он нужен был им чистый. Его двигали в большую жизнь, в политику. Сначала регион, потом область. А потом случился затык — положили Кляпа. Но Петрушка опять выехал, выжил, извернулся, и теперь вот в Москве депутатом.

Петряев научился контролировать эти сладкие приступы. Когда подкатывало, он представлял себе красную змею, которая начинала опутывать сначала пальцы на ногах, горячо облизывала их, потом поднималась до колен, становилась больше, надуваясь с боков, покрываясь чёрным узором. Если не получалось сбросить змеюку с колен, то потом уже было сложно — она забиралась в самые тёмные места, проглатывала сердце, лёгкие, мозг. Её узкий раздвоенный язык высовывался из его рта, зрачок превращался в вертикальную чёрную щель, а руки — в скользкие хвосты. И пока он не давал ей насытиться, извергнуть до конца яд из самого нутра, змея (а не он!) властвовала, корёжила, мяла, рвала... Но разве объяснишь такое кому?

Валерий Николаевич крикнул Зине, чтобы раскрыла над ними тент. Наблюдал, как она поднимает руки, как натягивается фирменная полупрозрачная кофточка на груди. Подвинул стул, как бы случайно провёл рукой по её юбке. Умная Зина сделала вид, что ничего не заметила.

Со стрельбища была слышна пальба, но на террасе было мирно, щебетали птички, от пруда неслись детские голоса вперемешку со взрослыми окриками. Война всегда была рядом с ним, но не пугала — звала. Он знал её тайны, слабые места, знал, как обмануть её и заработать на ней, используя черноту человека. Потому что в этой черноте, и это он знал наверняка, водятся те самые змеи, одна из которых сидела в нём.

Вдруг он увидел Ахмета — внизу, на парковке, в форме охранника центра. Он зашёл в будку, и теперь Петряеву был виден только его профиль сквозь бликующее стекло. Ахмет, склонившись, что-то писал в журнале. Валерий Николаевич вытащил телефон и сделал фото с максимальным увеличением. Вот же дьявол, что за камера, ничего не видно! Он переводил взгляд с телефона на окошко будки. Голова Ахмета исчезла. Сейчас он снова выйдет.

Опять ты тут? Чего вьёшься вокруг меня, как тот ворон? Это всё солнце, жара, нервы.

В начале нулевых Петряев возглавил благотворительный фонд «Мирный огонь». Основу фонда составил, естественно, общак. А когда начались похищения мирных жителей, деньги через его руки потекли рекой: ему объявляли из «леса» миллион, он говорил всем, что два. Так и пошло: один миллион в «лес», один себе. С оборотным капиталом проблем у Валерия Николаевича больше не было. Схема была отработана до мелочей.

С Ахметом его познакомил подполковник внутренних войск, в одну из первых поездок на Северный Кавказ в период скоротечного перемирия. Ахмет приехал с вооруженной группой, и Петряев своим цепким глазом не мог не заметить, как покровительственно он себя вёл. По-русски говорил без акцента, но неохотно, а в остальном был обычным головорезом. Вторая их встреча состоялась уже по конкретному делу: Ахмет привёз в условленное место первого заложника. Получил деньги, коротко сказал: «Буду информировать о новых заказах». Кто бы сомневался, что они будут. Валерий Николаевич без колебаний включился в процесс. Своих надо возвращать. И понеслось! Предметами сделок становились бизнесмены, журналисты, общественные деятели, директора предприятий — все, за кого семьи были в состоянии выложить крупную сумму. Позже это стало и задачей Петряева: найти тех, кто способен за короткий срок собрать деньги. Тут промашек быть не могло: на кону стояли не только его имя, но и жизнь.

Однажды, забирая из плена сына крупного коммерса, Петряев обратил внимание на часы Ахмета. Четверть миллиона баксов на руке бандита — вот уж точно, кому война, а кому мать родна. Кем ты был до этой заварухи — пастух горного аула? Нет, чем больше Валерий Николаевич общался с Ахметом, тем больше уверялся, что вырос он не в горах, а в средней полосе России. Ему становилось всё труднее выносить этот больной взгляд. По часам стало ясно: ставки выросли. Петряев чуял, что однажды не пронесёт — и он сам со всей своей смешной охраной окажется в плену, и никто не поможет, никто. А выплывут на свет его «комиссионные»?

Но как же удачно всё потом перевернулось, как сложилось одно к одному! Ахмет первым подставился, глупее не придумаешь — добровольно пришёл в наспех расставленный капкан, что наркота с людьми делает! Валерий Николаевич лично приехал на место, сам сделал контрольный, закрыл и этот счёт. А часы — то ли из бахвальства, то ли из туземного суеверия про силу поверженного врага, а может, просто от бесконтрольной жадности, приступы которой были иной раз сильнее похоти, — часы он забрал себе. Его совсем не смутило, что это часы мертвеца, он тут же назначил их талисманом своей кощеевой везучести. И что теперь? Является мне тут, сколько лет-то прошло?

Охранник вышел из будки, обернулся в сторону террасы. Обычная кислая рожа бородатого сторожа.

— Видно, важный разговор нам предстоит, раз ты меня так терпеливо ждёшь. — Арег маленькими глотками пил воду, наблюдая за Петряевым.

— Разговор важный, не скрою. — Уголок нижней губы слегка подрагивал. — Но и передышка всем нужна, согласись. Пообедаешь?

— Рано пока для ланча. Как Альбина? Стёпа?

— Неплохо. На море сейчас загорают, в Сочи.

— Стёпе ведь в школу в этом году?

— Да. — Петряев улыбнулся. — Смышлёный пацан растёт. Я в его годы и половины не знал, что он знает. И шустрый! Уже на дзюдо пошёл. — Валерий Николаевич довольно потёр руки. — А твои?

— Мои в Лондоне. Гурген заканчивает магистратуру, София с ним сейчас.

— Ты когда последний раз «за стеной» был?

Петряев решил начать издалека. Он знал, что Арег и главные редакторы крупных медийных холдингов вчера ходили на закрытое совещание в Кремль. Но пока ничего не просочилось.

— Вчера и был. — Арег глядел прямо на Петряева. — Дежурная встреча, руку на пульсе подержать. Всё спокойно, не переживай.

— Да я не о себе переживаю. Ты же мне не просто партнёр — друг! Мы сейчас всей страной что? Отрабатываем патриотизм. А если семья в Лондоне? Сын там, жена? Вопросов к тебе не возникает? Прикрыть не надо?

Арег нахмурился.

— Патриотизм, Валера, для меня не пустой звук. И не место проживания моей семьи. О родине можно красиво и много говорить. Армяне это любят и умеют. Но оставаться при этом чужим для неё. Я не просто генетически связан со своим народом, азгом, родом. Армяне — народ, рассеянный по миру. Но от этого он со мной всегда, каждое мгновение жизни. «Раса в крови, а не в цивилизации».

«Неудачное начало», — подумал Валерий Николаевич, а вслух сказал:

— Слышал я про патриотизм «малой нации», хоть и не кончал всяких там ваших иностранных эмбиэйев, — не удержался он, тут же подумал, что зря сказал, продолжил: — Согласись, это понятие устаревшее, искусственное. Это, в конце концов, покушение на твою индивидуальную свободу! Больше того скажу: ограничение твоих прав! Такой патриотизм мешает вхождению личности в большой мир, это все равно что провинциальный комплекс неполноценности... Нет, нет, дай мне договорить. — Петряев глотнул виски. — Хоть, как ты говоришь, раса в крови, а не в цивилизации...

— Это не я, это ваш Розанов говорит, — вставил Арег.

— И тем не менее, — немного сбился Петряев, — я считаю, что ты давно перерос этот детский патриотизм. Ты выше этого! — Он самодовольно откинулся на стуле.

— Валера, дорогой, ты не на трибуне, — тихо сказал Арег. — Я скажу, как думаю. В твоём понимании патриотизм значит родина для личности, а не личность для родины. Россия для тебя, что безвольная баба. Прилюдно ты восхваляешь её, показываешь со всех сторон, бьёшь себя в грудь, говоришь, как любишь, как защитишь, как не дашь на растерзание врагам. А потом, в темноте — сам же грабишь, насилуешь, все соки выжимаешь. Разве не так?

— Ты палку-то не перегибай, — процедил Петряев.

Валерий Николаевич побарабанил по столу.

— А помнишь, с чего всё началось? — Петряев изобразил улыбку. — Что мы тогда гуляли? Корпоратив такой не слабый был? — Арег молчал. — У меня сцена до сих пор перед глазами. Так и вижу, как та певичка нахлебалась водяры и решила станцевать на столе. Да с этого стола и гробанулась. А потом встала и давай отплясывать как ни в чём не бывало, а рука не в ту сторону смотрит, как нога у кузнечика. Помнишь?

— Помню. Ты тогда позеленел весь от ужаса.

— Было, не скрою. А кто б не позеленел? Зомби-апокалипсис настоящий, и главное, на меня как попрёт! — Петряев рассмеялся и сразу оборвал смех. — А всё твои таблеточки. Испугаться-то я, может, и испугался, но сразу смекнул, кто у нас эти таблетки с руками оторвёт. Было?

Арег неохотно кивнул. Помолчали.

— Слышал, ночью неполадки были с четвёртым перевозчиком? — спросил Петряев.

— Улетели в кювет, — ответил Арег, — дождь сильный. Потерь по товару никаких.

— А стреляли по кому? — мирно поинтересовался Валерий Николаевич.

— Я всё уладил, Валера, — сказал Агаджанян. — Не беспокойся. Персоналу сделан... скажем так, выговор. История никуда не попадёт. Не у одного тебя связи, Валера.

— Шумихи не будет?

— Её нет, как видишь. Нам обоим нужна тишина. Тишина и есть.

— Но из ментовки к тебе приходили. — Петряев выжидательно смотрел на Арега.

— Это по другому делу.

— Знаю. Секретарша твоя неаккуратно умерла. Я, как видишь, руку на пульсе тоже держу. — Петряев удовлетворённо хмыкнул. — Дело в ближайшее время закроют, мента этого настырного уберут. Хрущ мне обещал. А он мне должен, так что не сомневайся. Неплохое у тебя прикрытие, Арег, жаль, мало ценишь.

Арег допил воду, посмотрел на часы.

— Ты о деле хотел, — сказал он. — Так говори.

— Увеличить объём можешь?

Арег задумался.

— Смотря на сколько и для каких нужд.

— Заказчик самый верный — война.

Арег не мигая смотрел на Валерия Николаевича.

— Заказчика не из Баку ли привёз?

«Сука!» Петряев даже поперхнулся. Что он знает? Конференция по Каспию — тот ещё секрет, даже в программе «Время» репортаж был. А вот про встречу в ресторане с этим ужом Гулиевым могли ему слить? Кто? Да кто угодно! От портье до официанта. Да хоть сами люди Гулиева. Да хоть контрразведка — любая из трёх.

— Какая разница, Арег! — Петряев старался сохранить беспечный тон. — Баку, Шмаку... Люди верные, позиционирование хорошее, работают от государства, но формально сами по себе, поставки бесперебойные. Ты пойми, — Валерий Николаевич придал голосу благодушия, — они предлагают за наш товар не деньги. Железо! А ты знаешь, что это для нашего бизнеса значит? Нет? Мы войдём в систему. Пока мы военным частникам продаём таблеточки, мы кто? Так, коммерсы на аутсорсе, третий эшелон. Раз — и нету нас. А если мы станем поставлять им оружие, да ещё когда оно в дефиците? Не они нам будут диктовать, когда, чего и сколько, а мы сами, сами, понимаешь? Мы будем руководить всем процессом. А спрос на услуги профессионалов есть, и рынок есть. И ближний Восток, и Африка, и всякий, как его, Лаос. Это и есть размах, это и есть бизнес. А не журнальчики с больничкой.

— Зачем тебе это, Валера? — спокойно, даже слишком, нехорошо спокойно спросил Арег. — Денег у тебя море. Дом — один, два, три? Я даже не знаю, сколько у тебя домов. Яхта есть, мечта твоей жизни, я помню, ты рассказывал. Положение? Лучше некуда! Депутатская неприкосновенность. Зачем туда лезешь, Валера?

— А ты не понимаешь? — Петряев говорил всё тише. — Война — это тебе не с пестиком туда-сюда побегать и пошмалять под присмотром Мангуста. Война — это для настоящих мужиков. Таких, как я. Таких, как Мангуст. Да, Мангуст? — Петряев обернулся к телохранителю, который всё это время стоял за его спиной. — Только он не скажет тебе. Потому что на войне, настоящей войне, ему челюсть раздробило.

— Ты путаешь понятия, Валера, — сказал Арег. — Мангуст воевал, потому что у него не было выбора. Ты не воевал. Ты наживался на войне. И продолжаешь наживаться. Ты скармливаешь наш препарат своим воякам, делаешь их выносливыми, бесстрашными, бесчувственными к боли.

— Я делаю их идеальными солдатами! Я даю им шанс выжить!

— Ты даёшь им шанс погибнуть быстрее.

— Что же ты сейчас мне тут о высоком, Арег? — Петряев отёр лоб салфеткой. — Обвиняешь меня в жажде наживы, а сам? Разве препарат не твой?

— Мой. — Арег медленно кивнул. — И учёный мой. Я его нищим подобрал, когда ваша страна от него отказалась. Я дал ему лабораторию. Я хорошо ему плачу. И я жалею, что поддался на твои уговоры и подписал контракт с военными.

— Далеко бы ты уехал на своём шоу-бизнесе! Вся власть сейчас у силовиков. И деньги там же. Клиника твоя давно бы обанкротилась, если бы не я!

— Свою часть уговора я выполнил. Я человек слова. У вас в Казани это называлось «понятия», для нас, эмбиэйевцев, которых ты всей душой презираешь, — это репутация. Слышал такое слово? Думал ты о репутации, когда под Чечню общак воровской сливал?

Оба замолчали. Арег смотрел, как у заборчика играют собаки — два терьера. Девушка бросала им разноцветные мячики, и они с упоением за ними гонялись.

— Я ценю твою откровенность. — Петрушка собрался с силами и продолжил, как мог, спокойно: — То, что мы делаем, для всех хорошо. Сам подумай: мы в Баку таблетки, они нам советское железо. Мы его — своим в Синегорье по проверенным каналам, пусть пользуются, а фактически — на списание. Но свято место пусто не бывает — Баку оружие нужно? Они куда пойдут? В Израиль, в Штаты? Чёрта лысого! Там армянское лобби им отлуп устроит. Они сюда, в Москву прибегут как миленькие. А где Баку, там и Ереван — им же надо оборонять то, что они захватили, Карабах там и всё прочее...

— Валера, это исконно армянские земли. — Арег вздохнул.

— Это, если хочешь знать, настоящий патриотизм, мы даём возможность людям защищать свою землю, свою родину. Как мужчинам, с оружием в руках. Чтобы их дети могли гордиться своими отцами.

— Я тебе, Валера, одну историю расскажу, не возражаешь? — Арег сидел на стуле с прямой спиной, руки лежали на столе. — У моего отца был друг, кинорежиссёр, а у него была жена — азербайджанка. Годы были советские, интернациональные. Они жили в Баку, снимали кино, приезжали в Москву, останавливались всегда у нас — Армен и Эльмира. Он — армянин, она — азербайджанка. Армен ещё ковры собирал, персидские, азербайджанские. Так вот, когда в Баку началась заваруха в конце восьмидесятых, народный фронт и прочее, погромщики пришли в их старый бакинский дворик, искали армян. Армена выдали соседи, с которыми они всю жизнь жили душа в душу. Его и других армян вытащили, завернули в коллекционные ковры, облили бензином и сожгли. Эльмиру-ханум тоже хотели сжечь, но она сбежала, в одной ночной рубашке, добралась до расположения советских войск, те её посадили на паром в Красноводск, а оттуда она подалась в Москву. И позвонила в нашу дверь... Отец мой умирал тогда, рак у него был, так вот последнее, что он сказал мне перед смертью: что бы ни было, заботься о ханум. Я её потом пристроил на телевидение, она у Волохова работала, пережила его на два месяца... Вот таким отцом я горжусь и всегда буду гордиться.

Снизу со стрельбища донеслась серия глухих выстрелов. Кто-то азартно кричал: «Вали! Вали его!» Девушка собирала на полянке цветные мячики.

— Оружие уже в пути, я правильно понял? — спросил Арег. Петряев кивнул. — И теперь ты должен им таблетки. Валера, послушай меня: у нас с тобой деловые отношения. Из бизнеса я выходить не собираюсь. Подводить тебя мне невыгодно. Это я понимаю.

Было видно, как ему трудно говорить. Арег медлил, и Петряев уже знал, что тот скажет.

— Нет, ты не понимаешь. Это очень серьёзные люди. Даже для меня очень серьёзные. И они ждут, Арег. Ждут. Это-то ты можешь понять? Мне нужны эти грёбаные таблетки! — закончил Валерий Николаевич почти на крике.

Арег поднял стакан с водой на уровень глаз и посмотрел на Петряева через стекло, как будто прицеливался.

— Зря ты с ними связался, — тихо и раздельно произнёс он, встал, положил на стол пятитысячную купюру и ушёл.

ГЛАВА 22

Я отстрелялся первым. Не было ни робости, ни нетерпения. Рука легла на затвор, как там всю жизнь и лежала, и глаз быстро выбрал удобную оптику: навёл чёткость на мишень, на мушку, потом на прорезь целика — как невидимые фишки на линии расставил. По команде «Огонь!» выпустил шесть одиночных. Тело оказалось готово к отдаче, плечо не дёрнулось. Жаль, не полный магазин. Сержант проверил мишени: из нашего отделения только я один выбил восьмёрку и девятку.

На зрение я никогда не жаловался — да нс в остром зрении дело, я как-то сразу научился понимать оружие, его внутреннюю цельность. Брал в руки и уже знал, на какую дальность поражения оно рассчитано, какую погрешность может дать. Так было и с первыми «АК74» и «АКМ», и с граником, и позже с оптикой. С крупным калибром, правда, не пришлось познакомиться, но чувствую, я бы не растерялся.

На вторых стрельбах я уже спокойно выбивал десятку. Взводный таскал меня на все показательные стрельбы, даже соревнования какие-то проводились по этому делу, грамоту мне дали. Вот и всё, чем мне запомнилась срочная служба. Дружбу я ни с кем не свёл, а в свободнос от стройподготовки и учёбы время лежал на втором ярусе, спал или изучал оборванную карту родины, что висела у нас в казарме. Она до того въелась мне в мозги, что потом, попав на Северный Кавказ, я представлял себе, как хожу по горам, как по бурым и коричневым её пятнам. Парни на той карте флажки ставили, кто откуда родом. Со мной смешно вышло: никто не мог найти мой город, и я, само собой, не знал — потому что бросил школу ещё до первого урока географии. Мы потом сфотографировались на фоне карты, я долго хранил эту чёрно-белую фотку с росписями на обороте, но она потом сгинула куда-то.

А ещё, конечно, красива южнорусская весна. Начиналась она в конце февраля, сразу бешеным солнцем и ручьями, в апреле уже всё цвело, а в мае созревала первая черешня. Мы в увольнительных объедались ею до колик. Сады стояли без охраны, брошенные, а часть наша находилась всего в километре от бывшего колхоза.

Два года пролетели незаметно. Товарищи мои ждали дембеля, писали своим девчонкам, родным, я болтался, как сапог в проруби. Не к кому было возвращаться, да и что там от дома осталось?

Мать я последний раз видел в день призыва — исхудала совсем, на лицо потемнела, волосы поредели. Она обняла меня, я быстро ткнулся лицом в розовую кожу головы, потом в щёку, схватил рюкзак и убежал. Провожала меня одна она: отец отбывал ходку по бытовухе, а Витальку мы, считай, уж два года как похоронили. Пропал без вести в Грозном, в январе девяносто пятого. Их батальон тогда первым вошёл в город. Мать сначала обивала пороги, письма армейскому начальству писала, но знающие люди сказали: не ждите понапрасну, надежды нет.

Уже в части, перед присягой, я получил письмо от тёти Светы, соседки нашей. Она писала, что мать утонула в Волге. Утопилась. Тела её, правда, не нашли, но на берегу остались её туфли и замшевая сумочка. Я даже вижу, как это было: как она разувается на берегу, роняет на песок сумку и входит в воду, крестится и молитвы шепчет. А день солнечный, жаркий, на мелководье малышня плещется. И тополя на ветру шумят.

Так что дома, как я думал, никто меня не ждёт. Но я ошибся: дома обосновался целый табор. Отец, освободившийся за год до того, связался с женщиной, тоже с зоны, и она привела в наш дом своих детей, и ещё одного они с отцом родили. Я ступил на порог и почувствовал себя оккупантом, в этом своём дембельском камуфляже и кирзухах. Дети высыпали глазеть, малой заорал, его рябая мать с матом кинулась на меня.

Не торопясь, вразвалку из комнаты вышел отец и по знакомой ненавистной привычке сплюнул на пол. «Выйдем, бать?» — предложил я. Он сделался какой-то маленький, щуплый, косой на одно плечо, а левый глаз заплывал бельмом. Он меня ненавидел всеми своими бельмами и пустотами, пальцы скрючились и уже не распрямлялись. Он хотел, чтобы я провалился сквозь землю, но я стоял и смотрел, как он роется в карманах худых штанов в поисках сигареты. «Пришёл, да? Ети твою душу мать», — похабно бормотал он. И ушёл в это тупое злобное бормотание, как в колодец.

Я представил себе, как мать заходит в воду, как снимает с головы платок, как в последний раз шепчет наши имена — отчего-то я был уверен, что моё она прошептала дважды, а Виталькино — раз пять, не меньше. Я испытал прилив злобы, да такой, что глаза залило алым и горячим, аж вскрикнул. Схватил отца и с силой придавил к грязной штукатурке, раздавить хотел, размазать, чтоб осталась от него лишь вонючая лужа, которую можно подтереть тряпкой. Он икнул и затрепыхался, но силы были неравны. Я ударил его затылком об стену, и на этот звук, как на зов войны, выскочила она, рябая, в халате, и молча вцепилась. Я сбросил их обоих на пол, выругался и пошёл по лестнице вниз, бормоча в отцовской манере заклятия, что никогда больше не ступлю на порог этого дома.

Пусто, пусто кругом.

Не помню, где я ночевал. Ни эту ночь, ни следующую — ничего не помню. Кажется, нашёл кого-то из старых корешей, и он мне поставил в коридоре раскладушку. Не всех нашёл, это правда. Кто уже был на зоне, кто в земле. К бабке в деревню податься? Узнал, что померла, а дом разграблен.

Я помыкался в городе пару месяцев, перебиваясь случайными заработками, грузчиком в основном. Охранником не брали — места блатные все схвачены. Лакокрасочный завод закрылся, и в его корпусах теперь расположились казино и сауны. Я написал пару слов нашему старшине и неожиданно быстро получил ответ: «Приезжай, есть работа». И адрес в Ставрополе. Я тут же ночным поездом в Москву, оттуда — на юг.

Медкомиссия заняла полчаса. И после неё пустота наконец закончилась.

Я думал, что горы покрыты сверкающим снегом, но нифига: они покрыты туманом, и всё, что ты видишь, — это каменные выступы и расщелины. Иногда из расщелин стреляют, и тогда ты бросаешь туда гранату или даёшь автоматную очередь в ответ, смотря что у тебя в руках. Одну гранату я хотел оставить себе на всякий пожарный, но ребята подняли меня на смех — от её ударной силы хватит разве только покалечиться. Так что лучше проверенного «АК» ничего нет. Так я с ним и сросся.

Поначалу оружия нам не давали. Предполагалось, что наш батальон не попадёт в зону боевых действий. Пару месяцев мы простояли в километре от жарева и видели только летящие на восток вертушки. Приказ отправляться пришёл в ноябре. Все были на нерве — хотелось пострелять, я это видел. Но когда первые выстрелы ударили по кузову нашего «ЗИЛа», прошили брезент — обычная дорожная засада, — я увидел у кого-то в глазах ужас, как у пойманной крысы, и инстинкт кинул их вниз на доски, а Витька заржал и, наоборот, высунулся по пояс наружу, тряс кулаком и ругался. Машина взревела, набирая скорость, нас неслабо тряхнуло, дорога была вся рытвинами. Я тянул Витьку за комок, но он вцепился в борт и продолжал орать, да так истошно, что я не слышал свиста пуль. Именно тогда я мельком, сквозь прорехи брезента, увидел пейзаж, среди которого пришлось потом жить три года — неровные рыжеватые скалы и островки кустов. Огонь шёл сверху. Когда Витька наконец умолк и обернулся к нам, я увидел, что у него отстрелено пол-уха и весь ворот залит кровью. Он довольно скалился.

Мы сделали остановку через час, когда прошли ущелье и выехали на равнину. Витька получил первое взыскание. Не хотел бы я оказаться на его месте.

«Ты больной, что ли? — спросил я. — Оно тебе надо, нарываться?»

«А ты чё, хочешь молчком сдохнуть? Как котят в мешке везут на убой — противно. Да пусть меня всего лишат, довольствия, отпуска, но вот так без звука от шальной пули отдать концы — не хочу. А уха мне не жалко, новое вырастет», — и заржал опять. Автомат у него забрали, и он с месяц болтался без оружия.

Позже я понял, что он сделал лучшее, что мог, — проорал свой первый страх в пространство, в чужие горы, считай, выкинул врагу в лицо. И успокоился. Те ж из нас, кто в первом обстреле залёг под лавку, ещё долго не могли прийти в себя и вздрагивали от шороха.

В лагерь прибыли под ночь. Костры никто не зажигал. Тормоз караульный проверял бумажки, подсвечивая себе фонариком. Палатку разбивали в темноте, место нам определили неудобное — на склоне. С хозобеспечением оказалось негусто — выдали двухъярусные раскладные нары, топчаны, спальных мешков на всех не хватило. Хорошо, кто-то из наших, видимо, знающий, имел с собой походную печку, а то бы помёрзли в первую же ночь. Утром я огляделся: мы стояли на узком плато, справа горы, слева — долина с рекой и деревней по обоим берегам. Потом всё заволокло туманом, и этот туман вперемешку с изморосью стал нашим проклятием на долгие дни.

Туман был влагой и холодом — злее врага не найти. Припадая к земле, он превращал её в чавкающую жижу. Он заползал в палатку и лизал дрова, они коптили. Потом — в рукава бушлатов, студил кости. И наконец, из тумана могли выстрелить в любой момент.

Имя своё я забыл сразу — слишком много его было вокруг. Кличка Мангуст так и присохла к моей шкуре. А ухо у Витьки действительно отросло — не в прямом смысле, конечно. А в смысле, что он слышал рокот бэтээра за километры. Так мы и сдружились помаленьку. Автомат ему вскорости вернули, больше истерик не было. Оказалось, что мы с ним навроде тех индейцев — Чуткое Ухо и Соколиный Глаз, и комвзвода Дымов, имевший прозвище Африка из-за тёмного родимого пятна во всю щёку, завёл привычку посылать нас в разведку. Старика брали для прикрытия, ну и радиста. Ходили обычно на день, на два, в деревню или берега осмотреть. Там в деревне я впервые увидел вооружённого чеха. Он стоял у изгороди и курил, «калаш» через плечо, поновей моего будет. «Не дёргайся, — тихо велел Старик, — первыми мы огонь не открываем». Прошли мимо. Как так, подумал я, вот же враг, бей его. Ждать, чтоб он первый нас на мушку взял? Но Старик ничего не объяснил. И долго я не втыкал в эти странные понятия: когда можно бить, когда нет. И кто, блин, включает это дебильное положение «вне игры»? Позже, к вечеру, этого чеха мы всё-таки подорвали. Возвращались в сумерках той же дорогой, как вдруг Витька тормозит нас и на чердак дома показывает: затвор, мол, щёлкнул. Мы падаем на землю, и тут же поверх наших голов трассёры. Ну, мы «шмеля» кинули, чердак всколыхнулся, послышались проклятья на чужом языке. Весь боекомплект гранат на тот дом извели, вернулись в лагерь налегке.

Прицельно стрелять мне выпадало редко. В основном палишь наугад, на случайный огонь. Но один раз, помню, моё умение сослужило большую службу.

Ходили мы в дальнюю разведку и в одном селе — надо ж так вляпаться! — попали под артобстрел «Градами». Если есть на земле адское мочилово, так это оно. Первое, что наступает, — глухота. Параллельно с ней теряешь ориентир. Потому что небо и земля взрываются. Одновременно. Нет, земля на секунду позже неба. Эти разрывы чувствуешь всей кожей — она натянута как барабан, и кажется, что весь сейчас лопнешь и уши вот-вот лопнут. Ноги не держат. И голова бухнет от приливающей к глазам крови, и её тянет вниз, вниз... к дрожащей земле.

Я лежал, схватившись за голову, а Старик бил меня ногами, тянул к перелеску. Снаряды накрывали дома один за одним, людей не было видно — либо сидели в подвалах, либо ушли раньше. Я кое-как поднялся, добрёл до зарослей. Обернулся — село полыхает. У крайнего горящего дома я увидел собачью будку, а рядом с ней на привязи бился взрослый щенок овчарки. Между нами было метров сто. Я выхватил у Старика автомат. Он орёт: «Куда?» Я оттолкнул его, упал на землю и навёл прицел. Щенок метался, не давал прицелиться, но я дождался момента и двумя выстрелами перебил поводок. И он, с опалённой шерстью, бросился к нам, такой же оглушённый, скулящий и тёплый.

Тузик прожил у нас несколько месяцев. Кривая овчарка с одним висящим ухом. «Смотри, как на тебя похож!» — подкалывали мы Витьку. Кормился он сам, добывал себе мышей, кротов из-под земли. Потому что у нас к зиме осталась одна сечка и макароны были за радость. Перед Новым годом заболел тощий длинный Курский, да как заболел — кровью харкать начал. Понятное дело, его сразу отправили в госпиталь, нам в палатке дезинфекцию устроили, хоть этого добра ещё было порядком. Но до меня пока не доходило, чем это кончится. Когда вернулся из очередной трёхдневной вылазки, злой, вымокший до последней нитки, и позвал «Туза! Туза!», а он не выскочил на зов, — тогда только понял. В кухонной палатке стояла сладковатая вонь, мне досталось немного бульона с кусочком серого мяса. «Ешь, не выёживайся», — сказал Старик. Для него это была вторая война, он знал, чем спасаться от туберкулёза.

И я съел. Бога на войне нет.

В тот же день мы получили приказ сниматься с места и идти на Грозный. Там шли бои, и наша задача была преградить путь боевикам. Но они прошли по головам, сквозь гранатомётный огонь и фугасы, положили немало наших. Я видел их лица, терять им было нечего.

Последний мой разговор со Стариком случился накануне боя, мы ночевали в ледяном бэтээре. Он рвался в город с самого начала, только и говорил о нём: что-то он там забыл, что-то мешало ему жить все те годы после. Рассчитаться с кем-то вроде надо было. Тогда я и спросил про брата, не встречал ли Старик его там. «Не видел», — ответил он. И оборвал разговор. На другой день его прошило автоматной очередью. А нам с Витькой удалось выйти из этого пекла без единой царапины.

В полдень мы подошли к Грозному, и кажется, впервые вечный туман рассеялся. Я взял бинокль и рассматривал то, что осталось от города. На солнце блеснул позолоченный крест. Православная церковь! Почти невредимая.

Мы решились на вылазку на другое утро, хотя в условиях боевых действий самоволка каралась жёстко. Витька сказал, что одного меня не пустит. На улицах ни шороха, базар пуст, несколько кварталов лежали в руинах. Официально город не считался взятым, но чехов уже не было — все уходили, как могли. Церковь была открыта, шла служба, внутри мы увидели с десяток женщин. Должно быть, мы смотрелись дико — в брониках, касках и с калашами, но священник окропил и нас, и оружие. После службы мы подошли к нему. Молодой, в тёмном подряснике, отец Симеон выглядел бы нашим ровесником, если бы не борода. «Покрестить нас можете, батюшка?» Он назначил день, дал нам с собой яиц и сухого печенья — прихожане по-прежнему приносили дары. Мы вернулись в полк целы и невредимы, так никого по дороге и не встретив.

В назначенный день прийти нам не удалось — не умолкая, била артиллерия, с наших позиций мы наблюдали столбы чёрного дыма, скрывшего под собой всё, даже пламя. Потом мы вошли в город колонной. Наши написали на броне: «Мы вернулись» или что-то на вроде того, я особо не вчитывался. Для кого-то это и правда было возвращение.

В церкви Святого Георгия одна стена была разрушена полностью, купол зиял прорехами, но алтарь уцелел. Так он нас и крестил — под голыми балками, среди обломков кирпичей, считай, под открытым небом. И железный крестик, что он тогда дал, я ношу до сих пор, пусть меня с ним и похоронят.

С отцом Симеоном мы подружились. Полк ушёл на юг, продолжать войну, а наш батальон оставили обеспечивать тыл и поднимать город из руин. Я много времени в церкви провёл: вывозил мусор, клал новую стену. Госпиталь рядом восстанавливали. Прибывающие с юга раненые говорили: «Да у вас тут курорт!» Война шла своим чередом, но уже без нас.

Но окончательно мы поняли, что находимся в тылу, только когда приехал Валерий Николаевич. Я не сразу узнал в нём казанского Валеру Петряева, Петрушку, который подчинил себе Зуба и всю нашу банду. Как и тогда, он приехал на готовенькое — когда вся тяжёлая работа была сделана. Десять лет прошло? Меньше? Он сделался грузным, лицо ушло в красноту, но глаза были всё те же: брезгливые и колючие. Ну и костюмчик был не чета нашему камуфляжу — чистенький. И ботинки — боже мой, он приехал в ботинках! Где он ходить собирался этими ботинками? Я глупо скалился, стоя навытяжку в штабе. Взводный, тот же неутомимый Дымов, приставил меня к нему.

Так я нежданно-негаданно получил новое и, как оказалось, постоянное задание: сопровождать члена миротворческой комиссии в командировках по районам боевых действий.

Телохранителей у Валерия Николаевича было двое: один, кореец, носил пистолет Макарова, другой, бритый, — новейшую оптику, но в нужный момент ни тот, ни другой не смогли привести их в действие. Пистолет заклинило, а оптику бритый просто бросил, ушёл в отказ. Момент этот настал ровно через неделю после того, как я поступил в распоряжение Валерия Николаевича.

Мы двигались в районе Комсомольского, дорога сузилась и проходила сквозь недлинное ущелье. Кореец то и дело требовал от водителя прибавить газу, но из-за ям ехать больше тридцати не получалось. За поворотом путь нам преградили трое бандитов. Не вояки, оборванцы, видно, что измождены, в руках допотопные карабины. Кореец выхватил пистолет и стал им безуспешно щёлкать. Я не успел прикрыть, уложили его пулей, загалдели. Взял я корейца на руки, под мёртвым телом держу автомат. И пошёл прямо на чехов. Одной очереди хватило. Потом направил автомат вверх, палил по скалам.

В ответ не было выстрелов, видать, никого в засаде не оставили. Мальчишки, лет шестнадцати.

Обернувшись, я увидел, как бритый, бросив оптику на землю, со всех ног бежит назад, мои пули отскакивали от камня и дождём сыпались вокруг него.

Я посмотрел на Валерия Николаевича.

— Чего ждёшь? Стреляй его, урода! — крикнул он зло.

И я поднял автомат и выстрелил бритому в спину, сам не знаю почему. Выстрелил в спину не врагу, а нашему парню, может быть, моему земляку, просто повинуясь властному голосу Хозяина.

Я сгрузил их трупы в машину. Оптику бритого Хозяин вручил мне.

— Будешь со мной ездить.

Он так меня и не вспомнил. Да и понятно, кто я был тогда. И кто я есть сейчас.

Хозяин приезжал раз в пару месяцев, обычно его сопровождали одни и те же люди, мы колесили по освобождённым районам, иногда забирались и в горы. Я как-то сказал ему, что в горах сильно небезопасно, можем нарваться конкретно. Он ничего не ответил. Ну, ясное дело, они там, в Москве, лучше знают, где опасно, а где нет. Может, и война уже кончилась, а нам пока не сообщают? Из тактических соображений. На дорогах я часто видел вооружённых чехов на джипах, спокойно едущих по своим делам. Опять включили режим «вне игры»?

В общем, за то время, что я его сопровождал, я увидел куда больше, чем за время боевых действий. В этом краю есть сады и чистейшие озёра, совсем мирные земли, без воронок, и дома без следов пуль на штукатурке. В переделки мы больше не попадали, Бог миловал.

Чуть позже я понял, чем он занимался: вёл переговоры по освобождению пленных. Мы бывали в высоких домах, Петряев сидел за богато накрытыми столами, не спеша беседовал с хозяевами. Мне с этих столов тоже перепадало, я потом нашим привозил угощение. Правда, пленные были какие-то странные: не солдаты, вообще не военные люди. Мужчины, женщины разных возрастов, с блуждающими глазами, они щурились на свет. Они, казалось, не понимали, что происходит, когда их передавали в руки нашей группы, некоторые плакали.

Дело и правда шло к миру. На восстановление города приехали специальные бригады, а нашу часть перевели южнее, в поддержку внутренним войскам. Несколько месяцев я отслужил на блокпосту. Вэвэшники проверяли документы, досматривали машины, а мы у них были в качестве силовой поддержки. Тут-то она меня и поджидала, судьба моя.

Остановили ничем не примечательный «уазик» с фургоном. Водитель там и пассажир, оба заросшие бородой по самые глаза, пассажир ещё и в очках. Лето, жара под сорок, солнце слепит. Туда-сюда, документы в порядке, открывайте фургон. Открыли — в нём овцы, да не пара-тройка, а битком. Лейтенант, начальник смены, так и присвистнул: вы что ж это так со скотиной неаккуратно? Глядим, а овцы не на полу фургона стоят, а на каких-то досках, и доски те щедро засыпаны сеном. Показывайте, что там. Водитель затараторил, мол, всех овец выгружать, как мы их обратно потом? Открывай шлагбаум, ехать надо. Пока он препирался с лейтенантом, я стоял поодаль. Пассажир «уазика» вышел из кабины, вытащил пачку сигарет и не спеша прикурил одну. Я следил за его движениями. Этот жест. Эта манера облизывать фильтр перед тем, как зажечь сигарету. Я её узнал...

Овцы с фырканьем спрыгивали на землю, одна за другой, волоча за собой сено. Доски под ними оказались ящиками, и лейтенант начал их вскрывать. На солнце блеснул металл. В ту же минуту водитель выстрелил ему в спину, развернулся ко мне, но тут я быстрее был, уложил на месте. Пассажир бросился в «зелёнку», в лес то есть. По инструкции я должен был стрелять, но не мог. Больше всего я боялся, что наши, кто был на дежурстве в тот день, выскочат из вагончика и начнётся перестрелка. Я рванул в лес за ним.

Он был налегке, бежал уверенно, то тут, то там между деревьями мелькала его спина. Я с шестью кило наперевес безнадёжно отстал сразу же. Жара. И когда понял, что точно не догоню, я от отчаяния дал предупредительный в воздух и закричал во всю мощь лёгких: «Виталя-а-а-а-а-а-а!»

Треск в лесу стих. Я шёл наугад. Он стоял и ждал меня, направив в мою сторону короткий ствол. Я снял кепку, вытер пот. И тогда он тоже снял свои тёмные очки и долго, изучающе смотрел на меня.

Никаких «здравствуй» мы друг другу не сказали. Не обнялись. Я каждую секунду ждал, что он выстрелит. Он смотрел с лёгким презрением — так, как смотрел в детстве: «Откуда ты тут взялся, салага?» И он был так сильно узнаваем по этому презрению! Как он тогда держался в ментовке, как сплёвывал на пол, подражая отцу. И сейчас это презрение было при нём, держало меня на расстоянии вернее, чем дуло. Если бы не оно, что бы осталось от него прежнего? Худой, очень бледный, заросший бородой, на правой щеке два косых шрама, один из них тянул книзу глаз. Чужой.

— Мне нужно это оружие, — сказал он хрипло. Я заметил, что у него нет нижних зубов.

— Менты его отправят в город. Там разбираться будут.

Мы говорили недолго, он торопился. Я многое понял из тех скудных фраз, что он нехотя бросал мне, как куски гнилого мяса собаке. Что он попал в плен и принял ислам, что сейчас работает на высокопоставленных людей. Что его теперь звать иначе — Ахмет. И что ему позарез нужны эти чёртовы ящики с оружием. Я, конечно, соображал, что всё это значит. Я начал было рассказывать о себе, но он оборвал меня:

— Ладно. Узнай про ящики и сообщи мне. Через три дня я буду в городе.

Мы условились о месте встречи — я предложил церковь Святого Георгия, там вряд ли можно опасаться патруля. Он кивнул:

— Всё, бывай, брат, — хлопнул меня по плечу и скрылся, как и не было его.

Стой! Подожди! Крик изнутри раздирал меня. Даже сейчас, когда он был в таком положении и вроде как нуждался во мне, — даже сейчас он обращался со мной как с салагой. И эта уверенность, что я стану служить за одно лишь слово «брат», до которого он снизошёл. И я тихо завыл от унижения, от горечи и от счастья, что он всё-таки нашёлся.

Из фургона наши вытащили двадцать ящиков с оружием, в основном новенькие «ксюхи» производства Тульского завода. Прибывший на место происшествия капитан внутренних войск был доволен — считай, не допустили попадания крупной партии оружия в руки бандформирований. Трупы лейтенанта и водителя увезли в морг.

ГЛАВА 23

— Так, Нунэ? — Мариам неловко орудовала ножом. — Получается у меня? Следующее что?

— Да, деточка, молодец. Печёнку порезала? Теперь мелко сердечки. А я пока с кинзой и базиликом разбе русь. — Нунэ оторвала от них по листику, понюхала. — Чувствуешь, какой запах?

Мариам нырнула лицом в фиолетовый пучок и заговорила оттуда:

— Как это блюдо называется, не могу запомнить? Какой-то вжик? Никогда не ела.

— По-армянски правильно тжвжик, жаркое с потрошками, папа твой любит. Скоро приедет, мы его и порадуем.

Без Леоноры в доме наступали тишина и умиротворение, будто вулкан под ним временно затух. Не хлопали двери, от звонков не разрывался телефон, собаки беспокойно не лаяли, а дремали в креслах, скрутившись в мягкие баранки, в комнатах было неуловимо светлее и не пахло вечными гиацинтами. В такие дни Мариам не сидела у себя, как делала обычно при матери, а спускалась к Нунэ в кухню.

— Ты скоро? У нас ужин почти готов, стол накрываю. — Она прижала телефон щекой, доставая тарелки из буфета. — Нет, знаешь, я передумала! Всё будет по-другому, приезжай, сюрприз! — И вернула их на место.

— Что задумала? — Нунэ помешивала в глубокой сковороде.

— Никаких тарелок, никаких церемоний. Будем прямо из сковородки есть!

— Матери на тебя нет. — Нунэ качала головой и улыбалась. — Но хоть поешь по-человечески. А то совсем бледная стала, как цыплёнок на прилавке.

— А вот и папа!

После ужина «а-ля студент», как назвал его Вертман, они с Мариам зажгли широкий уличный камин и уселись в кресла напротив. Ночь не хотела темнеть. На голубовато-сером небе закатные сполохи солнца подсвечивали бордовым полосы облаков.

261

— Не холодно? — Отец подал ей плед.

— Теперь отлично, — она закуталась с ногами, — даже очень. Слышишь, как шумит?

Низко гудела тяга в каминной трубе, потрескивали дрова. Они никогда так не сидели — только вдвоём и так долго.

— Как у тебя вообще? Что на работе? — Мариам прервала молчание.

— Всё хорошо, Маша, всё так же.

— Я хотела к тебе в лабораторию попроситься, посмотреть, наконец, что ты там делаешь.

— Что-нибудь придумаем. Хороший вечер сегодня.

Мариам шмыгнула носом:

— Салфетки нет?

Он протянул ей платок:

— Насморк?

Мариам промокнула нос, увидела красные пятна на белоснежном платке, быстро сунула его в карман.

— Да, небольшой.

— Я даже не спросил, как ты год закончила.

— Нормально, одна четвёрка. — Она погладила собаку.

Из дома торопливо выбежала Нунэ со звонящим телефоном.

— Анатолий Ефимович, Леонора Александровна звонит.

Леонора ежевечерне отчитывалась и проверяла домашних. Вертман с досадой нажал кнопку видеосвязи — жалко было этого вечера.

— Добрый вечер, дорогая.

Экран мерцал полосами, налаживая сигнал, потом появилась улыбающаяся Леонора в открытом платье, резкий голос враз взбаламутил предсумеречный подмосковный покой.

— Мои дорогииие! Как я по вам скучааю! — нетрезвым распевом протянула она. — Тут такоооое происходит.

не передать! Мы прямо на яхте, посмотрите! — Камера прыжками описала круг по марине. — Видите, ка-а-ак тут красиво? Роскошные корабли, парусники, я в восторге!

— Вижу, что поездка удалась! Мы тут с Мариам у камина.

— Какие перемены — семейная идиллия! — сквозь музыку прокричала Леонора.

— Кстати, бассейн так и не закончили. К твоему приезду, наверно, не успеют... — Вертман умолк, чтобы пережидать взрыв веселья за спиной жены.

— Ой, нет, только не сейчас! — Она всплеснула руками. — Не надо портить мне последний вечер. Доченька, где ты? Покажись! — Мариам подсела ближе к отцу. — А я тебе вкусненького накупила — засахаренных фруктов и шоколада в бутике. Завтра привезу.

— Мам, я не ем сладкое. — Мариам с укором посмотрела на мать.

Леонора замерла на секунду, вспомнила, но быстро махнула в экран рукой:

— Ну, какие мелочи, Мари. Там немного! Можно и нарушить! Я, кстати, и платье тебе везу от Bertrand Guyon — лёгкий газ с цветами, взяла XS, влезешь? Завтра увидимся, мои любииимые! À bientôt![1] — и нажала отбой.

Мариам прутиком ворошила угли. От каждого в небо улетали красные огненные светлячки.

— Пап, а я похожа на маму?

* * *

— Вась, готов? Снимаешь? — Тощая журналистка возилась с проводом от микрофона.

Инга получила приглашение на маскарад несколько дней назад. Они не общались с Агаджаняном с тех самых

---

[1] Увидимся, до скорого (*фр.*).

пор, как он уволил её из «QQ». И вот теперь юбилей «Минервы». После убийства личной ассистентки Арега и всех этих загадочных историй, связанных с Vitaclinic, приглашение не могло прийти Инге случайно, просто как бывшему сотруднику, — она явно была для чего-то нужна Агаджаняну. Но для чего?

— ...мы на великолепной вечеринке, посвящённой двадцатилетию холдинга «Минерва»! Шикарный маскарад проходит в особняке известного бизнесмена Арега Агаджаняна, и тема праздника — Вильям наш Шекспир и «Сон в летнюю ночь», дамы и господа! Поэтому мы будем плясать, слушать музыку, отрываться и отыскивать самые изысканные, самые дорогие и самые нелепые костюмы вечера специально для вас...

«Я уже внутри, не стала тебя ждать». Инга набирала эсэмэс, заранее зная: не ответит и не придёт.

— ...программа очень насыщенная: тут и меню от шефа «Тургенева» Максима Фролова, и фейерверки, и конкурс на лучший костюм, мастер-классы, и даже страшный, но ужасно интересный квест на свежем воздухе, специально для которого организаторы этого грандиозного мероприятия возвели самый настоящий лабиринт из живой изгороди!..

Слова «великолепно», «грандиозно» и «фантастически» девушка выговаривала в микрофон почти нараспев. Считалось, что так принято в передачах «Life style», при этом каждый раз она поворачивалась к камере в три четверти, отбрасывала свободной от микрофона рукой длинные волосы то вправо, то влево, широко открывала рот, чтобы набрать воздух перед описанием очередного «эксклюзивного» элемента программы, отчего, если выключить звук, становилась похожа на вертящуюся на крючке лупоглазую рыбу.

Инга немного постояла, глядя на телефон. Прочитано, но не отвечено. Марат, конечно, обещал, что они пойдут сюда вместе. Но сделал это с неохотцей и в переписке: после погони за «Газелью», из которой его «Форд» вышел с отстреленным зеркалом, помятым багажником и без бампера, они больше не виделись. Они не ссорились и не выясняли отношений, но у Инги было ощущение, что Марат на что-то глубоко обиделся и теперь её избегает. По крайней мере, никаких попыток встретиться с его стороны не было. Не было и звонков. Вчера кинул сухое эсэмэс, что будет продавать машину, и всё.

Первые несколько дней после погони Инга была в напряжении: ждала сводок новостей, информации об аварии хотя бы в «Шоссейном патруле». Но ничего нигде не было: ни про выстрелы, ни про перевёрнутую «Газель». Тишина. Витазидон она отправила Холодивкер на экспертизу — вслед за Веточкой.

Сегодня Марат просто перестал отвечать на сообщения.

Как там говорил Довлатов? «Молчание — огромная сила. Надо его запретить, как бактериологическое оружие...»

Пчелиный улей, пазл из тысячи кусочков. Инга поправила маску: лицо под ней потело. Дэн закрутил ей волосы в подобие «баранок», как у принцессы Леи, облил их сверкающим лаком. Особняк был рассчитан на большие приёмы, официальные мероприятия и отдых без семьи — здесь не было детских комнат, фотографий на стенах, личных вещей. Огромный и серый, похожий на накиданные друг на друга коробки, с витиеватой геометрией, где каждый этаж вёл тебя коридорами в новое место, — таким и должен быть особняк из шекспировской дрёмы. Кто ждёт за углом? Гамлет, Отелло или Осёл?

На сцене в малом зале чернокожий певец в белом парике, лифчике и мини-юбке пел Talkshow Host, изо всех сил стараясь походить на оригинал Тома Йорка. Инга остановилась, послушала. Она любила эту песню, написанную для «Ромео+Джульетты» в исполнении База Лурмана. Только когда её исполнял Radiohead.

В большом холле, оформленном под бальный зал, сходились и расходились пары в цветочных нарядах. Тут всё было бы чинно-благородно, если бы не мелькали рваные в самых неожиданных местах юбки, прозрачные, как зонтики, платья и ослиные уши.

Она вглядывалась в маски: бабочки, быки, лисицы, совы, эльфы и — ослы, ослы, ослы. Каждый человек в этой фантасмагории казался ей знакомым. Бывшие коллеги, журналисты, светские львицы, актёры, звёзды эстрады. Мелькнула вдали Элиза Склокина в золотом скафандре, с синими губами и в сетчатой, как чулок, маске. Двенадцать с половиной миллионов подписчиков в Твитограмме, и все ждут любых её фотографий — чтобы разорвать на части, облить дерьмом или закидать сердечками.

Белый двубортный костюм, крылья за спиной, лебедь на голове — Миша Эмтээс, актёр и певец, его хит «Не воруй мой поцелуй» напевает даже Катька, хотя у неё врождённое презрение к российской попсе. Были тут даже Фурункул и Парадокс — хип-хоп-звёзды, устроившие самый известный баттл. Два непримиримых рэпера выпивали.

— В третьей зале начинается мастер-класс по бальным танцам! Не пропустите! — надрывался одетый в костюм попугая ведущий вечера Дмитрий Эргант, стоя на одной ноге и приветственно размахивая бутафорскими крыльями.

Мария Огромнова, телеведущая «Лидера», с торчащими вверх рогами, сделанными из её собственных волос, курила, выпуская дым в дверь, ведущую в зимний сад. Инга дёрнулась на движение: кто-то наблюдал за ней, пристально и долго, пока она не обернулась. Исчезающий за углом подол платья глубокого синего цвета, надувной розовый парик — это всё, что она успела увидеть. Инга бросилась было за девушкой, почти уверенная, что это Тамара Костсцкая, но врезалась в очередного эльфа. Наклеенные острые уши, серебристые тени, лёгкое платье, — она не сразу узнала Лиду Тихонову. Та посмотрела на неё потерянно и тревожно.

— Лида? Добрый вечер! — Инга старалась перекричать музыку.

— Здравствуйте! — Лида тоже кричала. — Что вы здесь делаете? Как хорошо, что я вас встретила...

— Я тоже рада вас видеть, — сказала Инга. — Вы тут с Павлом?

Лида кивнула.

— Где же он?

— Ушёл за напитками. — Лида покосилась в сторону. — Там объявили дегустацию вин... где-то. Послушайте, — она приблизилась к Инге, нелепый её костюм топорщился и шуршал, одно островерхое эльфийское ухо отклеилось и безжизненно повисло, — я отдала её Серафиме Викентьевне... вы видели её, помните? На моей экскурсии... она... Вы знаете, где я живу?

Инга отрицательно помотала головой.

— ...я ему говорю: не сливай заварку, а он сливает, — кричала Лида ей в ухо, — рука у него всё хуже! А сегодня раковина засорилась... это всё заварка, забилось, сантехник говорит: у вас там в сифоне что-то! Копался-копался и отдал её мне! Закрученная, как спираль... это всё заварка!

— Лида! — Инга отстранилась. — С вами всё в порядке?

Лида смотрела ей за спину. К ним шёл Павел, задрав руки с бокалами вверх, чтобы не разлить содержимое.

— Я отдала её Серафиме Викентьевне, — повторила Лида, — съездите к Серафиме Ви...

— Добрый вечер! — поздоровался Паша. — Мы с вами стали часто встречаться в последнее время. Классная вечеринка, правда?

— Стильная. — Инга вежливо кивнула. — Вы прекрасно смотритесь вместе.

— Соблюдаем дресс-код, — Паша улыбнулся, — лесные эльфы. Честно говоря, я тут только ради Лиды, я человек практики и всей этой шумихи не понимаю. Но прикольно.

— Понимаю! — Музыка была слишком громкой, разговаривать стало совсем тяжело.

— Мышонок, там в третьей зале мастер-класс по танцам, помнишь, ты хотела потанцевать? — Паша отхлебнул из бокала и обнял Лиду. — Пойдём?

Девушка растерянно кивнула.

— Были рады встрече! — Паша слегка поклонился, увлекая за собой Лиду.

Инга смотрела им вслед: потерянный эльф и Питер Пэн — переросток. Лидина бессвязная речь процарапала в ней неясную тревогу. Чтобы стряхнуть с себя чужое волнение, она схватила бокал с подноса пробегавшего мимо официанта и сделала большой глоток.

Проплутав в поисках туалета по второму этажу, Инга выбралась на балкон. Задрала голову: темнеющее небо, плавные перетёки террас на третьем и четвёртом уровнях. Сразу под балконом — зубами крупного тираннозавра — камни и трава на японский манер. Ландшафтники вдумчиво потрудились над участком: всё выглядело естественно и одновременно с этим ухоженно. За «садом камней» земля обрывалась вниз, вдалеке белел прохладой речной берег, кудрявились по бокам кусты.

Она перегнулась через перила и посмотрела влево, где был главный вход в особняк. Ведущие проводили там квест под открытым небом: «живой» лабиринт полностью скрывал игроков. Сверху было видно, что кусты, вроде бы засаженные хаотично, все вместе формируют огромное число двадцать.

— Мечи, лук, кожаный пояс — да ты древняя воительница, как я погляжу. — Молодой человек в чёрной маске, манерой общения очень похожий на Дэна, опёрся о перила рядом с ней.

Инга хотела осадить его, поинтересоваться, отчего это он ей «тыкает», но мгновенно передумала: плевать.

— Ипполита, царица амазонок. — Она наклонила голову, звякнула своим бокалом о его.

— А ты подготовленная, — развязно продолжал незнакомец, — где же твой Тезей?[1]

— Да ты тоже, смотрю, не промах, — скопировала его тон Инга. Её злость на Марата набрала такие обороты, что внезапно захотелось сделать глупость, быструю и жгучую.

— Филострат[2], — чёрная маска надменно поклонилась, — распорядитель увеселений при дворе Тезея. И раз уж мой господин отсутствует... обязанность развлекать его даму я беру на себя. С твоего позволения, конечно.

Инга едко засмеялась.

---

[1] В пьесе У. Шекспира «Сон в летнюю ночь» Ипполита обручена с Тезеем, афинским герцогом.

[2] Герой пьесы У. Шекспира «Сон в летнюю ночь».

— Кстати, на балах военную амуницию не носят. — Он приблизился и продолжал паточно и тихо: — На твоём месте я бы снял этот пояс...

Он дотронулся до кожаной шнуровки у неё на животе. Прикосновения его пальцев — липкие и влажные — вызвали тошноту. С наигранным смехом она оттолкнула «Филострата»:

— Откуда мне знать, может быть, ты подослан Гераклом![1]

— Не понял! — Случайный поклонник ошарашенно отступил назад.

— Инга Александровна!

На террасе стоял высокий мужчина. Спокойный тон и отсутствие карнавального костюма выделяли его из толпы.

Инга вспомнила его: один из охранников Арега.

— Можно вас на минуту?

Она оглянулась: молодой человек в чёрной маске растворился в вечерних тенях, наползавших на балкон.

— Арег Саркисович хотел бы поговорить с вами в своём кабинете на четвёртом этаже, — сказал мужчина.

— Ну раз Арег хотел... — начала она злобно и кокетливо, но, поймав холодный взгляд, остановилась. — Пойдёмте.

— Нашёл её. Поднимаемся, — передал охранник в кратко зашипевшую рацию.

— Мы с вами много раз виделись, а я так и не знаю, как вас зовут, — попыталась разрядить обстановку Инга. Мужчина промолчал.

---

[1] Девятым подвигом Геракла был поход за поясом Ипполиты. Пояс сулил амазонкам победы в битвах, так как был подарен Ипполите богом войны Аресом. Ипполита выкупила сестру из рабства, отдав Гераклу свой пояс. Так были побеждены амазонки.

С нижних этажей неслось веселье. Музыку заглушал гогот, крик ведущего: «А теперь — кульминация вечера! Конкурс на лучший костюм!»

Она потрогала рукоятку меча, который висел у неё на поясе, будто это ненастоящее оружие могло её защитить. В конце геометрического коридора, поворачивавшего то влево, то вправо на девяносто градусов, неожиданно обнаружился лифт.

— Вот вы знаете, что я Инга Александровна, а мне как вас называть? Пётр? Василий? Иннокентий?

— Михаил, — кратко ответил охранник.

Арег шёл им навстречу с другой стороны коридора. На нём был расшитый золотом халат и корона.

— Инга, — протянул ей руку Агаджанян.

— Я буду ждать вас снаружи. — Михаил открыл дверь.

В кабинете звуки праздника звучали глуше: где-то билось нутряное, громкое сердце дома. Арег снял корону, положил на стол: под халатом Инга увидела кожаный пояс с муляжом меча, почти такой же, как у неё.

— Макбет. — Агаджанян поймал её взгляд. — Жаль, София не смогла сегодня быть здесь — у сына экзамены в Лондоне. Ей так нравится платье Марийон Котийяр из последней экранизации.

Инга кратко оглядела кабинет: он казался единственным обжитым местом во всём особняке. Тяжёлые шторы, уютный диван. Рамки на столе: жена, Арег с сыном. Три панорамных окна выходили на реку, четвёртое, служившее заодно и дверью, — на террасу. Всё благовидно, идеально, ни одной пылинки. В стиле Арега.

— А вы кто? Амазонка? — продолжал он.

— Послушайте, — Инга, не улыбаясь, сняла маску, села на стул, — раз уж мы тут вдвоём, давайте без формальностей.

Её слова заглушили коллективный вопль, аплодисменты и триумфальная музыка: где-то внизу выбрали короля и королеву бала. Инга вынужденно замолчала.

— Что вам от меня понадобилось? — спросила она, когда шум, как отлив, ненадолго схлынул.

Арег сел напротив. Их разделяла полированная поверхность стола. Инга видела, что собеседник напряжён и встревожен. Бывший босс в задумчивости погладил фотографию, на которой обнимал сына, — белая, с вензелями, рамка единственная была выдержана в барочном стиле.

— У меня есть информация, мне кажется, она подойдёт для вашего блога. Это и есть моё предложение. — Он поднял на неё глаза. — Информацияя касается одного человека.

Вдох-выдох. Интонация рухнула вниз. Сказал — будто с обрыва спрыгнул. Видимо, обратного пути теперь нет.

— У меня же всего лишь блог. А у вас — телеканалы, журналы. Опубликуйте где-нибудь у себя.

Новый взрыв аплодисментов и торжественной музыки прервал их разговор. Награждали победителей квеста, а может, вручали приз за самый неудачный костюм. Арег молчал.

— У меня другая целевая аудитория. Я проверил: количество просмотров у вас приближается к пяти миллионам, — сказал он. — Информация, которую я вам предоставлю, вызовет большой скандал. А это по вашей части.

Ага, зависть так и сквозит! Аудитория у меня — как у всех подконтрольных ему СМИ. Конечно, он ни за что в этом не признается, даже себе. Оттого этот уничижительный тон. Но ему нужно макси-

мально растиражировать компромат и не засветить-
ся самому. А я последний человек, к кому бы он обра-
тился.

— Вы говорите так, будто я согласна, — отрезала
Инга, — а я не собираюсь соглашаться, пока не узнаю,
что это за материал и кто источник.

Особняк ожил, захлопал дверьми: толпа потекла во
двор. Звуки стали громче — они теперь доносились
в основном с улицы. За спиной Арега замелькали огни:
начались фейерверки. По кабинету покатились отблески
огней. Мебель как будто чуть сдвинулась вслед за грани-
цами света и тени. Качнулась тяжёлая гардина, и Инге
показалось, будто за ней прячется человек.

О господи, дежавю! Сейчас в окне появится иди-
отская луна и женский голос скажет: «Я тебя нена-
вижу!»

Арег протянул ей руку ладонью вверх: Инга увидела
флешку, которую он, видимо, отсоединил от фоторамки.
И мужские наручные часы. Дорогие.

— Прежде чем соглашаться, я могу посмотреть? —
Она хотела встать, но передумала. — Информация носит криминальный характер? И кто?..

Краем глаза Инга уловила движение на террасе за
спиной сидящего в кресле Арега. Это был не ветер и не
отблески фейерверков: там действительно кто-то стоял. Мгновенно забыв о флешке, о разговоре и о нормах
приличия, повинуясь лишь безошибочному и животному,
Инга кинулась под стол:

— Сзади!!!

Что-то негромко хлопнуло, будто в кабинете выпусти-
ли конфетти. Рядом с ней упал Арег, из отверстия во лбу
медленно потекла кровь. Собственное дыхание казалось
Инге громче залпов фейерверков на улице. Или это выстрелы? Она боялась пошевелиться и, чтобы успоко-

иться, старалась мыслить рационально: теперь киллер должен устранить свидетеля? С другой стороны, с такого расстояния что она могла видеть? Только движение. И стрелявший наверняка это понимает. Как понимает он и то, что за дверью кабинета стоит личная охрана Агаджаняна. Инга с усилием распрямила Арегу пальцы, выхватила белую флешку и часы. Флешку она засунула в сконструированную Дэном причёску, а часы застегнула на руке, не сразу попадая в отверстия потёртого кожаного ремешка. Сидеть под столом становилось невыносимо. Воздух пропитался железным запахом крови. Оскальзываясь, Инга медленно поползла.

Казалось, она ползёт вечность, и каждую секунду этой вечности в неё может угодить пуля. Она чувствовала себя огромной, мягкой, беззащитной. Окно, ведущее на террасу, нависало над ней темнотой, взрывалось огнями фейерверка. Наконец она упёрлась в дверь и, не поднимая головы, повернула ручку, вывалившись из кабинета к ногам Михаила.

— ...Сюда! Сю-юда!!! — захрипела Инга, не узнав свой голос, будто чайки хлопочут крыльями.

Охранник скрутил ей руки, выволок в коридор.

— Это не я!!! — Инга не вырывалась, понимая, что так будет только больней. — С террасы, стреляли с террасы!

Михаил отпустил её. Через дверной проём она видела, как он склонился над Арегом, проверил пульс и выбежал на террасу.

Инга поднесла руки к лицу: ладони были бурыми. Михаил появился возле неё через несколько мгновений, грубо схватил под мышки, куда-то потащил.

— Это твой сообщник? Говори! — Он дал ей пощёчину, больно не было, теперь кровь была и на щеке. — Что ты видела? — Охранник плюхнул Ингу на диван в холле как мешок с мукой. Рация его плевалась и шипела, обрывками вылетало: «протокол красный», «протокол красный». Инге показалось, что и звуки праздника изменились: из радостных превратились в крики ужаса. — Что ты видела?

— Мы разговаривали! Он упал! Я буду говорить только с полицией! — Инга спохватилась. — Миша, вызывай полицию!

— Встань. — Михаил проигнорировал её просьбу. — Сумку вывернула, быстро!

Он охлопал Ингу. На диван вылетели телефон, косметичка, кошелёк и приглашение на маскарад. Часы на руке у Инги Михаил не тронул.

— Полиция уже внизу. — Он отступил от неё на шаг. — У нас два трупа. Девчонка упала с террасы прямо на камни.

У двери кабинета Арега уже стояли два клона Михаила   охраняли место преступления. Он больно сжал её локоть, потащил вниз.

На улице обожгло ветром: день остыл до холодной ночи. Притихшая толпа сгрудилась у лабиринта, кое-кто снимал на телефоны, кое-кто потихоньку удирал, несмотря на запрет полиции.

Они спускались по крутому склону: её каблуки вязли в земле, цепляли траву. Инга пожалела, что не взяла плащ: костюм амазонки был слишком лёгким, холод пронизывал до костей.

Погибшая бело-бурым пятном лежала на траве у самой воды: упав на камни японского сада, она скатилась под обрыв. Подол задрался, на голые ноги было особенно страшно смотреть. Инга увидела серебряные бусы, неестественно вывернутую голову, отклеившееся эльфийское ухо, запутавшееся в волосах. По нему она и узнала погибшую — Лида Тихонова.

Хмурый лейтенант, ходивший вокруг тела с видом «только этих проблем мне не хватало», поднял глаза от записей, скользнул взглядом по Ингиным окровавленным рукам. Охранники, растерявшие всю свою спесь, бегали туда-сюда. По гравиевой дорожке к парадному входу подъехало ещё две полицейские машины.

— Второй труп где? — спросил сержант. — Умеет бомонд развлекаться.

— Свидетель или соучастник. — Михаил подтолкнул Ингу вперёд. — Была в кабинете в момент выстрела.

Какой-то мужчина рвался через ограждение. Совсем ещё молоденький сержантик не пускал его к трупу, от бессилия грубил:

— Иди, иди отсюда! Место преступления, нельзя!

— ...я вернулся, а её нет, я подумал, ну вниз пошла, а она упала... где «Скорая»?! Почему «Скорая» ещё не приехала?

Инга узнала Пашин голос, вгляделась в темноту. Тот метался из стороны в сторону, пытался прорваться к Лиде.

Мальчишка-сержант сдался под его напором, пустил. Паша наклонился над Лидой и отпрянул. Потом опустился на колени, вскочил, будто искал что-то в траве, достал из кармана пиджака крупную пуговицу и стал нервно вертеть её, пропуская между пальцев, время от времени дёргая себя за бровь. Инга завороженно наблюдала за Пашиными движениями. Два человека, с которыми она только что разговаривала, погибли в течение нескольких минут. Всё осталось на местах: огромный дом на краю обрыва, туман, наползавший на реку, ветер.

А людей — нет. И ничто больше не будет прежним для их близких.

— Я не соучастник. — Инга собрала последнее мужество, пристально посмотрела лейтенанту в глаза. — У нас с Арегом Саркисовичем не было договорённости о личной встрече — раз; Михаил, — она кивнула на охранника, — сам меня нашёл и привёл в кабинет — то есть я не знала даже, когда там окажусь, — два; меня обыскивали, оружия при мне не было. Ну и главное: если бы я наняла киллера, вряд ли бы я стала ошиваться рядом с жертвой.

Выпалив эту тираду, она снова посмотрела на Михаила. Выражение его лица стало немного растерянным.

Инга перевела дух:

— Вызовите Кирилла Архарова, Пресненское ОВД. Он ведёт расследование, которое может быть связано с сегодняшними убийствами.

— Да это вот, — лейтенант устало кивнул на Лиду, — и не убийство. Скорее всего, дамочка перебрала и сама выпала. Сейчас эксперты приедут, разберутся. Но давайте всё по порядку. Закончу здесь, и пройдём наверх.

— Могу я сделать звонок? — Инга резко обернулась к Михаилу, тот неуверенно кивнул и протянул ей сумку.

Инга отошла к воде.

— Кирилл, послушай, ты можешь приехать? — Она поняла, что не может сдержаться и кричит в телефон. Руки тряслись, коленки тряслись, что-то подрагивало в животе. — Тут два трупа по нашему делу!

— Кто? — резко спросил Архаров.

— Арег Агаджанян и Лида Тихонова, — выдохнула Инга.

Кирилл молчал.

— Архаров, ты здесь?

— Тут я, тут, — ответил он после паузы.

— Срочно приезжай! Ты понял? Срочно! Кирилл, я была в кабинете, когда его…

— Инга, я не могу, — перебил её Архаров, — меня отстранили. Если приеду, считай, я уволен. Сама-то цела?

— Подожди-подожди. Отстранили? Как это?

— А вот так. Теперь я оборотень в погонах. — Он невесело усмехнулся. — Твой Никита Бу накатал жалобу на избиение сотрудниками полиции. По странному стечению обстоятельств — сразу после моего визита к Геннадию, мать его, Петровичу. Съездил, называется, в Товарный проезд.

ГЛАВА 24

Ночь перетекла в утро, а утро перетекло в день. Её отпустили только к полудню: хоть за это Архарову спасибо, звякнул куда надо. Кожа болела, воздух был похож на манную кашу. В туалете полицейского участка, где пахло кислым, а у зеркала была отколота плитка, Инга, как могла, смыла с себя кровь Арега.

Indiwind
подключен (а):
тихонова лидия григорьевна улица павлова 46 кв103
борисова серафима викентьевнаулица павлова 46 кв102

В такси было жарко. Инге чудилось, она слышит Лидин крик. Хотелось выключить его, нажать на mute, чтобы только тишина, только беззвучное перещёлкивание улиц за окном, но он звенел в ушах недосыпом.

На девятый этаж вёз лифт. Инга облокотилась о стенку, казалось, кабина проваливается, летит вниз. Голова кружилась. Где-то хлопнула дверь. Она покосилась на

103-ю. Ещё вчера это был Лидин дом. Там, за дверью, в глубине спальни, наверняка стоит туалетный столик, за которым она красилась перед маскарадом, приклеивала эти дурацкие уши.

Ингу качнуло, на секунду показалось, что она в скоростном поезде, который летит на поворот, а дверь укоризненно смотрит на неё чёрным глазом, похожим на дуло пистолета. Она нажала на мягкую кнопку звонка. В сто второй пророкотала птичья трель. И ещё. И ещё. Никто не открывал. Инга постояла, упершись лбом в дверь. Дерматин неприятно прилип к коже. Из-под коврика торчал уголок записки:

«Лидонька, я на даче. Вернусь 30-го. Твоя СВ»

Медленно, что-то вдруг вспомнив, Инга начала ощупывать голову. Зацепилась пальцами, вытащила из растрёпанной причёски белую флешку, о которой не сказала ни полиции, ни Кириллу.

* * *

Флешка не была запаролена и открылась сразу. Восемнадцать видеофайлов. Инга наклонилась вперёд, чтобы высушить полотенцем волосы, попрыгала на одной ноге: после горячего душа сразу начало отрубать. Она боялась даже сесть перед ноутбуком: слишком велика была вероятность очнуться часов через двенадцать с отпечатком клавиатуры на щеке.

Инга кликнула на первый видеофайл и начала приседать. Старый студенческий лайфхак. Слова тогда ещё такого не было, а лайфхак был: приседания — верное средство по отпугиванию сна.

Видео оказалось небольшим: файлы по пять-семь минут. Запись с камеры наблюдения: полупустая комната.

Окно, кровать, тумбочка в углу. Больничная палата. Всё в зелёном: ночное видение. Под одеялом спит девушка: тонкая рука, тёмные волосы.

Инга забыла о приседаниях.

Не может быть... я же проверяла списки.

Дверь открывается, в палату заходит мужчина. Строгий костюм, короткая стрижка. В руках — небольшой чемодан. Девушка, проснувшись, забивается в угол кровати, подтянув под себя ноги, молотя ступнями по сбившейся простыне. Будто хочет убежать. Занимать как можно меньше места. Провалиться в кроличью нору. Исчезнуть. Он спокойно приближается, снимает часы, кладёт на тумбочку.

Часы, что нашёл Лавренюк. Или те, что мне дал Арег? Или...

С видом врача, готовящегося к операции, мужчина открывает чемодан. Там — наручники, свёрнутая в несколько раз плеть. Что-то ещё, не разглядеть. Не слышно, но видно — девушка кричит. Инга прочла по губам: «Помогите!»

Она поставила на паузу. Походила по комнате. Забила в строку поисковика: игонь. Прокрутила колёсико мыши, открыла несколько окон.

«Она и в школе у нас в театральный кружок ходила. Кикимору играла потрясающе! До сих пор мурашки по коже! Любимая её роль была!»

Игоньская! Как я раньше не догадалась!

В досаде на себя Инга откинулась на спинку стула, уставившись на заголовок: «Какие ещё имена носит Кикимора?»

«Многие встречались с этим фольклорным персонажем, но и сами этого не подозревали, — читала она, — а всё потому, что она носит несколько имён, и каждое из них имеет свой особенный, устрашающий смысл. Белорусы прозвали эту бестию Вещицей. Еще одним её народным прозвищем является Игонг или Игонь».

— Чёрт! Чёрт! Чёрт! — Инга вскочила, пнула стол.

— Кикимора способна навлечь беду любой сложности, как незначительную ссору в семье, так и неизлечимую смертельную болезнь. — Ингин ноутбук заговорил вдруг приятным мужским баритоном. Видимо, пиная стол, она нечаянно включила функцию «прочесть вслух». — Зачем она это делает? Кикимора — несчастный дух женщины, которая была утоплена в болоте или трагически погибла в лесу. Потому-то она и мстит всем, кто попадается ей на пути. Повести с упоминанием о Кикиморе — это своего рода прямое доказательство того, что она существовала всегда, и даже до того времени, как вы о ней узнали.

Всё это время загадочная пациентка Лавренюка была у меня перед носом! Костецкая взяла себе вымышленную фамилию в память о любимом персонаже! И главное: я могла элементарно об этом догадаться! Все ниточки этого дела ведут к Vitaclinic, а Костецкая при первой же встрече со мной проговорилась, что видела там Туми. Очевидно же, что и она была их пациенткой! И что именно она была автором удалённого комментария к посту Эвелины #этотожеобомне. А Тихонова встала на сторону Джи. Все против Костецкой-Игоньской!

Инга отжала паузу. Теперь она смотрела не просто видео. Она смотрела запись со скрытой камеры, которая была сделана два года назад в Vitaclinic в период с июня по август — именно в то время, когда в ней лежала Туми и работал Лавренюк. Она смотрела запись жестокого изнасилования Тамары Костецкой, молодой актрисы и школьной подруги погибших Лидии Тихоновой и Галины Белобородько. Смотрела, и к горлу подкатывала тошнота.

Из своего домашнего зазеркалья она видела, как Тамара кричит и кидается к окну, как насильник, мгновенно изменившись, бросается к ней в припадке бешенства и хватает за волосы. Наотмашь бьёт по лицу, Тамара ударяется головой об стену, обмякает. Он подхватывает её, как гуттаперчевую куклу, кладёт на живот, наступает коленом на спину, приковывает к спинке кровати.

Инга снова поставила на паузу. В этот момент отчётливо видно искажённое лицо насильника. Петряев Валерий Николаевич. Петрушка.

Инга вышла из файла. Дыхание сбилось, будто она только что пробежала марафон. Ей хотелось душить Петряева — голыми руками, чтобы почувствовать, как уходит жизнь из этого гадкого отвратительного тела.

Как Тамара выжила после всего этого?

Инга на мгновение увидела себя со стороны: как она продирается сквозь толпу, мимо сальных физиономий, мимо лоснящихся мужиков в костюмах от Гуччи, мимо тычащих в неё пальцами подростков и старух в ситцевых платочках — «А нечего юбки короткие носить!», «Небось, сама повод дала!», «Совсем стыд потеряла!»

Ясно, почему Тамара молчала.

Общество, требующее от женщины красоты и слабости, немедленно оборачивается против неё, как только она становится жертвой насилия. Тамара выжила, но простила ли? Ингу раздирала жалость, смешанная с яростью. Она механически присела ещё несколько раз — сейчас ей была нужна вся её выдержка и хладнокровие. Открыла остальные видео. Везде — то же самое, но в разных вариантах. Иногда до или после появления Петрушки в палату заходил его телохранитель с изуродованным лицом, которого она заметила в храме. Мангуст. Пару раз он привязывал Тамару для хозяина. В одном из видео поднял Костецкую, забившуюся в угол комнаты, и положил на кровать. Накрыл одеялом, поправил подушку, вышел.

Видимо, Арег установил камеру в вентиляцию — знал, что будет происходить в палате Костецкой. Если у Агаджаняна с Петряевым общий бизнес... Предположим, Петрушка увидел Тамару неважно где, запал на неё, а Арег по его «заказу» поместил её в клинику. Как дорогой «подарок» важному партнёру. Или... как компромат на него же — на всякий случай? Эвелина помогала ему в этом? Какую роль играли Лида и Туми? Из них из всех жив остался только Петряев. Могла ли Тамара?..

Инга глянула на часы: 15:34. Телефон завибрировал, но она скинула звонок: сейчас не до Холодивкер.

Inga
Подключен (а)
Нужно скопировать файлы. Привет! Срочно. Сохрани себе.

Indiwind
Подключен (а)
принятовремя обработки 40мин

— Кикимора — несчастный дух женщины, которая мстит всем, кто попадается ей на пути, — прошептала Инга.

Она открыла последний видеофайл.

* * *

Марат снова не отвечал. Узнать, где последняя локация съёмок сериала «По кличке Череп», она смогла и без его помощи, но провести её на площадку было некому. На улице летел бесконечный пух, жарился воздух. Инге было жарко, из-под блузки хотелось снять лифчик. Люди вокруг двигались медленно, вместо слов выпускали разноцветные пузыри, как под водой.

Можно было позвонить Кириллу. Но вчера он сказал, что теперь вмешательство в это дело грозит ему увольнением. Инга облокотилась о стенку, прикурила и в этот момент увидела Костецкую, которая направлялась прямо к ней.

— Тамара, доб...

— Маратика караулите? — Костецкая перебила Ингу. — Не по статусу вам, Инга Александровна, так за мужиками бегать!

— Я жду вас, — парировала Инга, — а личная жизнь Марата — не ваше дело.

— И не ваше. — Тамара победно сверкнула глазами. — Я в «Звездоллар» за кофе. У меня перерыв полчаса.

— Этот разговор не для кафе. — Инга поймала её за рукав платья. — Нас никто не должен слышать. Если не хотите, чтобы я вызвала полицию.

Несмотря на сочувствие, которое она испытывала к Тамаре, та выбесила её моментально. Инга старалась контролировать свою ярость, чтобы та не слепила её.

— Ты больная — руки распускать? — Тамара аккуратно выдернула свой рукав из Ингиных пальцев. — С ним ты так же? Уходи от жены, или я позову дядю милиционера?

Она просто пытается вывести меня из себя. Спокойно. Концентрируйся на деле.

— Не знаю, в курсе ли вы, Тамара Игоревна, — Инга достала из заднего кармана джинсов белую флешку, — но вчера ночью погибли Арег Агаджанян и Лидия Тихонова. Ваша школьная подруга, не ошибаюсь? Вернее, так: ваша вторая по счёту школьная подруга, которая была убита в течение последних двух месяцев.

— Лида?.. Я не знала. Как?.. — Тамара растерялась, нижняя губа задёргалась, поползла немного вбок.

— Не делайте удивлённый вид, актриса из вас никакая. — Инга подкинула флешку на ладони. — Здесь все доказательства того, что и Эвелину, и Лиду, и Арега Агаджаняна, и вашу соседку по клинике певицу Туми убили вы, уважаемая Тамара Игоревна... — Инга окинула её взглядом, — Игоньская. Столько трупов — да вы Джек Потрошитель. И мы не будем говорить вдвоём — я передумала. Самое время поговорить официально.

Инга достала телефон, делая вид, что хочет набрать полицию. Снова звонила Холодивкер — три пропущенных звонка.

— Подождите. — Теперь уже Тамара ловила её руку. Голос изменился, нотки уверенности и превосходства исчезли. — Не надо. Что бы вы ни узнали — не надо.

— Ждать? Зачем мне ждать?

— Вы приехали поговорить! — Тамара внезапно рванула на неё, схватила за предплечья, прижала к стенке. Инга несильно стукнулась затылком. — Так пойдёмте поговорим!

— Для начала отпусти, — прошипела Инга. Тамара отстранилась — на лице промелькнуло виноватое выражение. — Идём. Но не в кафе.

— У меня личная гримёрка. Туда никто не войдёт.

Чёрная дверь закрывалась на щеколду, как в деревенских туалетах. Гримёрка была узкая и тёмная, в ней пахло детской присыпкой и канцелярским клеем. Инга достала из сумки ноутбук. Телефон снова вибрировал: на этот раз Дэн.

«Гости, значит, а я не приглашён?!»

— Как умерла Лида? — спросила Тамара, присев на гримёрный столик.

— Не врите! — отрезала Инга. — Вы были на маскараде, я видела вас. Вы прекрасно знаете, как умерла Лида!

— Я ушла оттуда около девяти. — Тамара быстро успокоилась и осторожно поправляла тушь под глазами. — У меня съёмки с шести утра. Про смерть Агаджаняна все сегодня трындят, а вот про Лиду... я не слышала про Лиду.

— Кто-то сбросил её с третьего этажа, — сухо сказала Инга. — Полиция рассматривает версию несчастного случая...

— ...но вы так не думаете?

— Но я так не думаю. Я думаю, её убили. Как Эвелину, Туми и Арега. Взгляните. — Тамара наклонилась над экраном ноутбука.

— Видеофайлы?

— Восемнадцать штук.

Инга кликнула на первый. Тамара тихо вскрикнула: она сразу всё поняла.

— Выключите это.

Инга нажала на паузу. На экране застыло расплывчатое пятно входящего в комнату мужчины.

Инга резко обернулась: на секунду показалось, что Тамара сейчас ударит её в шею ножом. Инга посмотрела на Костецкую: лицо её изменилось, будто бы из него выпала важная деталь, скреплявшая черты, и теперь глаза, нос и рот были по отдельности. В гримёрке стало тяжело дышать.

Она снова как сломанная кукла.

— Мне было двадцать четыре, — монотонно начала рассказывать она. — Пришин, главреж «Театра без границ», пригласил меня на вдову в «Дне опричника».

286

Постановка была экспериментальная, смелая, шуму наделала. Петряев ходил на все мои спектакли. Розы дарил. Охапки толстые, не удержать. А потом началась травля спектакля — во всех СМИ, по ящику. Идеологически вредный оказался. На поклонах нас освистывали и закидывали гнилыми помидорами. А потом спектакль вообще закрыли. Пришин запил, а я сорвалась. И Эвелинка... она посоветовала... эту клинику... на пару летних недель. Всё повторяла, там круто лечат, врачи проверенные, полежишь, подлечишься, попсятина миллионы за это платит, а тебе по блату...

Тамара взмахнула руками, дёргано поправила волосы.

— Вы считаете, я убила их? Они все были виноваты! Все! Откуда у вас эти записи? Почему вы пришли ко мне без полиции? Вдруг я вас тоже убью? Четыре трупа, что мне терять?

Инга молчала. Ждала. Тамара села. Движение было лёгким, будто под платьем у неё вообще нет тела, ворох лёгкой одежды упал на плетёное кресло.

— Вы... когда-нибудь были в аду? В аду были, я спрашиваю? Ад — это пустая комната, в которую вас заперли друзья. Ад — вежливая улыбка врача, вкалывающего тебе очередную дурь, от которой ты будешь вялой и беззащитной. Ты не сможешь сопротивляться, ты позволишь... сделать с собой всё, что он захочет. Но он всё равно будет бить. Жестоко. Ему... нравится так. И это невозможно прекратить. Ничем! Вы... ты думаешь, Марат тебя трахнул и пропал — и это вот тяжело, да? Что вот это вот — душевная боль?! — Тамара рассмеялась.

Инга ждала. Тамара продолжала смеяться. Смех закручивался в глубокую воронку, каркал отдельно от Костецкой. Инга поняла, что собеседница не может остановиться. Тогда она вскочила, схватила Тамару за плечи.

— Успокойтесь! Успокойтесь, прошу вас!

Инга кинулась к небольшой раковине в углу, набрала в ладони воды, плеснула Тамаре на лицо. Та задыхалась. Улыбка безумия раздирала лицо пополам. Размахнувшись, Инга влепила Костецкой пощёчину. Голова отлетела вбок, взметнулись чёрные кудри, прилипли к лицу. Тамара затихла. Прошептала:

— После всего, что... случилось... мне было не с кем даже поговорить. Она была единственной, кто, кто... кому я могла это рассказать. Я надеялась, мне станет легче, когда я выговорюсь. И эта тяжесть, с которой невозможно жить, — будет хотя бы переносимой. Терпимой. Что я не буду чувствовать себя такой... грязной и поломанной. Эти взгляды, которыми они смотрят на меня... перестанут казаться мне мерзкими и липкими. Запах роз. Я задыхаюсь от запаха роз. Но Лидка... она просто мне не поверила. Сказала: «Галка не могла тебя специально запереть там...» Тихонова со своей наивной верой в людей обесценила всё, что я пережила. Она меня добила.

Инга отошла от неё, снова села перед ноутбуком.

— То, что Петряев сделал с тобой... ты права, я не была в аду. Я не могу себе этого представить.

— Это сделал не только Петряев. Это сделал Агаджанян. Это сделала Белобородько. — Тамара помолчала. — Сейчас ты выложишь это в сеть, отнесёшь в полицию, Петряев выкрутится, он всегда выкручивается. Миллионы просмотров наберёшь. А я сяду на всю жизнь.

— В чём вина Туми?

— Я не знаю. — Тамара спокойно смотрела ей в глаза. — Зачем ты пришла?

— Задать тебе вопрос. — Инга не отводила взгляда. — Ты убила их всех?

— Нет. — Костецкая мотнула головой. — Я никого не убивала.

— Но пыталась. — Инга кликнула на последнее видео и быстро перемотала его к концу.

Тамара смотрела на тёмное лицо Петряева и на саму себя, стягивающую плётку у него на шее. Лицо её подурнело от смеси отвращения и удовольствия, которое она не могла скрыть. Рывком распахивается дверь, Мангуст кидает Костецкую на кровать, вытаскивает отключившегося Петрушку в коридор. Конец. Инга нажала на крестик.

— Это охранник тебя спас? — спросила тихо.

Тамара кивнула.

— Вывел. Куртку дал и денег на такси.

— Ты хотела убить Петряева.

— Хотела. И убила бы. Телохранитель помешал.

Тамара повернулась к зеркалу, стала приводить себя в порядок.

Мне ещё смену работать на площадке. — Она кинула жадный взгляд на воткнутую в ноутбук флешку. — Отдай. Миллионы извращенцев, которые посмотрят это home video, страшнее смерти. — Тамара снова говорила спокойно. — Сама понимаешь — я их не убивала. А если материалы попадут ментам или в Интернет, мне конец.

— Если это не ты, значит, Петряев убирает свидетелей, — сказала Инга. — Тогда ты можешь быть следующей.

— Или ты. — Тамара пристально на неё посмотрела, помолчала. — Знаешь такую Джекки Голдстоун?

— Журналистку? Которая недавно в Сирии погибла? — удивилась Инга. — При чём здесь она?

— Она была у нас консультантом на «Перебежчике». Петряев выкупал её из плена. Она рассказала мне кое-что. И про него, и про этого самого телохранителя, и про его брата, который воевал на другой стороне. Кажется, я знаю, как это использовать...

Телефон опять вибрировал и извивался.

— Женя! — Инга раздражённо крикнула в трубку. — Я сейчас не могу!

— Нет, можешь, чёрт тебя дери, — рявкнула Холодивкер. — Можешь!!! Слушай меня сюда: где ты взяла таблетку, которую дала мне на экспертизу?

— Я же говорила тебе, мы с Маратом...

— Не эту! — перебила её Холодивкер. — Без маркировки. У кого?

Инга молча смотрела в глаза Тамаре.

— Белова, — наступала Холодивкер, — это крайне важно, послушай меня. Эти таблетки — одной природы с Витазидоном, могу поклясться, сделаны на одном станке. Но. Как же тебе объяснить-то? — Она, злясь от беспомощности, заговорила медленнее: — В основе — одна субстанция, действующее вещество, но с другими вспомогательными элементами. Их добавляют, чтобы это вещество попадало в нужной концентрации в определенный отдел желудка, например. Понятно? Абсолютно одинаковых вспомогательных веществ не существует, от них иногда меняется терапевтическая эквивалентность, а тут намешали настолько безграмотно и грязно, что эффект изменился полярно! Действующее вещество впитывается не там и не так, в этих допах чудовищные ошибки. Сердечная недостаточность и пиелонефрит — лучшее, что может случиться, если сидеть на этих колёсах! При длительном приёме последствия могут быть необратимы. Та, у кого ты стырила эти таблетки, — Женя сделала выразительную паузу, — в большой опасности.

— Мариам, — выдохнула Инга, — я взяла их у Мариам.

— Так и знала! — Холодивкер бросила трубку.

Инга отсоединила флешку и протянула её Тамаре:

— Ты же понимаешь, что я сделала копии?

Костецкая молча сжала её в кулаке.

— Я не выложу это в свой блог, — продолжала Инга. — Но я хотела бы использовать эти видео против Петряева. С твоего разрешения. Ты говорила про Джекки...

На экране ноутбука всплыло сообщение.

Indiwind

Подключен (а)

несанкционированный вход в твой домашний компьютер

взломвквартире посторонние заблокировал все файлы

— Только этого мне не хватало, — прошептала Инга.

— Что случилось? — Тамара стояла у неё за спиной и смотрела в экран ноутбука.

— Кто-то вломился ко мне домой. — Инга уже набирала Кирилла. — Архаров! Срочно мчись ко мне, меня походу грабят!

— Не лезь к Петряеву, — тихо сказала Костецкая, — слышишь? Ты его этими видосами всё равно не посадишь. Только себя угробишь. Я о нём сама позабочусь.

Инга откинула щеколду, в проём двери повеяло свежим воздухом.

— Тамара, — она постаралась, чтобы голос не дрожал, чтобы тон не был жалким, — Марат... ты сказала что-то про жену. Хотела позлить меня?

Костецкая усмехнулась:

— Он уехал к жене в Казань на десять дней. Она с детьми там живёт. А Марат — в Москве. К ним — наездами.

— С детьми?

— Два сына.

Инга кивнула, прикрыла дверь и пошла прочь, прижимая сумку с ноутбуком к груди.

* * *

Одна мысль билась в голове: хорошо, что Катя в Хорватии с отцом. Хорошо, что Катя в Хорватии с отцом.

Квартира выглядела так, будто в неё запустили голодных хищников из московского зоопарка, которые изгрызли всю мебель и растерзали содержимое шкафов. Кирилл уже был на месте. Рядом с ним стоял взволнованный Дэн.

— Ко мне Манкирова пришла на стрижку, я как раз открывал ей, когда увидел мужика у твоей двери. Страшный такой, настоящий Квазимодо. Я сразу напрягся, эсэмэску тебе кинул, но ты меня проигнорила, подруга.

Инга пробиралась к письменному столу, мысленно оценивая урон.

— Взлом показательно-воспитательный, — сказал Архаров.

— Фен выключил, слышу: звуки-то стрёмные. Будто кто обои от стен отдирает, — продолжал Дэн.

— Белова, глянь, что пропало, — попросил Кирилл.

— Что тут глядеть. — Инга пнула ногой распоротую диванную подушку. — Это точно был Мангуст. Телохранитель Петряева. — Она подошла к столу, поворошила бумаги. — Пропали часы, я по дурости оставила их прямо тут.

— Часы?

— Patek Philippe, модель 1998 года. Ремень из тёмной кожи, вокруг циферблата золотой ободок. На задней части гравировка: толстощёкий китаец с острой бородой. Мне их вчера отдал Арег перед самой смертью. Мы даже не можем объявить их в розыск. Потому что это часы Петряева, Кирилл. А ещё Мангуст искал одну флешку, но не нашёл. Если бы ты приехал ко мне на маскарад, ты бы не задавал сейчас свои тупые вопросы.

— Что на флешке и где она? — Кирилл не обратил внимания на её выпад.

— Я отдала её Тамаре Костецкой.

Инга села на разодранный диван. Она оглядела комнату, и ей вдруг стало так жалко свою квартиру и себя — как будто кто-то вскрыл ей грудную клетку и перевернул всё вверх дном, и вот она теперь сидит тут и смотрит на свои раскуроченные внутренности.

Он уехал в Казань к жене, она с детьми там живёт. Инга поняла, что сейчас заплачет,
   два сына
закрыла глаза и продолжила спокойным голосом:

— Только она имеет право распоряжаться этой информацией.

ГЛАВА 25

— Анатоль, это абсурд — отказываться от такого предложения! — За завтраком Леонора продолжала давить.

— О чём ты говоришь? — Вертман устало помешивал в чашке. — Я занимаюсь наукой, а производство — не моё дело.

— Да какая разница? Ты же всё равно продолжишь работать в своей лаборатории? Петряев же не собирается её закрывать.

— Ты что, не понимаешь разницы между наукой и производством? Это как разница между архитектором и прорабом... так тебе понятней?

— Но ведь денег больше!

— Я всё сказал. Где Мариам, Нунэ?

— У себя. — Нунэ замялась. — Анатолий Ефимович, извините, я хотела с вами поговорить. Я убирала постель Мариам — она вся в волосах, на подушке — кровь...

— Нунэ! Зачем втягивать в эти дела Анатоля? — вскинулась Леонора. — У Мариам переходный возраст, такое часто бывает. Что за драма на пустом месте? Я за всем слежу. Позови её, завтрак готов. Анатоль, во сколько ты едешь? Подавать машину?

— Я звала, она не хочет есть, — сказала Нунэ. И совсем тихо добавила: — Сказала, что платье, которое вы ей привезли, оказалось мало. Заперлась в ванной.

— Я поговорю. — Вертман направился к лестнице.

— Не потакай ей, Толя! — Леонора остановила его окриком. — Посидит и выйдет. Ничего страшного. У тебя работа. Подумай, о чём я говорила, и езжай. Ты опаздываешь.

— Да, да. — Он торопливо допил кофе, схватил портфель. — Поговорю вечером.

Машина, мягко огибая повороты, выехала на Сколковское шоссе. Позади остались корпуса новой бизнес-школы — на остеклённом цилиндре хаотично лежали гигантские блоки научных корпусов. Вертман открыл папку с результатами из лаборатории. Глубоко в портфеле завибрировал телефон. Женя Холодивкер.

— Почему не отвечаешь? — резко спросила она. — Звоню, звоню!

— Извини, дома всегда отключаю громкость, не слышал. Как дела, Жень?

— Опиши состояние Мариам.

— Вечером была нормальная. Почему ты спрашиваешь?

— Ты сейчас где?

— На работу еду.

— Срочно поворачивай и дуй домой! Оттуда мне по скайпу, чтобы я увидела её.

— Подожди, я не могу. Что за паника на пустом месте? У меня срочные...

— Толя, послушай! Твоя дочь принимает опасный для жизни БАД.

Вертман молчал.

— Колёса для похудения на основе твоего Витазидона. Похоже на его дженерик. Но сварено на левой коленке, неизвестно где и кем. Ты слышишь меня? Субстанция несомненно твоя, только замешана черт-те с чем — вся фармакология сломана, имеет наркотический эффект. Как долго она его принимает?

— Утечка моей молекулы невозможна. — Вертман сжал в руках телефон. — С чего ты решила, что это Витазидон?

— Ты не о том сейчас. Кровь из носа идёт? Волосы лезут? Цвет погтей?

— Разворачиваемся! — крикнул Вертман водителю.

* * *

Мариам лежала на полу комнаты. Нунэ со стаканом воды склонилась над ней. Вертман нащупал пульс.

— Что с ней, Толя? — Леонора зажала рот. — Она жива?

— Помогите мне. — Вертман под руки посадил побелевшую Мариам. — Держи так.

— Я не могу, не могу! — Леонора стояла, окаменев.

— Замолчи и делай, что я говорю. Ей срочно нужно промывание. Держите вы её, Нунэ. — Он тянул дочь за руку. — Держите!

Нунэ села на колени рядом с Мариам, положила голову себе на грудь, обняла за пояс руками.

— Милая моя, всё будет хорошо, — сказала ей на ухо.

И вдруг, будто опровергая её слова, по телу Мариам пробежал волной спазм — ноги согнулись в коленях, пальцы рук скрутило, как птичьи лапы, девочка откинулась назад, подставляя Нуне лицо с закатившимися глазами.

— Толя, — шептала себе в ладони Леонора, — нужно вызвать «Скорую», ты не справишься.

Вертман сделал укол.

— Я ввёл адреналин, должно снять приступ. Нунэ, помогайте. — Он осторожным движением разжал рот и ввёл зонд в горло Мариам, та захрипела. — Вертикально! — Через воронку начал заливать воду. Ещё через несколько мгновений вода мелкими фонтанчиками потекла отовсюду — из носа, изо рта. Между рвотными позывами девочка откашливалась.

Через час Мариам очнулась — на щеках появился румянец. Её усадили в подушках на кровати.

— Папа, я не хотела.

— Молчи-молчи. — Он грел её ладони в руках. — Всё уже хорошо. Отдохнула немного? Сейчас поедем ко мне в клинику, тебя проверят.

— Я как раз собиралась, помнишь. — Она слабо улыбнулась. — Ещё немного полежу, хорошо?

— Что ты пила? Где таблетки?

— Я всего несколько штук... Я коробочку выкинула...

* * *

Они проезжали мимо «Белорусской», когда Мариам опять захрипела, глаза закатились, внутри что-то заклокотало, и его обдало желчью. Он вытер дочери лицо, повернул обмякшее тело на бок, чтобы она не захлебнулась. До Vitaclinic было уже не дотянуть.

— Поворачивай в Склиф, на Грохольский!

— Готовьте реанимационную бригаду. Давление падает! — резко кричал он в трубку. — Да, я везу её сам. «Скорую» не вызвали, потому что ей стало лучше. Вы хотите, чтобы я остановился и ждал вас? Давление 80/60. Да что же это такое! Я врач, и у неё на руке тонометр. Я знаю, что с ней.

Новый приступ скручивал тело узлом. Они въехали во двор приёмного отделения, куда одна за другой подъезжали красно-белые «Скорые». Вертман выбежал вперёд, в нетерпении расталкивая людей.

— Отравление, коматозное состояние, давление 70/40, брадикардия!

Пара медбратьев подвезла каталку к машине, он распахнул перед ними дверь.

— Осторожно, пожалуйста, её опять вырвало. Дыхание прерывистое.

— Отойдите, вы мешаете.

— Я сам врач!

— Возраст? Вес? — Тележка подпрыгивала на каждом шве плитки, рука Мариам выпала и раскачивалась тяжёлым маятником.

— Мало. Она мало весит.

— Отойдите в сторону. Нам нужно провести осмотр.

Его отодвинули к стене. Он вспомнил, как их гоняли на учёбе — на столе тогда лежал уродливый пластиковый манекен, а они до автоматизма отрабатывали шаги экстренной реанимации. «Шкала Глазго» — оценка тяжести комы. Открывание глаз (E, Eye response). Мариам подняли веко, зрачок сократился от света фонарика. Реакция на болевое раздражение — 2 балла. Речевая реакция (V, Verbalresponse). «Вы нас слышите, как вас зовут?» Она не отвечала. Отсутствие речи — 1 балл. Двигательная реакция (M, Motor response). По рукам Мариам иногда прокатывалась дрожь. Патологическое сгибание в ответ на болевое раздражение — 3 балла. 4—5 баллов — глубокая кома, но шанс ещё был!

— Обеспечить проходимость дыхательных путей, приступаем к вентиляции лёгких.

Все подчинялись командам, никаких лишних движений и звуков. Только писк монитора. Ей очистили горло, ввели интубационную трубку, мешком Амбу начали подавать в лёгкие воздух.

«Основание ладони своей правой руки расположите на центре грудной клетки потерпевшего. Оно должно лежать точно на грудине, немного ниже её середины. Вторую ладонь расположите поверх первой, затем переплетите их пальцы. Никакая часть вашей кисти не должна прикасаться к рёбрам потерпевшего, так как в таком положении увеличивается риск их перелома». Как просто и безразлично это звучало на занятиях — как страшно выглядело сейчас.

— Оцениваем сердечный ритм. — Врач сверялся по монитору, пластины дефибриллятора легли на грудь Мариам. — Всем отойти. Разряд. — На секунду все подняли руки от тела, грудную клетку встряхнуло, врач ритмично надавливал прямыми руками на грудь, чтобы заставить сердце сокращаться. — Двенадцать, тринадцать, четырнадцать. — Прозрачный мешок с воздухом дважды сократился.

— Оценка ритма. Без изменений. Разряд двести. Всем отойти. — Руки ещё на миг оторвались. — Двадцать пять, двадцать шесть, двадцать семь, двадцать восемь, двадцать девять, тридцать. Десять минут.

Цифры на мониторе не изменились. Сердце стояло.

— Фибрилляция сохраняется.

— Всем отойти, разряд двести, приготовиться поменяться. Меняемся. Двадцать пять, двадцать шесть, двадцать семь, двадцать восемь, двадцать девять, тридцать. Двадцать минут.

— Один миллиграмм адреналина, триста амиодарона, шприц физраствора. — Руки надавливали на грудь. — Двадцать семь, двадцать восемь, двадцать девять, тридцать. Тридцать минут.

— Асистолия.

— Останавливаем реанимацию.

Среди какофонии звуков Вертман вдруг ощутил тишину. Сквозь безвоздушное немое пространство он видел, как движения реаниматологов становятся из резких вялыми, как падают их руки, слышал из отдаления, как со шлепком снимаются перчатки, видел, как полетела в урну чья-то белая маска. В этом вакууме кто-то сказал ровным голосом:

— Время смерти — шестнадцать часов тридцать две минуты.

ГЛАВА 26

За год, что Инга не была у Сергея, его холостяцкое жилище обросло женскими вещами: с вешалки свисали цветастые шарфы, на стенах бледно-бежевого цвета появились яркие рамки. Серёжа и Даша. Даша и Серёжа. Она прижимается к нему. Он целует её в щёку. Счастливая пара.

Инга поставила сумку на пол в прихожей, скинула босоножки, походила по квартире, вглядываясь в лицо новой пассии бывшего мужа на фотографиях. На кухонном столе стояла ваза с засохшими розами. Видимо, перед отпуском Сергей подарил Даше цветы, в день отлёта они ещё не отцвели, выкинуть было жалко. Инга сунула букет в ведро, ополоснула вазу. Кран отплёвывался рыжими сгустками — горячую воду дали только сегодня с утра. Помыла миску Кефира с засохшими остатками корма.

Как жаль, что Серёжа отвёз его к родителям! Зарыться бы в его пушистую шерсть, поцеловать в мокрый нос!

Устало присела на угловой диван. До возвращения дочери больше недели. За это время надо успеть привести в порядок свою квартиру. Сменить замки. Эдик настаивал, что необходимо заменить входную дверь полностью. Он взялся рьяно помогать с уборкой и ремонтом, за что Инга была ему очень благодарна.

Она поставила чайник, открыла окно. Скинула Марата — последние пару дней он названивал без остановки, — набрала Холодивкер. Занято. Набрала снова.

Ну что ж, пока поживу тут. Спасибо, Серёж.

Indiwind
Подключен (а)
запрошенныйфайл в приложении

Inga
Подключен (а)
Почему так долго? Спасибо

Indiwind
Подключен (а)
старых планов не было электронной базы
это отсканированный ручной чертеж
ты повезло что вообще нашёл

Инга подключила ноутбук к Серёжиному принтеру, распечатала цветную схему. На титульном листе было написано: «Геоподоснова Красногвардейского района. 1937 год». В глазах зарябило от красных и синих линий.

Я никогда в этом не разберусь.

Она разложила листы на столе, быстро сопоставив, какой из них куда. Из папки с лаконичной надписью «Джи» достала ксерокс геоподосновы, который сделала со схемы Кирилла. Карта, находившаяся в распоряжении полиции, явно не совпадала со старой схемой.

— Ты как там? — спросила она в трубку.

— Жива. На кухню зарулила. — Судя по голосу, Холодивкер жевала.

Голову Эвелины обнаружили на Димитрова, 2. Инга взяла красный фломастер, ища этот адрес на карте.

Холодивкер молчала, но трубку не вешала. Похороны Мариам дались ей тяжело.

— Как Вертман? — спросила Инга.

— Ну как он может быть? Никак. Чёрный от горя. Леонора его тоже. Одноклассников Мариам пришло много.

Инга с трудом нашла на схеме дом, поставила крестик. К точке, в которой находился отстойник, где нашли голову Эвелины, вела синяя труба. Инга сверилась с условными обозначениями: 70 см, самый большой диаметр. Голова вполне могла пройти.

— Холодильничек, — прошептала она, — как ты думаешь, если бы я сразу сказала тебе, что украла таблетки из сумки Мариам, если бы ты забила тревогу, может быть, мы... могло быть всё по-другому?

— Ты думаешь, я не догадалась? — рявкнула Холодивкер. — Сначала мы видим Мариам в «40К», потом приходим к ним в гости, девочка тощая. Конечно, я поняла, что ты не просто так забыла шарфик! Бесилась, что ты мне сразу не сказала. Скрывать что-то от меня решила.

— Просто невозможно поверить... на ужине она выглядела вполне здоровой. Если бы я... я и представить не могла, что всё так серьёзно...

— Белова, ты это брось! Даже не думай, слышишь? Я позвонила ему сразу, а потом ещё раз, и ещё — когда результаты экспертизы пришли и стало ясно, что бить тревогу надо. Родители, они так часто бывают слепы... «Леонора разберётся», — горько передразнила она Вертмана и снова замолчала.

Инга смотрела на схему. По трубе шли голубые стрелки — направление подземного течения. Она упёрлась ногтем в первую и стала медленно, чтобы не сбиться, идти «против течения», перешагивая с одной на другую.

Трубы, уходящие к домам, были узкие — всего двадцать сантиметров в диаметре. Значит, в этом Кирилл прав: голова не могла приплыть из домов, скорее всего она каким-то образом попала в открытую канализационную решётку на улице. Но вот в какую, как и где? Насколько Инга могла понять, решётки сливов на схеме обозначены не были.

— Мы тут не виноваты, — твёрдо сказала Женя. — Но кто-то же виноват. Этот чёртов Химик, который... который...

— ...Вертман и есть... — продолжила за неё Инга, и впервые Женя не возмутилась, не закудахтала, как курица, не обиделась.

На рубеже двух кварталов труба расходилась на четыре ответвления: две синие и две оранжевые линии. Инга отметила «перекрёсток» зелёным. Ещё раз сверилась с условными обозначениями: диаметр оранжевой трубы — 30 см. Значит, оставалось только два пути.

— То ли ты меня накрутила, то ли ещё чего, но мне сегодня показалось, что он не только горем придавленный. Он виноватым себя чувствует. Эти фразы на поминках...

— Я тебя не накручивала. — Инга продолжала «идти» пальцем по стрелкам. — Это факты, которые ты отрицала. Арег — владелец Vitaclinic. Вертман варил таблетки. Эвелина была помощницей Арега, воровала Витазидон. Именно за это, а не за Тамару, её и убили. Причём, Холодильник... кажется, я знаю, где и когда.

— Так... — Холодивкер приободрилась.

— Я сейчас коллую над старой геоподосновой. Там от стока, в котором нашли голову Джи, разветвление идёт, и всего две трубы нужного диаметра. Холодильник, я уверена, что её унесло в старую ливнёвую канализацию.

— Это и ёжику понятно, ты мне скажи, откуда она приплыла?

— Первый возможный адрес — Знатьевская, 8. Это... я сейчас скажу тебе, — Инга набирала в Яндексе, — торговый центр «Китёнок». А вот второй... все дороги ведут в Рим! Садово-Петровская, 10.

— Vitaclinic! — выдохнула Женя.

— Эвелину убили в клинике и скинули голову в открытую решётку канализации! Какой, ты говорила, диапазон времени наступления смерти был?

— Дай бог памяти, — Холодивкер задумалась, — 5—10 апреля, если не ошибаюсь.

— Точно, сходится! От Vitaclinic до офисного здания на Димитрова, где нашли голову, судя по схеме, — восемнадцать километров по трубе. Чтобы она уплыла так далеко и застряла там в отстойнике, нужно было сильное течение.

— Ливень! — догадалась Женя. — В день, когда голова попала в ливнёвку, был сильный дождь!

— Помнишь, в начале апреля сутки лило? Последние сугробы смыло, в «Nасвязи» ещё все обнылись по поводу погоды. — Инга рыскала в Интернете. — Есть! Это было восьмого числа. Холодильник, Эвелину убили восьмого апреля!

— Белова, ну ты даёшь! — прошептала Женя. — Подожди-ка! А почему тогда инженер и все остальные, кто лазил в отстойник, не заметили эту трубу?

— Не знаю, — растерялась Инга.

— Видать, ввод этой трубы ниже уровня основных, — рассуждала Холодивкер, — и ниже уровня воды.

— Короче, едем туда! — Инга обвела здание клиники красным.

— Полвосьмого вечера, ты сдурела? Кого ты там застанешь? — Холодивкер поперхнулась.

— Через полчаса у клиники! — Инга, не читая, стёрла эсэмэс от Марата и глянула на экран ноутбука.

Indiwind
Подключен (а)
еще поделу ты интересно будет

Инга ткнула на прикреплённый файл и начала читать.

* * *

Вечер был белый, будто стоял в молоке. Не туман, а хрупкий прозрачный воздух. Лет в четырнадцать Инга ждала от таких летних сумерек гитары, костра и острой, как ветка облепихи, влюблённости. Сейчас она быстро шла по Садово-Петровской, и сердце стучало: тайна может быть разгадана прямо сегодня.

Холодивкер она вычислила по красной горящей точке в глубине подворотни. Инга подошла сзади и положила руку на плечо подруге, та чуть не сбросила её.

— Ты, блин, совсем съехала! — начала Холодивкер шёпотом, но Инга прервала:

— Смотри!

— Что это ещё за хрень? — Женя вглядывалась в экран Ингиного айфона.

— Договор купли-продажи, — угрюмо сказала Инга. — ЗАО Vitaclinic. Некто Ломышев И. И. продал сто процентов акций Петряеву В. Н. — на дату посмотри.

— 24 июня, — прочитала Холодивкер.

— День смерти Арега, — кивнула Инга. — Клиника была основана в начале двухтысячных, Агаджанян не владел ею напрямую. Поставил гендиром и владельцем какого-то пустышку, платил ему за это процент. Это тогда была общая практика.

— Как Фунт в «Золотом телёнке», — поняла Холодивкер.

— Точно, — подтвердила Инга. — И этот Фунт продаёт клинику за несколько часов до смерти Агаджаняна. И не кому-нибудь, а Петрушке.

— Какое совпадение. — Подруги хмуро посмотрели друг на друга.

— Ты всё ещё уверена, что хочешь туда? — уточнила Женя. — Может, Архарову звякнем?

— Он отстранён. — Инга убрала телефон. — Не будем его подставлять. Пошли.

— Даже если твоей Эвелине тут башку оторвали, что мы сейчас-то сделаем? — упиралась Холодивкер. — Надо же расписать подозреваемых: тут их вал, и каждый связан с Vitaclinic. Тамара? — Инга отрицательно покачала головой. — Ладно, не Тамара. Петрушка? Его головорезы? Сам Арег? Химик? Тот, кто сейчас занимается переделом рынка таблеток? Ты что, думаешь, орудие убийства, окровавленное и ржавое, два месяца лежит тут посередине газона, ждёт на...

Она осеклась на полуслове.

— Мы никогда не смотрели на эту клинику как на место преступления. А угол зрения ох как важен, — сказала Инга.

Женя, не обращая внимания на её слова, уставилась куда-то немигающим взглядом.

— Холодильник... — начала было Инга, но Холодивкер перебила её шипением:

— Погрузчик!

В глубине двора, который огибал здание клиники огромной буквой «П», двое рабочих что-то выгружали из видавшего виды грузовика. Задний борт его кузова был откинут и спущен вниз: так он превращался в небольшую, в рост человека, погрузочную платформу.

— Не погрузчик, а грузовик с гидролифтом, — машинально поправила Инга.

— Какая разница? — шипанула Женя и направилась к рабочим. — Что разгружаем? — бодро спросила она.

Инга заметила, что походка у неё стала вальяжной, руки в брюки, шаг полукругом, широкие штанины едва за ногами поспевают. В любой другой ситуации Инга бы уже покатывалась со смеху, но сейчас её потрясывало от предвкушения: она чуяла, что Женя идёт по следу убийцы, идёт правильно, хотя пока совершенно не понимает куда.

Старший рабочий, сухой и заросший по глаза, неодобрительно глянул на них, пожевал губами и ответил:

— Ограждения меняем.

Он нажал зелёную кнопку на похожем на светофор пульте, толстый шнур которого вёл в кабину грузовика. Задняя дверь-платформа опустилась почти до земли. Второй рабочий на виловом погрузчике легко подхватил несколько коробок.

— Платформа немного погнута, — сказала Женя тихо. — Брат, машина эта клинике принадлежит?

— Хозяйская вроде, — кивнул он, — давно её вожу.

— Паркуешь здесь всегда? — Холодивкер оглядывала землю. — А ключи? На охрану сдаёшь?

— Сдаю... — удивлённо подтвердил рабочий. — Женщина, вам чё надо?

— Есть! — Холодивкер жестом позвала Ингу. — Смотри!

У бордюра в паре шагов от припаркованного грузовика беззубым ртом зияла сломанная грязесборная решётка.

— Вот оно что! Это была случайность! — Холодивкер ликовала. — Вот что у меня всё это время не складывалось, а теперь сложилось!

Ласково, глядя на Женю как на умалишённую, Инга попросила:

— Расскажи, что сложилось, а? Я пока ничего не понимаю.

— Её кислотой траванули, а голову случайно отодрали подъёмником этим! — Женя возбуждённо смотрела на неё. — Непонятно? Гляди!

Она быстро уселась на платформу и, вскинув ноги, легла на бок. Подложив под ухо вместо подушки руки, Женя потрогала край платформы.

— Вот он — неровный срез. Поднимай! — скомандовала она рабочему.

— Сдурели, это вам не аттракцион! А ну-ка слезай, говорят тебе! — Рабочий завращал глазами, не зная, что делать с сумасшедшей тёткой.

— Поднимай! — повторила за Холодивкер Инга.

— Жми на кнопку, получишь результат. — Холодивкер самодовольно поправляла задравшуюся на животе футболку.

Рабочий остолбенел от такой наглости. Инга решительно подошла к нему и нажала большую зелёную кнопку. Медленно, сотрясаясь под тяжёлым грузом, подъёмник пошёл вверх. Инга увидела, что под весом Холодивкер он прогнулся ещё сильнее. Теперь было ясно, что, когда он достигнет уровня кузова, между ними останется зазор. Женя тем временем свесила голову вниз, будто большой ребёнок, разглядывающий жуков в траве.

Платформа начала закрываться. Холодивкер покатилась внутрь.

— Стоп! — закричала Инга.

Мужик нажал на красную кнопку. И вовремя: съехав в кузов грузовика, Женя шеей застряла в зазоре между ним и погнутой платформой. Ещё чуть-чуть, и механизм отрубил бы ей голову.

— Едрить твою под коромысло! — заорал рабочий. — Бабы с глузду совсем съехали! Ванька, глуши мотор от греха!

— Он убил её где-то тут, в клинике, и вывез тело на этом грузовике. — Инга смотрела, как платформа опускается обратно и Женя с неё слезает.

— Тогда лило как из ведра, — продолжила за неё Холодивкер. — Убийца наверняка уже за рулём сидел и вообще не заметил, как Эвелине оторвало голову. А голова юрк — и в трубу через сломанную решётку.

— Он, небось, вернулся потом, рыскал, а головы и след простыл, — сказала Инга. — Не похоже это на профессионалов Петрушки. Кажется, мы действительно раскрыли убийство Джи.

— Я притушу твою радость. Осталась мелочь — найти и посадить убийцу, — язвительно заметила Женя.

— Да и убийца у нас есть. — Инга тоскливо посмотрела на Холодивкер. — Вертман Анатолий Ефимович.

— А вот это ещё надо доказать. — Женя не ответила на её взгляд.

— Позвони ему, поговорим.

— У тебя совесть есть? Он дочь сегодня похоронил, — глухо отпиралась Холодивкер.

— Холодильник, звони. Попробуй с ним встретиться.

Женя мрачно стояла у грузовика, переступая с пяток на мыски. Эйфория прошла, она уже почти жалела, что им удалось понять, как и откуда голова Эвелины попала в отстойник на Димитрова.

Инга не мешала. Холодивкер достала телефон, набрала номер.

— Никто не подходит, — сказала через минуту.

— Звони ещё, — тихо скомандовала Инга.

— Хватит на меня так смотреть, дыры прожжёшь, — проворчала Женя. Она набирала. Снова, снова и снова. — Не подходит! Чего ты от меня хочешь?!

— А ну-ка, ещё раз набери, — Инга отошла от неё на пару шагов, — последний, обещаю.

Холодивкер обречённо ткнула в экран.

— Слушай! — приказала Инга.

В вечерней тишине что-то ритмично вздрагивало и затихало параллельно гудкам.

— Телефон на вибрации, и он где-то здесь, — Инга пошла на звук, — давай-ка ещё.

Они обогнули правое крыло клиники и упёрлись в клумбу, засаженную разными сортами красивых колосистых трав, люпинами и сиреневыми колючками, названий которых Инга не знала. Телефон, будто огромный шмель, жужжал оттуда.

Инга опустилась на колени и стала рыскать в траве.

— Нашла! — Экран вертмановского смартфона, разбитый в нескольких местах, светился в люпинах. «Женя» — скакало по чёрно-белой фотографии стройной симпатичной девушки, в которой с трудом можно было узнать Холодивкер.

— Он потерял телефон! — удивилась Женя.

— Или выкинул. — Инга смотрела на здание, у стены которого они теперь стояли. Выкрашенное в такой же бледно-жёлтый цвет, что и Vitaclinic, оно явно относилось к ней, но не было предназначено для пациентов. — Например, вон из того окна на втором этаже.

— Ну что ж, идём, — согласилась Холодивкер.

Дом был старым и небольшим: видимо, раньше это был флигель при городской усадьбе. Само здание усадьбы занимала клиника. Как и с большинством московских домов девятнадцатого века, с ним случилось несчастье под названием «реконструкция» — остались неизменными только внешние стены.

Инга толкнула входную дверь, и та легко открылась внутрь полутёмного коридора. Изнутри здание казалось похожим на выпотрошенную курицу: двери распахнуты, повсюду беспорядок.

— Он наверху. — Холодивкер показала на потолок.

Со второго этажа доносилось приглушённое звяканье, время от времени на пол что-то падало.

По мере того как они продвигались внутрь, Инга заглядывала во все двери. Это было похоже на офис по торговле фармацевтикой. Столы, компьютеры, медицинские шкафы. Везде пусто, сотрудники уже ушли домой.

Раздвижные двери на втором этаже, похожие на железный лифт, тоже были приоткрыты: в щель Инга увидела огромное помещение, напоминавшее кухню ресторана. Тут тоже везде был бардак: пластмассовые контейнеры свалены в раковины, на полу блестело стекло, шкафы с картотеками открыты, папки вывалены на столы и на пол. Приборы, на вид очень дорогие, из которых Инга узнала только микроскоп, грудой лежали под окнами.

Вертман, растрёпанный и серый, стоял возле шредера, прислонившись виском к стене, и методично, бумажка за бумажкой, скармливал ему какие-то документы. Он тяжело дышал, седая прядь прилипла ко лбу.

— Толя! — Холодивкер вошла в разгромленную лабораторию и остановилась в нескольких шагах от Вертмана, боясь к нему приблизиться.

Тот равнодушно скользнул глазами по её лицу, не высказав никакого удивления. Инга осталась на пороге лаборатории за Жениной спиной.

— А ты знаешь, Женя, что для утилизации реактивов нужно оформлять паспорт отходов? — Вертман отступил от шредера, который продолжал урчать, будто от голода. — Нельзя их, знаешь ли, спускать в канализацию или... сжигать, например. — Он подошёл к стеклянному шкафу, в котором стояли пробирки с жидкостями, подписанные от руки и с напечатанными табличками.

— Это дело твоей жизни, — Холодивкер говорила тихо, — я все эти годы так... уважала тебя. Ты стал большим учёным, Толя.

— Главное — уничтожить разработки и молекулу. — Вертман обернулся на разбитый компьютер. — Оно всё было здесь. Всё было здесь.

Методично, не спеша, он доставал с полок колбы и пробирки, ставил возле раковины на стол.

— Анатолий Ефимович, мы выяснили, что Эвелина Джи была убита в этой лаборатории. — Инга решила не вдаваться в подробности.

Ему нечего терять. Он такой чёрный от горя и вины, что на него больно смотреть. Он сейчас признается. Дальше я потяну за эту нить, и мы выясним, зачем он убил остальных.

Вертман никак не отреагировал на фразу, казалось, вообще ничего не заметил. Он пустил воду, открыл одну из пробирок и вылил содержимое в раковину, выкинув пустую склянку куда-то вбок.

— Такие, как я, Женя, мы паразиты. — Он говорил спокойно, будто выступал на конференции, и бархатный его голос производил зловещее впечатление в сочетании с выбившейся из брюк рубашкой и размётанными волосами. — Вот ты говоришь — большой учёный. А на самом деле я — паразит. Люди всегда были для меня «человеческим материалом». Крысиная жизнь, — он кивнул на клетки с лабораторными мышами. Маленькие животные метались по своим прозрачным жилищам, тыкали в стекло розовые носы, вставали на задние лапки, — и та была для меня важнее, хотя... что я лукавлю: на крыс паразитам тоже плевать. Они все поменялись, в крайней была серая, у окна — с полоской на пузе, но разве ж я спросил... мне на всё было плевать. На всё.

Холодивкер молчала. Опустошённые пробирки летели во все стороны. Разбивались, жалобно позвякивая.

— Что я хотел? Спасти человечество? Изобрести таблетку от СПИДа? Микстуру от рака? Как Флеминг, заново вывести пенициллин? Нет, Женя. Денег — вот чего хотят паразиты. Денег, и чтобы такие люди, как ты, считали меня большим учёным.

— Что у тебя там? — Холодивкер в волнении сделала шаг вперёд. — Льёшь всё подряд...

— Ну что ты, разве я не знаю? Большие учёные знают всё. — Вертман улыбнулся. — Объясни вон своей подруге, чем взрывоопасные вещества от взрывчатых отличаются. Для химического превращения, горения или взрыва, — он словно цитировал учебник, — большинства взрывоопасных веществ обязателен кислород воздуха, в то время как взрывчатые вещества способны к разложению со взрывом и в отсутствие оного. Кстати, Инга правильно меня подозревает, — продолжал он без перехода, — я убийца. — Вертман поднял глаза на Холодивкер. — Я убил их всех... — Пробка не поддавалась, и он вцепился в неё зубами, — в этой лаборатории.

Он наклонил открытую колбу, перекатывая по дну её содержимое: мелкие камушки, похожие на чёрную икру.

— Стронций![1]

Холодивкер кинулась к Вертману, пытаясь вырвать у него из рук пробирку.

Инга не сразу поняла, что произошло: сначала раздался громкий хлопок, потом она увидела, как Женю откинуло назад. Чёрный взрыв закоптил потолок, оплавил полки. Вертман, охваченный тёмным пламенем, молча оседал на шредер. Инга завороженно смотрела, как быстро вспыхнула на нём рубашка, как зашлись, будто сухие щепки, волосы, как огонь перетекает с него на бумаги. Вертман не катался по полу, не пытался сбить пламя. Медленно, утробно, он закричал от боли, вцепившись себе в лицо:

— А-А! А-А-А! — Казалось, это воет животное.

Запищали, забились в клетках мыши.

Инга бросилась к Жене. Та лежала на спине. Брови и чёлка были опалены. Из щеки и над глазом торчали осколки. Пламя кругами расходилось по лаборатории, будто мебель была облита бензином.

— А-А-А-А-А!

Что-то начало хлопать в дальнем шкафу с реактивами.

— Вот же чёрт!

Инга попыталась приподнять Холодивкер, но у неё не получилось.

---

[1] Стронций в раздробленном состоянии самовоспламеняется, особенно во влажном воздухе.

Тогда она схватила её под мышки и изо всех сил потащила в коридор, подальше от огня, попутно замечая, что руки у Жени обожжены, из правой ладони тоже торчит стекло.

Дело шло очень медленно. До железных дверей оставалось добрых десять шагов, когда взорвалось ещё что-то в дальнем углу, по лицу и рукам прошла жаркая волна. Вертман наконец перестал кричать, упал на спину, Инга услышала стук затылка о плитку.

Дышать стало нечем. Тошнило.

— Холодильник! — В отчаянии Инга попыталась крикнуть, но сразу же пожалела об этом: лёгкие обожгло, на выходе получился писк.

Женя открыла глаза. Мгновенно сообразив, что к чему, она встала на четвереньки и выволокла Ингу из лаборатории, задвинула железные двери. Инга обернулась и успела увидеть, как огонь валит шкафы на пол, жрёт всё подряд.

— Там Вертман! — Инга схватила стоявший у лестницы огнетушитель, чтобы броситься назад.

— Белова! — Холодивкер кривилась от боли, слёзы текли у неё по щекам, огибая воткнувшиеся в них осколки. — Толи больше нет. Нам нужно мотать отсюда, и побыстрому. Сейчас может серьёзно бахнуть!

ГЛАВА 27

Однажды вакуум прервался, и из той палаты стал ясно слышен хрип. Я вломился, вижу — Хозяин на полу с петлёй на шее, лицо багровое, ртом воздух хватает. Верёвку от петли натягивает... Она! Видно, сила в тех руках была неженская.

Я вырвал верёвку и освободил ему горло. Он упал без сознания. Она отпрыгнула и вжалась в угол, не сводя с меня ненавидящих глаз. Я взглянул и обомлел: Одигитрия! Троеручица! Губы её, взгляд её. Только без младенца Христа и простоволосая — но она! Ярость в лице неожиданно улеглась, проступили скорбь и усталость. Она поднесла руки к вискам, словно бы стараясь унять мысли, и я увидел мерцание на щеках и почувствовал благость, как если бы рядом со мной разгорался животворящий огонь.

Вот когда пожалеешь, что слова сказать не можешь! Махнул три креста. Бог милостив, она поняла, что я её не трону.

Теперь Хозяин. Вытащил его в коридор, приволок дежурного доктора. Тот затрясся, стал звонить куда-то, появились санитары, уложили Хозяина на носилки, вошли в грузовой лифт. А я стоял с магнитной карточкой в руках и смотрел, как чёрная бездна поглотила его. Впервые за годы после войны я оказался предоставлен самому себе. Я был без Хозяина.

Вернулся к ней. Она так и сидела на полу в длинной казённой рубахе, тогда я снял куртку и отдал ей. Я знал все выходы в этой больнице, знал, где видеокамеры, — прошли слепыми зонами. Было, наверное, около трёх часов утра, последние минуты темноты. Мы вышли задним двором. Я желал коснуться её, но не мог, только незаметно потрогал край рубашки и тем успокоился. Улица таращилась на нас редкими жёлтыми окнами, шумели липы.

— Мне надо домой, — сказала она.

Я вытащил из-под рубашки крестик и показал, что буду молиться ей, как святой. Но она поняла меня по-своему.

— Молиться за меня не надо, не поможет. Мне от смертного греха не уйти.

Я всё ждал и не мог оставить её. Тогда она подошла вплотную и коснулась моей щеки. И то, что глубоко и безнадёжно молчало во мне, вдруг проснулось и запело на разные голоса, и ему вторили поднявшиеся с крыш тёмные птицы.

Остановилась старенькая «Шкода» с водителем, лысым дедком. Я дал ему денег, и она уехала. А сам бегом к Хозяину — жив ли?

Уже в сознании, он лежал на каталке и сделал слабый знак рукой, чтоб я наклонился.

— Кончи её. Сейчас ж... — Приступ кашля. Он сипел, лицо и шея наливались кровью.

Я замотал головой, показал, что в палате её нет. Он откашлялся и вцепился в меня взглядом, будто рысьим когтем.

— Врёшь. Куда она могла деться?

Подняли на ноги больничную охрану. Но никто нас не засёк. Куда им, соням!

— Вот что, — велел Хозяин. — Далеко она уйти не могла. Прочеши район, а не найдёшь — с сегодняшнего дня отправляйся на поиски.

Я пошёл в храм на литургию и усердно молился о нём, чтобы злые мысли его оставили, за здравие подал и долго стоял перед Смоленской Божьей Матерью, мучимый греховными мыслями, — искал в лике святом черты сходства с нею. Хоть и понимал, что напрасно это, не найду. Такое лишь на мгновение случается — увидеть живьём Царицу Небесную в земной женщине.

То, что Хозяин мой — великий грешник, я давно знаю. Но по большим делам и искушения большие посылаются, не мне его судить.

Я начал поиски. Думал предупредить, чтоб спряталась до поры до времени. Хозяин не отступится, он упёртый, но вмешались, как говорится, обстоятельства непреодолимой силы: по какому-то стрёмному делу ему пришлось делать ноги из страны. Уехал в Лондон. Я остался при

доме — сына, Степана Валерьича, охранять. Через полгода Хозяин вернулся, дела, видно, опять в гору пошли.
Начались поездки по стране, сменилась повестка дня капитально, и он не вспомнил про неё ни разу. Ну и слава
богу, думаю.

Но я-то, конечно, ничего не забыл.

Через два года на Духов день прихожу в Донской монастырь. Отстоял службу и вышел на старое кладбище
позади храма. Непривычно людно, даже суетно. А в серд-
цевине этой суеты, между чёрных каменных крестов стоит — она!

Я подошёл к толпе, не понимая, почему на неё все
смотрят, приборов вокруг понатыкано, и вдруг дошло,
что это снимают кино. Послышалось: «Стоп! Снято! Перерыв двадцать минут», — и толпа зашевелилась, заур-
чала. Какой-то тип в белой футболке показал большой
палец:

— Эй, ты из третьей студии? Тома, гляди, кого нам
прислали, гримировать не надо, уже готов. Иди сюда,
страшила. Сейчас перекурим, и твоя сцена.

Я стоял как вкопанный. Наконец она меня заметила
и шикнула на того, в футболке.

— Нашёл меня, да? — Мы присели на серые облом-
ки надгробий, под храмовыми ступенями. — Что, убивать пришёл?

А чего я от неё ждал? Хоть не гонит, и то ладно.
А оправдываться перед ней мне вообще нет резона. Вытащил телефон, набрал: «Не убью».

— Успокоил.

«Прости меня».

Она лишь фыркнула в ответ:

— Бог простит.

И смотрит так, словно читает в моём сердце старые
дневники и лучше меня знает, где там правда написана.

— Жалостливый стал, да? Что ж ты брата своего не пожалел, когда на смерть его посылал?

Сказала — проволокой прикрутила. И ушла.

Теперь я ходил за ней постоянно. Мне как будто начали объявлять приговор, да заминка вышла — судья с адвокатом не договорились. И вот сижу я на той скамье, дерево полирую, а они там, по ту сторону решётки, судьбу мою режут на кусочки и мне не показывают.

Брат, брат, как же так всё вышло?..

* * *

...Я вернулся на блокпост, все мысли о Витальке: как его спасти?

У кого помощи просить, это я сразу знал — у Хозяина. Авторитетнее человека тогда в горах не было. На следующий день сопровождал его, как обычно, и всё как на духу ему выложил: что родного брата встретил. И что он теперь по ту сторону и имя принял исламское.

— Вот оно как, — присвистнул Хозяин. — Нехорошо это, но поправимо. А ты молодец, что мне рассказал. Своих надо возвращать. Хоть они этого, дураки, и не понимают. Вот что, передай брату, что оружие лежит на военном складе в Грозном, охраны там не будет, пусть приходит, забирает.

— Валерий Николаевич... что вы собираетесь делать?

— Я тебе слово даю, что лично его не тронут. Указ вышел: кто добровольно сдаст оружие, тому амнистия и отпущение всех грехов. Ни суда, ни злой памяти. Беру это на себя. Порешим так, что он добровольно сдался. А бандитов, с которыми он придёт, мы прикончим, да ещё ему в заслугу это поставим. Веришь мне?

А кому мне было верить на этой земле, если не ему?

В назначенное время я был у храма Святого Георгия. Зашёл, поставил свечу Николаю Угоднику и горячо помолился, чтобы Виталька одумался и вернулся на родину, такой, как раньше. Ох и дурной же я был!

Ахмет ждал меня. Мы зашли в кафе в подвале, взяли чай и хингалш. Я разделил лепёшку на две половины, протянул ему, но он не притронулся и сказал, что дал обет, смысл которого из его невнятных слов я не понял. Вблизи он выглядел почти стариком, кожа задубела, образовались глубокие залысины в волосах, нижняя губа, вся в язвах, запала внутрь. Я заговорил об отце и матери — он ответил, что нет смысла вспоминать. А в чём тогда смысл, спросил я, в твоём оружии? Нет, ответил он, смысл в вере, а оружие помогает сегодня служить ей. Тогда почему ты хочешь, спросил я, чтобы ради этого оружия я предал своих? Я не хочу, ответил он, ты сам готов их предать — ты же не застрелил меня тогда в лесу, ты нарушил свой долг. Я не мог тебя застрелить, сказал я, ты — единственный, кто у меня остался. И тут он впервые посмотрел на меня с интересом, но к этому интересу примешивалась горечь.

— Если я для тебя — единственный, то ты — потерянный человек, брат. Потому что не веришь по-настоящему. И в то, за что ты сражаешься, не веришь, и в тех, кому молишься. Ты испытываешь жалость к самому себе, одиночество — а это значит, не покорился ты Богу. Служишь греху и в этой грязи сдохнешь. Прощай, мне нечего больше тебе сказать.

Я догнал его на улице. Я понимал одно: мне надо вернуть его, жестоким, больным, любым, но вернуть. И я рассказал ему, где тот склад с оружием и что он без охраны. И даже... зная, что он будет меня презирать, зная, сто раз это зная, я всё равно обещал помочь ему. Своих надо возвращать. Тогда до встречи, ответил он и назвал день.

Было пасмурно, низкие облака приблизили ночь. Часть я покинул самовольно, прихватив свой «АКМ». Склад внутренних войск — окружённая двором одноэтажная кирпичная постройка, где хранились конфискованные ящики с железом, — находился на выезде из города. Подходя к нему, я заметил два джипа и понял, что брат уже там. Их было человек пять, один подошёл к воротам и легко сбил замок. Вэвэшников нигде не было видно, но раз Хозяин позаботился, то они должны были появиться.

Я перелез через забор с другой стороны, притаился за горой шифера во дворе. Они взломали двери склада и вошли внутрь. Ахмет раскрыл ворота, сел в машину и подъехал к дверям, его люди уже выносили первый ящик. Наших по-прежнему не было, и это, конечно, полное западло. Если они не появятся, мне придётся обнаружить себя, а значит, я буду вынужден уйти с бандитами. Навсегда бросить своих. Но выбора уже не оставалось — я вышел из укрытия. Ахмет поднял руку и сказал своим не стрелять. Таким я и запомнил его — с поднятой рукой, глядящим мне в глаза. Прогремел первый мощный взрыв, затем второй, последнее, что я услышал, — были автоматные очереди со всех сторон.

Лежать было тяжело, сидеть — больно. Но хуже всего то, что невозможно было глотать и двигать челюстями. Слюна текла беспрерывно, её вытирала сестра, сам я этого сделать не мог, руки были перебиты. Когда кончалось действие обезболивающего, лицо раскалывалось. Я думал, что лица у меня теперь нет совсем, остались раздробленные, торчащие во все стороны кости. Скосив глаза, я видел их, когда делали перевязку. Кормили меня через трубочку, чем, не знаю, вкусов я не различал. Операций было штук шесть, потом меня отправили в Москву, и там, отойдя от очередного наркоза, я почувствовал, что могу снова открывать и закрывать рот. И это оказалось как новая жизнь. Но с речью, конечно, беда. Челюсти смыкались неплотно, поэтому я потерял способность произносить многие звуки. Московский доктор, осматривавший меня перед выпиской, был оптимистом. Говорил, что взрыв начисто лишил меня нижней челюсти, и то, что её вообще удалось собрать и кое-как пристроить на место, было уже великим чудом. По больницам я провалялся полгода.

Однажды меня навестил человек от Хозяина.

— Шеф интересуется, как ты тут. Дело твоё закрыли, из рядов Вооружённых сил ты уволен по ранению. Значит, родине больше ничего не должен. А вот нам ещё послужишь. Поэтому, как сможешь ходить, поступаешь в распоряжение Валерия Николаевича.

А что мне оставалось делать?

Он встретил меня радушно, даже, я бы сказал, тепло. Руку пожал.

— Эх, Мангуст, какой ты теперь видный стал! Ничего, ничего, шрамы украшают мужчину. Врачи тебя с того света вытащили, руки, лицо спасли. Ну а говорить — это ерунда, от этих разговоров, братец, одни беды на земле. Стрелять-то не разучился? Вот и будешь у меня работать. Я своих не бросаю, ты это учти.

И ответил сам на мой немой вопрос:

— Погиб твой брат. Шальная пуля. Операция внутренних войск прошла отлично, бандиты уничтожены.

Шестнадцать лет прошло с тех пор, шестнадцать лет. И вот теперь — Тамара. Я опять пришёл к ней, написал: «Что знаешь про брата? Жив? Ушёл в горы?»

— Нет, — она качает головой, — он убит. Его убил тот, кого ты называешь своим хозяином. Ахмет был для него опасен. Он мог рассказать, как твой хозяин наживался на выкупе заложников. Да, я знаю, что твоего брата звали Ахмет. Он вёл переговоры с Петряевым о выкупе и был в курсе всех его дел. Об этом мне рассказала английская журналистка, бывшая в заложниках у бандитов. Я познакомилась с ней на съёмках, она нас консультировала. В разгар войны её захватили в плен, она пробыла там три месяца. А потом твой хозяин выкупил её, и она летела с ним на частном самолёте в Москву. Петряев дал ей водки, думал, что она в отключке. Джекки много услышала за тот короткий полёт и сложила вместе все факты. Он понимал, что долго греть руки на похищениях не получится, бандитов постепенно уничтожали. Надо было прятать концы в воду. Когда Петряев узнал, что ты — брат Ахмета, он решил через тебя заманить его в ловушку и уничтожить. Он тебя обманул. Твой хозяин лично застрелил Ахмета, а всех остальных взяли в плен.

Я не стал её слушать, поднялся и пошёл прочь. Что она может знать? Наслушалась пустой болтовни.

— Он и тебя хотел убить! — крикнула она мне вслед. — Но решил сделать из тебя раба-убийцу.

Конечно, я не нужен был Хозяину телохранителем — у него их было в достатке, и помощнее меня, и ловчее. Я же после больницы был дохляк, еле ноги передвигал. Ещё и инвалид в придачу. Но глаза, слава богу, остались невредимы, и к рукам твёрдость вернулась довольно быстро.

Я понял, что нужен ему для так называемых деликатных поручений — слово-то какое мерзотное. Штатный устранитель неугодных физических лиц. А что, удобно. К наёмным людям в таких случаях обращаться рискованно, есть опасность, что сдадут. Их потом самих надо кому-то убирать. Я ж был на постоянке. И никому, кроме Хозяина, служить не собирался.

Обычно мне требовалось недели две, чтобы отследить маршруты жертвы, выбрать оптимальные точки. Следов не оставлял, работал чисто. Но на армянина мне много времени не дали. Хозяин сам назвал день и место, приказал — срочно. Пришлось ехать в загородный дом, толкаться в толпе гостей. Да ещё, как назло, объект не один был в кабинете — с бабой рыжей, которая уползла под стол, пока я наводил прицел. Стрелял я с балкона и прикинул, что лезть в комнату её добивать — только самому засыпаться. Я передал Хозяину всё, что видел: что объект отдал рыжей часы и флешку.

— Ах ты, стервец, вот они где, часики мои! — Он задумался, отбил пальцами по столу победный марш.

Следующим деликатным поручением была та баба. Но пока без мокрого, только припугнуть и забрать улики. Хозяин дал мне её имя и адрес. Пришлось взломщиком поработать. Флешки забрал все, какие нашёл, ящики перетряхнул.

А часы лежали прямо на письменном столе — как ждали меня. Я рассмотрел их внимательно — да, часы Хозяина, он их раньше носил, после того случая в больнице они пропали. Я повертел их в руках, кожаный ремешок был конкретно потёрт и начал сыпаться. Царапины на циферблате, как будто они под обстрелом побывали. На обратной стороне я увидел знакомый рисунок, который красовался на стенах домов в моём родном городе. Толстощёкий китаец с узкой бородкой и в квадратной шапке.

ГЛАВА 28

— Стой! — кричала она, спадая с пещерной плоти.

Серафима Викентьевна повернула за угол, замелькала серыми пятками.

Склизкие стены. Она искала голову. В клетках с мышами — нет. В клетках с собаками — нет. В ящике с пуговицами — нет. Старуха вытряхнула мешок. Центрифуга.

— Раковина забилась! — захрипела Серафима Викентьевна. — Она у меня! Она у меня в сифоне!

Ливень. По ногам (босые ноги, ноги босые) текут, катятся, огибают кочаны капусты. Скрипят. Крысы скрипят. Кочаны смотрят. Она побежала.

У выхода из пещеры забор. Через него. Упала на траву.

— Ты обещала и не пришла!

Сзади неё гигантская голова торчит из земли. Её шаги тянулись от зубов. Выплюнула? Выковыряла? Отпустила? Поймала?

— Я в сифоне, — медленно шевеля прогнившим ртом, сказала огромная голова Эвелины.

Инга села на кровати. Сон был настолько глубоким, что, проснувшись, она ещё какое-то время выныривала, а моргая, ощущала, что всё ещё спит. Форточка всасывала и с оханьем отпускала незнакомую штору. Она медленно оглядывала комнату: бельё, шкаф, кресло — чужое. Только скомканная одежда — своя. Воспоминания приходили по очереди. Не сразу.

Я в Серёжиной квартире. Мою разбомбили. Холодивкерский Вертман оказался убийцей. Женя в больнице. От лаборатории Vitaclinic камня на камне не осталось. Допросы, допросы, допросы.

Инга посмотрела на айфон: она проспала шестнадцать часов. Гудела голова, тянуло мышцы рук. Справа под волосами нащупалась болючая шишка: где успела посадить? Когда?

Что мне снилось? Какое-то отвратительное послевкусие. Что-то про Серафиму Викентьевну... Неужели кончено? А цех в Барсучьем? Синегорье? Петрушка? Снова свалит за границу?

Желудок свело в приступе голода. Она не помнила, когда ела в последний раз. Ей захотелось всего и сразу: горячего кофе, яичницы со шпинатом, эклеров, лимонного пирога, пиццы со сгоревшей корочкой из правильной печи и даже, может быть, плова. Настоящего узбекского плова с жёлтой морковью, нутом, бараниной и несладким изюмом. Но у Серёжи не было еды. Она натянула джинсы, покопалась в сумке в поисках кошелька: пора совершить рейд по ближайшим продуктовым. И паралелльно подумать, как составить материал для блога.

Обычно каркас статьи вырастал у Инги сам собой, как кровеносная система человека, как корневища баобаба, как... геоподоснова района. В ноутбуке ещё не было напечатано ни одного слова, но в голове уже жил сложный механизм текста, все эти ответвления и стрелочки, логические переходы от лида к первому абзацу, подзаголовки и выносы. Но сейчас, то ли от усталости, то ли она так и не проснулась окончательно, — мысли рассыпались. Она старалась продумать логику будущей статьи от начала до конца, мысленно расставить основные удары для читателя, понять, где вовремя нужно кинуть те или иные детали, но у неё ничего не получалось. Всё летело в тартарары.

В дверь позвонили. Инга замерла, бесшумно расправляя майку на спине. На цыпочках подошла к глазку. Рыбий глаз смешно выпячивал и без того крупный нос Марата.

— Как ты меня нашёл? — холодно спросила Инга через дверь.

— Открой, — тихо приказал он.

Марат пролетел в квартиру мимо неё, методично прошагал все комнаты. Проверил ванную и туалет.

— Где он? — Ноздри раздувались, в голосе слышалось еле сдерживаемое бешенство.

— Ищешь кого-то? — Инге стало почти смешно.

Марат навис над ней: капельки пота на лбу, утробной волной его запах. На мгновение захотелось поцеловать его в шею, потом за ухом и дальше.

— К бывшему переехала?

— Как жена? — Тон вышел металлическим, как надо.

Марат оторопел.

— Что ж ты мне не сказал, что в Казань едешь, я бы сыновьям твоим сувениры передала.

Ей показалось, что он сейчас начнёт оправдываться, скажет какую-нибудь глупость или вовсе станет отрицать. Но Марат растерялся только на секунду. Её контратака лишь сильнее распалила его гнев.

— Только посмей ещё раз вякнуть про моих детей, фахише!

Слово ударило, как пощёчина. Инга не знала, что оно означает, но этого и не требовалось. Она оттолкнула Марата, чувствуя начало приступа. Она не умела это контролировать: живот скручивало, в виски впивались железные скобы, цвета постепенно уходили, а за ними и зрение. Оставался только тошнотворно-яркий белый. Надо было успеть сесть.

Она прошла в гостиную и схватилась за стеллаж: услышала, как от её прикосновения на полках зазвенели бутылки и статуэтки — подарки Сергею от благодарных пациентов. На ощупь дошла до дивана, вцепилась в подлокотник. Села, закрыла глаза. Комната кружилась.

— Уходи.

— Мы ещё не закончили. — Марат стоял прямо перед ней, их колени соприкасались. — Ты вернулась в семью?

— А ты из своей даже не уходил.

— Не нужно моих сюда приплетать. Они здесь ни при чём. Я схорониться уезжал. От бандюков, что в нас стреляли!

— Схорониться, значит? Меня бросил, а сам — в камыши?

— Тебе что угрожало? Машина-то моя была! А тебя не видел никто! Я за тобой ухаживал. Защищал. Ласкал тебя. Чего тебе ещё надо, женщина? — Марат застыл в недоумении.

— Уже ничего. Значит, говоришь, ты меня защищал? А тот, кто тебе слил, где я, не удосужился рассказать, что случилось со мной, пока ты дома казы кушал? — Голос помимо её воли набирал обороты. — Ты обещал мне пойти на маскарад? Обещал! И ты просто свалил в свою Казань, ничего не объяснив! При мне застрелили Агаджаняна, я барахталась на полу в крови Арега! — Теперь она орала в полный голос, и крик снимал приступ, слепота уходила. Она уже видела пятна: тёмное на Марате, зелёное в углу на месте фикуса, фиолетовое там, где кресло. — Мою квартиру разгромили! Хорошо, что дочка на море с отцом! Я видела, как живьём сгорел Анатолий Вертман! Я тащила Холодивкер из огня и думала, что мы обе погибнем! Я... я... да пошёл ты вон...

Гневная складка на лбу Марата разгладилась.

— То есть он на море? — спросил он. — Дэн мне сказал, ты живёшь у бывшего. Он же не говорил, что в твою квартиру влезли и что ты тут одна. Значит, не спишь с ним?

— ...пошёл ты... — слабо повторила Инга.

Марат приблизился к ней, горячо обнял, потянулся к её губам. Она отвернулась, выставила руку, упёрлась ладонью в его рубашку. В сжавшемся кулаке сладко зудело желание врезать ему в нос. Инга дёрнула его за ворот.

— Отстань! — крикнула она.

— Ты что? Я же тебя утешить хочу.

— Вон!

— Совсем ошалела, дивана! Потом придёшь в себя — жалеть будешь! Локти кусать!

Встретившись с ней глазами, он резко замолчал, сгрёб куртку и вышел. Инга услышала, как хлопнула входная дверь. Она присела на диван, случайно задев локтем пульт. Резко зажёгся телик. Загромыхала музыка. По подиуму туда-сюда ходили тощие модели в рваной одежде — будто кто-то изрезал старые пальто из бабушкиного шкафа. В углу крутилась дата. Что-то говорили ведущие, парень и девушка, Инга не могла сконцентрироваться на словах. FashionTV. Лучше не бывает.

Она рассеянно следила, как девушки одна за другой доходят до края подиума, хмуро разворачиваются и направляются обратно, демонстрируя камере костлявые задницы. Брови у всех были выкрашены кислотным голубым, ресницы — ярко-жёлтым. И ещё, судя по всему, модельер отбирал себе исключительно ушастых. Дырявое платье, толстовка, плащ, похожий на дачный парник.

Не сразу она сообразила разжать затекшую ладонь и увидела в ней пуговицу от рубашки Марата. Она нежно потрогала её гладкий край.

И вдруг подскочила, вспомнив свой сон.

— Архаров! — через несколько минут Инга прижимала телефон к плечу и была уже у двери. — Это не Вертман! Я еду!

— Белова, куда едешь, зачем? Скинь адрес! — закричал Кирилл.

* * *

Глупое обещание не подниматься наверх без него держало её на этих качелях. «Что за чёрт! Теряю время!» — Инга нетерпеливо перебирала ногами по вытоптанной траве. Теперь, когда она всё поняла, ей казалось, что нельзя терять ни секунды. На детской площадке стояла ленивая жара, лишь одна мама пряталась с коляской в тени тополя. «Ты скоро?» — набрала Инга. «20 мин», — прилетело сразу же от Архарова. Она вздохнула и написала Холодивкер: «Как ты?» «Найдены беспроводные сети», — ответил айфон. Инга машинально кликнула на сообщение, которое перебросило её в настройки. Kolobok — увидела она в первой строке.

Она решительно направилась к подъезду. В лифте нажала на кнопку с цифрой девять и зажмурилась: у неё не было никакого плана, тело ныло, из оружия — связка ключей. Но ждать дальше она не могла.

Дверь в сто третью была приоткрыта. Инга медленно подошла к проёму, стараясь двигаться бесшумно. Из глубины квартиры донеслись возня и приглушённые крики. Она бросилась вперёд.

Это была малогабаритная двушка, давно не видевшая ремонта. Дальняя комната, по-видимому, служила Серафиме Викентьевне гостиной и спальней одновременно: тут стоял засиженный диван, который ночью превращался в кровать, полированный стол и румынская стенка. Но Инге было некогда обращать внимание на детали:

329

единственным, кого она увидела, был мужчина, который душил хозяйку квартиры подушкой. Пожилая женщина отчаянно сопротивлялась.

Она не успела ни о чём подумать: просто кинулась ему на спину, чтобы отодрать от Серафимы Викентьевны. Но мужчина, почувствовав движение сзади, быстро повернулся и наотмашь ударил Ингу по лицу. Упав на ковёр, Инга упёрлась взглядом в его ноги, схватила за щиколотки и изо всех сил дёрнула на себя. Не ожидая такой прыти и проворства, он потерял равновесие и тоже упал. Старушка, быстро пришедшая в себя, схватила свою палку и ударила ею по потемневшему бинту.

Павел Гнищин, молодой человек Лиды Тихоновой и ассистент Анатолия Вертмана, взвыл от боли. Инга, плохо соображая, что делать дальше, навалилась на него всем телом.

— Держи!

Серафима Викентьевна кинула ей смотанную в клубок бельевую верёвку. С неожиданной для пожилой женщины силой она крутанула Паше руки, ловко приматывая их к ножке массивного стола. Инга быстро и крепко связала ему ноги. Гнищин стонал и вырывался, но женщины неожиданно оказались сильнее.

— О-ох! — Закончив, Серафима Викентьевна отступила от Павла на пару шагов, наклонилась, приходя в себя, уперев руки в колени. — Ох, изверг, ох! Квартиру-то как перевернул.

Инга только сейчас заметила, что в комнате всё вверх дном: ящики стола вытащены и брошены на пол, створки шкафа раскрыты, все вещи вывалены.

— Зря искал-то. — Старушка распрямилась, убрала под шпильку выбившуюся прядь. — Я её с собой на дачу возила.

Она покопалась в сумке, стоявшей на серванте, достала что-то, перекатывая на ладони.

— За это ты её? За брильянты? — Серафима Викентьевна вытянула руку, и Инга увидела изящную серёжку в форме английской буквы «G», инкрустированную мелкими капельками блестящих камушков.

Паша, ослеплённый болью, скрючился на ковре.

— ...пипец...

Попытался притянуть ударенную руку к себе, но та была крепко привязана к ножке стола. Он напрягся изо всех сил, но не смог сдвинуть его ни на сантиметр. Гнищин весь взмок. От усилий съехал бинт, и Инга уловила сладковатый запах гниющего мяса.

— Серёжки Эвелины, — сказала она. — Первую «Е» нашли вместе с её головой. Вторая «G» осталась у убийцы. А Лида нашла её у себя дома. Ты сережку, что ли, от крови отмывал да в раковину уронил? Или просто пытался избавиться? Думал, смыл, и концы в воду?

— Я... не знаю... о чём вы говорите. — Паша был в горячке. — Мне нужно... обезболивающее... там.

Инга увидела торчащий из заднего кармана шортов блистер, ловко вытащила его. Гнищин постарался извернуться и ударить её ногами, но движение дёрнуло ему руку, и он снова взвыл:

— Сссссссс...

— Инночка, нужно бы в полицию позвонить, — спохватилась Серафима Викентьевна.

Она уж вполне успокоилась. Инга восхитилась этой женщиной.

— Полиция едет. — Инга глянула на таблетки. — Эти колёса тебе нужны? — Она помахала упаковкой перед Пашиным лицом.

— Две... — он закрыл глаза, — штуки... по пятьдесят миллиграммов...

— Как запустили вы себя, Павел! — язвительно сказала Инга. — Говорили же вам, идите к врачу. Таблетки ваши — Витазидон — они же не лечат. Только боль и страх снимают. Таблетки счастья, да?

Гнищин молчал. Ему было трудно концентрироваться и открывать глаза. Он немного откинулся назад, прикрыл веки.

— Да нет, Серафима Викентьевна. — Инга повернулась к пожилой женщине. — Не из-за бриллиантов он Лиду с Эвелиной убил. Из-за таблеток.

— ...каждый год одно и то же: «я на пороге открытия, я на пороге открытия...» — неразборчиво, как в бреду, пробормотал вдруг Паша, — а воз и ныне там. Чистоплюй хренов! Хотел вывести идеальную... а такого не бывает. Теперь нет её... уничтожил свою формулу навсегда. — Он кивнул на таблетки в руках Инги. — Последние запасы... Инга... мне нужна... хотя бы одна... я буду... говорить.

— Дай ему, — попросила сердобольная Серафима Викентьевна, — больно человеку, не видишь?

Инга не обратила на неё никакого внимания.

— Как ты сообразил, что у Вертмана можно воровать и варить грязный препарат с эффектом похудения? Не Лида же тебе подсказала? Кто? Эвелина?

Паша отрицательно мотнул головой:

— Эвелина... меня... с Тихоновой... мы с Джи на работе познакомились. Мне жить негде было. Вот она мне про подругу и рассказала... что та комнату сдаёт. Лида большая была, под сто кило. — Его речь снова свалилась в неясное бормотание.

Инга прислушалась: Паша пытался заговаривать свою руку.

— Боль-болина... тупая кручина... — он мучительно вспоминал, — шаром... покатись, в речку... грянься, в ней... останься.

— Дай ему, пусть уже утешится, — повторила Серафима Викентьевна.

— Говори! И получишь свою наркоту, — металлически продолжала Инга. — Вы с Эвелиной решили подсадить на таблетки Лиду, чтобы проверить, работает ли эффект потери массы на людях, так?

— Лида... мышь моя белая, — вдруг ласково сказал Паша, — сбросила тридцать килогросов, на экскурсиях зажиматься перестала... Придумал я. А название — Эвелинка. Веточка... красиво! И всё завертелось...

— Но Эвелина захотела больший процент, так?

— Сама всё знаешь... Мне... хотя бы полдозы.

Серафима Викентьевна поёрзала на стуле.

— Ох, деточка, иногда лучше всего и не знать...

— Я дату увидела по телевизору, — объяснила ей Инга, — тридцатое сегодня. Как у вас в записке было написано. И у меня вдруг сложилось! Я видела Лиду в день гибели. Она сказала мне о вас и ещё что-то про сифон и засоры. Но тогда я ничего не поняла. А сегодня вспомнила про серёжку и мгновенно сообразила, что именно нашла и отдала вам Лида.

— Хреновый из вас Чип энд Дэйл, — с неожиданной силой сказал Паша, — я б и раньше пришёл. Если б не Валерий Николаич. Он после гибели Вертмана на меня насел. Вари, говорит, больше некому. Ах блин! — Он зажмурился. — Потемнело...

— А вы его жалеете! — укоризненно сказала Инга. — Да он двух молодых девушек убил! И вас бы убил! Рассказывай про Эвелину, — приказала она Паше.

— Липкая была... пиявка, — он приоткрыл веки, — как рука-то болит. Отвязали б вы меня, а?

— Сиди как сидишь, — отрезала Инга.

— Принесла мне очередную порцию баблоса и... не отдаёт. Пополам хочу теперь, говорит. Я говорю: будет как всегда — тридцать на семьдесят... — Он замолчал, справляясь то ли с болью, то ли с тошнотой. — Иначе Арегу скажу, отвечает. Угрожать мне вздумала... Будто я других торгашей не найду. А вот она без Химика куда денется? Ни-ку-да... у меня в лабе бутылочка стояла... ну кто ж её просил хлебать-то. Я маленько только помог, по голове стукнул... что тут рассказывать. Отвёз её и сжёг, где собак своих сжигаю.

— Да голову потерял.

— Боль болина... тупая кручина... только серёжка от неё и осталась... — Он будто заново удивился. — Шаром... куда делась, перекочевала в мои... кошмары... покатись, в речку... грянься, в ней... останься. Страх у меня сделался: что найдут голову отдельную и мне принесут. Я тогда и Витазидон пить начал — иначе страх жить не давал.

— Бедняжка, — брезгливо сказала Серафима Викентьевна. — Лидоньку-то мою за что?

— Да рыжая уж вон всё сказала. — Гнищин кивнул на Ингу. — Засорилась раковина, она чистить полезла, да ещё мастера вызвала. Залила бы «жидким сантехником», химия бы всё пробила! Нет, приспичило ей... Жива бы сейчас была.

Гнищин опустил голову и закрыл глаза, замолк. Лоб у него был красный, весь в траншеях морщин, а щёки вдруг впали, посинели. Инга испугалась, что он потерял сознание. Она выдавила таблетку Витазидона из блистера.

Павел услышал шуршание и мгновенно выпрямился. Инга сунула таблетку ему в пересохшие губы, и он сразу же, не попросив воды, её сжевал, откинулся на диван в ожидании блаженства.

— Пять минут... сейчас отпустит... вот сейчас. Оно отпустит. Всегда отпускает...

— Ты Лиду с балкона столкнул?

— Она на маскараде решила отношения выяснить. Вот дура-то, правда? Объясни мне, говорит, откуда серёжка у тебя. Думала, что спал я с Эвелиной. Я возьми и скажи ей всю правду. А она и поверить не может, что я Эвелинку того... и на балконе вертится, будто сама подсказывает, что делать. В платье этом ещё, нелепая, ноги вроде худы, а всё равно мучные, как булки. Ну, пришлось её через перила-то. Неприятно это всё. Жили ж вместе. — Он раскачивался, будто распевал. — Я с маскарада сразу домой, всё обыскал. Да тут вы у соседней двери... ошиваетесь в костюме своём полуголом. Я и понял, что Мышь моя серёжку соседке сбагрила да вам сболтнуть успела.

— А Безмернов? — Инга продолжала допрос.

— Этот олух сам виноват. — Паша равнодушно пожал плечами. — Я хотел, чтобы он вместо Эвелинки Веточку толкал. Он же в «40К» был, все дела. А он, видать, знал, что Джи в тот вечер ко мне пошла барыши требовать. Догадался гадёныш, ну и боялся, что я теперь и его грохну... Случайно это, рыжая, получилось, случайно. Я и за куртку его хватанул, да только пуговица и осталась...

Не договорив, Гнищин вдруг рванул на неё, накинул верёвку на шею. От неожиданности Инга не сопротивлялась: усыпив их бдительность и разыгрывая обморок от боли, Паша незаметно вытащил верёвку, которой были связаны его руки, из-под ножки стола. А Витазидон придал ему нечеловеческих сил: шею Инге сдавило, дышать стало нечем. Где-то сбоку, на периферии зрения, кудахтала в беспомощности Серафима Викентьевна.

— Полиция! — выбив с ноги дверь, в комнату влетел Архаров.

Гнищин под дулом пистолета ослабил хватку, Инга сдёрнула удавку с шеи и отползла к стенке, беспрерывно кашляя. В бессилии Паша упал обратно на ковёр.

— И где тебя носило? — прохрипела Инга, счастливо глядя на Кирилла.

* * *

Дэн выровнял последнюю расчёску на туалетном столике: он любил, чтоб порядок, чтобы всё с чувством, с толком, с расстановкой. На плазме под потолком округлая блондинка говорила нуарно-тревожным голосом:

— Волна загадочных смертей молодых женщин от интоксикации с одинаковыми симптомами спровоцировала расследование, в результате которого полиции удалось обнаружить подпольный цех по производству таблеток для похудения в селе Барсучьем...

— Что это ты вдруг телик смотришь? — Инга плюхнулась на крутящееся кресло перед зеркалом, взбила мокрые волосы.

— Вашу маму и тут, и там показывают. — Дэн оттянул и отпустил её рыжие кудри, отчего те жгутиками подпрыгнули вверх. — Каково это, чувствовать себя причиной всей этой бучи, центром «молний» и срочных новостей? На тебя везде ссылаются, звезда моя.

— Пять миллионов просмотров! Прикинь, в Думу зовут, — Инга прикрыла глаза, — просят комментарии к законопроекту по ужесточению мер о нелегальной торговле фармакологическими средствами. Как-то так называется. Я точно не запомнила.

— Ну, я и говорю: пора тебе представлять Дениса Лазутина как своего официального стилиста. — Дэн запустил руки Инге под волосы, мягко массировал кожу. —

Мне бы из твоих пяти миллионов хотя бы пару сотен... Прям коротко хочешь? Уверена?

— Ага. Радикально.

Он в предвкушении защёлкал ножницами:

— Ну чего там за таблетки-то были, поведай.

— Витазидон, который разрабатывал Вертман и который Арег продавал военным компаниям через Петряева, был препаратом для увеличения выносливости, снижения чувства страха и болевого порога. Человек становился этаким биороботом: сила есть, боли нет. Воткнётся тебе в руку стекло, например, а ты его как занозу вынимаешь и пластырем заклеиваешь. Шоубизу этот витазидон толкали в Vitaclinic — шикарно помогал от неврозов и сценобоязни. Опять-таки, концерт можно доплясать с вывихнутой лодыжкой.

— Клёво! — Дэн аж присвистнул. — У лица каскадик сделать?

— Делай, как мне будет красиво, — Инга нагнула голову, — ага, вот так. А Гнищин, после экспериментов над мышами и собаками, обнаружил интересную побочку — снижение веса. Протестил втихаря на своей Лиде и наладил подпольное производство в том же цеху в Барсучьем, за спиной у Петряева и Арега. Варили в третью смену, по ночам. Рабочим он приплачивал прямо на месте. Проверять было некому — Гнищин там главным технологом числился. Только вот хреновым он оказался химиком. Побочек куча, и какую ни возьми — все страшные. Правда, насколько я понимаю, Веточка смертельно действует далеко не на всех: только при определенном индексе массы тела или если есть в организме слабина — туда и бьёт. Вот Лида была полностью здорова, и Веточка ей почти не навредила. Эвелина тем временем быстро наладила сеть распространения в «Nacвязи»:

спрос на их товар оказался колоссальным. Какая женщина не хочет похудеть без усилий?

— Не встречал таких, — хмыкнул Дэн, клацая инструментом около её уха. — Я и среди мужчин таких не видел.

— На слабостях играть легче всего, — продолжала Инга. — Про побочки Паша прекрасно знал: и крысы, и собаки у него гибли регулярно. Он даже нанял догхантера потравить собак в собственном приюте — надо было замять следы своих экспериментов. Слово за слово — оказалось, что этот гондон ещё и дурь подросткам толкает. И этот сукин сын Паша после смерти Эвелины пошёл через него к молодняку. Для Паши это было везение невероятное: подельники-то погибли, а к лёгким деньгам уже привык. И Веточка начала косить подростков. — Инга поймала взгляд Дэна в зеркале. — И знаешь, ведь он считал себя настоящим учёным, вёл подробные записи обо всём, даже о подонках, которые подросткам его колёса толкать начали. Надеюсь, Архаров благодаря его дневникам возьмёт всю эту банду.

— А про кабак и Безмернова расскажи. Что за цирк они там устроили?

— Схема проста как три копейки, прикинь. — Инга даже улыбнулась. — Безмернов толкал Веточку в «Красном коне» и ещё в нескольких точках. Чтобы в случае облавы в самих клубах ничего не нашли, они с Эвелиной держали весь товар в машине. В том самом красном «Мини-Купере», который Никита Бу подарил Джи за молчание. Когда в клуб приходила клиентка, подельник Безмернова Вячеслав Лампов — бармен Славик — устраивал шоу бутылочек, как оно там называется...

— Флейринг?

— Точно. Диджей включал специально заготовленный на этот случай трек. Это был знак для Безмернова идти за товаром. Развлекались так. У «Купера» было три комплекта ключей: один — у Эвелины, один — у Безмернова, один — у Славика. Когда Безмернов упал под поезд, Лампов решил продолжать общее дело в одиночку: влез в машину, забрал оттуда всю Веточку и, не заморачиваясь, отогнал «Купер» на парковку ТЦ «Столица», а Веточку стал держать прямо в баре. Группу «Nасвязи» он, конечно, не вёл и вообще бизнесменом был неаккуратным. Девушки в «40К» обсуждали «Коня» как последнюю точку в Москве. Кирилл туда наведался, ну и накрыл этого Славика с остатками Веточки. Тот ему всё сразу и выдал. С Пашей напрямую он не общался, кто такой Химик — знать не знал. Да и не хотел — боялся его как огня. Так что и этот поток мы перекрыли.

— Скорее жалкий иссыхающий ручеёк.

— Ага. Теперь уж «40К» точно загнётся.

— Слушай, то есть получается, — Дэн на мгновение перестал её стричь, — что дочка Вертмана умерла от разработок своего отца. Вот ведь судьба! Ужас!

— Нет, Дэнушка. Её убили грязные таблетки Гнищина, который возомнил, что равен своему учителю. Но в чём-то ты прав... — Инга вытащила руку из-под простыни, взяла сигарету.

— Не кури здесь!

— Я вот о чём всё чаще думаю... — Инга затянулась и выпустила клуб дыма. — Судьба в том, что Вертман — великий учёный, он своей формулой хотел помочь людям. Но вот кому эти таблетки доставались? Тем, кого жизнь и общество выбросили на обочину и держали в чёрном теле — неустроенным мужикам, которым дали автомат и отправили воевать черт-те куда, за деньги или за идею — неважно, потому что по сути это одно и то же, только обёртка разная. Или молодым девчонкам, которые ради внимания окружающих, да тех же мужиков, только с деньгами, сходят с ума от чужих стандартов красоты, готовы не жрать, подсесть на химию и сдохнуть. Вместо счастья и избавления от страданий — сплошной круг насилия над личностью.

— Ну, это ты загнула, Белова! Не вздумай в Думе такое говорить. Если что, скажу, тебя не знаю. Пусть со своим депутатом Петряевым разбираются.

— Петряев-то исчез опять. — Инга бросила окурок в стакан с водой. — Я уверена, что смерть Арега на нём висит.

— Это только твои догадки?

— Ну, сам подумай. Сделка по купле-продаже клиники происходит за несколько часов до смерти Агаджаняна. А на следующий день после его убийства ко мне в квартиру вламывается телохранитель Петряева в поисках флешки с компроматом.

— И ведь опять уйдёт.

— Ну, хотя бы у него сейчас не очень радужные времена. Vitaclinic прикрыли, цех в Барсучьем — тоже, уголовное дело по таблеткам не замнёшь: я его на всю страну раструбила. Партнёры его не очень довольны, не сомневаюсь. А ребята они серьёзные. Самое время Петрушке снова валить за кордон. Тут другое интересно.

— И что? — Дэн отошёл на пару шагов, как художник, который оценивает свою картину.

— Кирюхе нашему Архарову позвонили вчера и сказали, что внутреннее расследование закончено и он может возвращаться на работу. Так что дело было явно не в жалобе педофила. Нет Петряева — нет дела.

— Кстати, как там наш Холодильник себя чувствует?

— Знаешь, ничего. Ожоги заживают, порезы уже зажили. Рвётся на работу, извела в больнице весь персонал. Периодически рыдает: невиновность Вертмана стала для неё огромным потрясением.

— В положительном смысле, надеюсь?

— Конечно!

— Ничего, скоро выпишут, вернётся обратно к своим возлюбленным трупам. Слушай, — Дэн сделал театральную паузу, — как ты догадалась, что это был Гнищин? Я так и не понял. Расскажи мне, пока мы тут одни.

— Если конспективно, то пуговица и сахар.

— Ты даже до ста сорока знаков не дотянула. Давай подробности!

— Тогда лови лонгрид. Я после пожара хотела статью написать. — Инга задумалась. — Вертман вроде признался, мотивы налицо, а в голове всё равно не складывается. И вот сижу я перед телевизором, тупо смотрю какой-то Fashion-канал. И вдруг — на одной из моделей вижу костяную пуговицу, продолговатую такую, на толстом шнурке. И у меня как щёлкнуло! У Безмернова, когда он под поезд упал, были точно такие же на куртке. И одну так и не нашли. И вот представь: я вдруг вспомнила, что тогда на маскараде, в ночь смерти Лиды, Паша суетился вокруг тела и вертел в руках... именно эту пуговицу!

— Охренеть!.. — присвистнул Дэн. — По такой мелочи?..

— Нет! — перебила Инга. — Она для меня отправной точкой стала. Дальше я уже думала по накатанной.

— Ну, всё равно, эта улика с натяжечкой, я бы сказал. — Дэн специально подзадоривал её.

— Слушай дальше! — Инга хлопнула себя по коленям. — Когда я познакомилась с Павлом, он ругал Лиду за то, что та забыла купить сахар. Тихонова ещё потом объяснила: у него давление низкое, голова часто болит, поэтому он чай пьёт исключительно с сахаром. Засела в голове почему-то эта деталь. А в Барсучьем я подслушала разговор двух работников, которые халтурили по ночам. И они говорили про сахар и Химика. Я тогда подумала, что им нужен сахар для каких-то опытов, а уже потом вспомнила этот Пашин пунктик с сахаром. Так у меня окончательно сошлось, что Химик — это он, а не Вертман. Ну и серёжка Эвелины, конечно.

— Крутяк, Белова! И ты полезла в логово убийцы в босоножках и с коктейльной сумочкой.

— Я честно хотела подождать Кирилла, правда! Но, когда телефон поймал ту же сеть вайфай, что и рядом с цехом в Барсучьем, я вдруг поняла, что, если тупо просижу на качелях на детской площадке, время может уйти.

— И была права, — торжественно закончил Дэн, — ты спасла жизнь старушке с непроизносимым именем!

— Она сама оказалась не промах. — Инга улыбнулась, вспомнив лукавое выражение лица Серафимы Викентьевны. — Обожаю таких женщин!

— И что теперь будет с Гнищиным?

— Пожизненное, наверное, — удовлетворённо сказала Инга. — Слушай, а сзади не коротко?

— Ты сама сказала — радикально.

— Но не настолько же!

— Сиди и не дёргайся! Такая стрижка — это прям твоё. Давно мечтал эти кудри обкромсать. Щаз громко будет. — Дэн включил фен, сдувая с неё волоски.

Инга рассматривала себя. Она замирала от предвкушения, как восторженно поползут вверх Катькины брови, как ахнет мама.

— Любуешься? — самодовольно спросил Дэн. — Подожди, я ещё не уложил.

Он сосредоточенно жужжал феном.

— Как Катьке новая обстановочка? — спросил он через какое-то время.

— Привыкает. Эдик мне очень помог, конечно, но я хочу кое-что переделать. — Она говорила тихо, не пытаясь перекричать фен. — Теперь, надеюсь, у меня будет свободное время, можно и ремонтом заняться.

— Ну, вот и всё. — Дэн поправлял ей пряди у лба. — Отпадно же, сознайся?

— Сойдёт для сельской местности. — Инга покрутила головой, потрогала затылок. — Блин, а приятно-то как!

— А то!

— Спасибо, — она поднялась, разминая затёкшие ноги, — в следующем видеоблоге обязательно скажу: стрижка Дениса Лазутина.

— Стайлинг, — поправил Дэн, — стрижка, кто щаз так говорит! Деревня!

— Всё, побежала, — Инга оставила купюры на туалетном столике, — новый имидж обнашивать.

— Стой-стой-стой! — Дэн поймал её почти у дверей. — Что-то ещё хотел у тебя спросить. А! Туми! Неужели Туми — это тоже Гнищин? Чем ему певица-то помешала?

— А вот с Туми странно. — Инга застыла, знакомое выражение мелькнуло на её лице. — Паша охотно говорит и про Эвелину, и про Безмернова, и про Лиду, даже про свои кошмары о потерянной голове, а вот убийство Туми отрицает наотрез. Конечно, кто его будет слушать: сейчас на него повесят всё, но — действительно, зачем Паше было убивать Тумишеву? Я про это всё время думаю... Мы ж ещё тогда с Кириллом поссорились, я над ним издевалась, что не может быть двух разных дел подряд с отрубанием голов, а он орал на меня, что два этих убийства настолько не похожи, что походу действительно не связаны между собой... И мне кажется, что он прав: почерк... почерк совсем другой.

Она рассматривала расставленные на комоде сувениры.

— У тебя есть шахматная доска?

— Чё?

— Доску тащи.

Дэн послушно открыл шкаф, встал на цыпочки, чтобы дотянуться до верхних полок:

— У меня настоящая есть, деревянная, от деда досталась. Вспомнить бы где...

Он зацепил прямоугольную коробку, плюхнул на журнальный столик, смахнув пыль:

— Вот она, родимая!

Инга сдвинула вбок медные крючочки:

— Расставляй.

— Ты же спешила куда-то. — Дэн не без удовольствия доставал из бархатной утробы доски чёрные и белые фигуры. — Передумала? Я в детстве шахматы очень любил. Великая игра.

— Ты их правильно ставишь? — напряжённо спросила Инга.

— Канешн! — Дэн любовно оглаживал ферзя. — Начинать расстановку всегда нужно с белых, они на первых двух рядах. Чёрные всегда на последних цифрах — основные фигуры на восьмом, пешки...

— На седьмом, — закончила за него Инга. — Дэн, милый, чёрные пешки всегда стоят на седьмом ряду? Это точно?

— Точно... вроде. — Дэн растерялся от её взволнованного тона.

— У Ларисы, труп которой нашли два года назад, в желудке был кубик, — медленно произнесла она. — Все грани на нём были срезаны, кроме цифры пять. У Куприянова, которого обнаружила Катя прошлой осенью во время ночной игры, в кармане была игральная карта: шестёрка пик.

Дэн напряжённо смотрел на неё.

— У Туми на тумбочке стояла чёрная пешка. А шахмат-то не было... Дэн, Туми — седьмая!

ЭПИЛОГ

Когда я дохожу до слов «чаю воскресения из мертвых и жизни грядущего века», я вспоминаю наш единственный разговор с матерью о вере. Были мы тогда у деда на кладбище, мне лет шесть, я стоял у креста и рассказывал ему что-то, обращаясь к земле.

«Эх ты, — вздохнула мать, — и не знаешь, что крест в ноги ставят. Чтобы дед мог встать в день Страшного суда и, взявшись за крест, идти вслед за Спасителем».

«А те, у кого нет креста или вообще нет могилы, как они встанут?»

«А никак. Вот потому и надо всех хоронить по-людски, чтоб спаслись. Сынок, давай выпалывай, а то вон оно как заросло».

Выходит, не дождалась мать положенного ей креста — ушла в воду?

Я всё думаю, как же это так: верила она, верила — и вдруг разуверилась? Спросить бы мне её тогда, в детстве: через что она веру обрела? Каким органом чувств её чувствовала? Ну не мозгами же. Мозги только сытой жизни хотят и добро на весах взвешивают: тут недодали, тут обвесили, эй, кто начальник в этой жульнической лавке? Да если б мать умом жила, она бы батю давно бросила. А Виталька? Через что он обрёл? Что ему такого пообещали, что он отрёкся от Бога нашего? Я когда думаю о нём, по большей части его Ахметом называю,

Виталькой — изредка. Мать — самоубийца, Виталька — шахид, единственные дорогие мне души будут в вечной жизни не со мной рядом. И каким судом их будут судить, мне неизвестно.

И так мне стало невмоготу от этих мыслей! Всё стало до лампочки, как сугроб навалился. Сидел, дышал и ничего не мог больше делать. А потом незаметно и продышал в том снегу дыру: не могла мать по доброй воле уйти из жизни! Я не видел, и не было этого, точка. Может, оставшись одна, она пожелала смыть грехи и освободиться для жизни вечной? Или что-то типа того. А там её течением унесло. Плавала она неважно. Да, так и было. И я, конечно, встречусь с ней.

И тогда я понял, что веру нельзя обрести или принять, её нельзя выбрать по желанию — её можно только продышать. Когда совсем тебя скрутит.

Сегодня ни свет ни заря поехал Хозяин в Зачатьевский на службу. Там в шесть утра монахи служат, мирян нет, вот он с ними и стоит, в костюме, при галстуке. Пока он исповедовался, служка подкатил ко мне кресло-каталку со старухой монахиней в клобуке.

— Подведи меня к иконам, — приказала она.

С трудом на ноги поднялась. Все лики обошла, опираясь мне на руку, ко всем губами приложилась. Когда опустилась обратно в кресло, сказала мне строго:

— Зачем чужой грех задумал на себя брать?

Вот откуда она знает?

Мы вышли из монастыря в восьмом часу утра. Солнце палило, забеляло дома и крыши. Хозяин снял галстук. Вид у него был придавленный, будто доклад, который он только что прочитал, не вызвал аплодисментов. Включил мобильный телефон и выругался.

— Вот же ж гниды, ни дня без сюрпризов.

Мы сели в машину.

— Домой, — приказал он водителю и всю дорогу матерился, разговаривая сам с собой. Ему позвонили, и он опять матерился, скоро и сухо: — Ты мне, Геннадий Петрович, тут условия не выдвигай. Я сказал, пока нет. А мне пох, найди выход из положения. А как ты раньше работал? Ничего, потерпишь. И мясо потерпит. Нет, завтра ничего не решится. Звони через неделю. Бывай.

Мы заехали в ресторан, он заказал баранину и хачапури, долго и лениво жевал, пил лимонад, бесконечно включал и выключал телефоны наспех вытертыми пальцами. Потом встал под кондиционер, закрыл глаза и так простоял минуты три, шевелил губами и хмурился.

Домой мы приехали в полдень, он поднялся в кабинет, велел принести ему воды, в тишине дома было слышно, как он кашлял и выдвигал ящики секретера.

Чужой грех — так и застряло у меня в ухе, острым камушком перекатывается. Как только эта монахиня учуяла? Или Сам нашептал? Но Ему ли не знать — не Тамары это грех, не надо ей взваливать на себя такое. Если по-чесноку, то он только мой, самый что ни на есть. Я ни разу ему не противился. Как там мать шептала: «Не точию сами творят, но и соизволяют творящим! Яко таковая творящи достойны смерти суть!» На мне пусть и кончится.

— Мангуст! Мангуст, ты что, оглох, не слышишь, что зову? — Хозяин стоял на верхней ступени лестницы. — Дома нет никого, что ли? Найди мне таблетку от головы, жарища чёртова, сдохнуть можно! — Он хлопнул дверью кабинета.

Никаких особенных ощущений у меня не было. Одним больше, одним меньше. А там посмотрим. Я поднялся в кабинет и остановился в дверях, ожидая, что он посмотрит на меня. Он нетерпеливо обернулся — я вытащил «глок» и отправил пулю ему в голову. Она вошла прямо в центр креста, начертанного елеем у него на лбу.

Через окно я услышал сигнал автомобиля — прибыл заказ продуктов. Я открыл с пульта ворота и сделал знак водителю, чтобы разгружался.

Потом закинул за спину рюкзак, забрал из сейфа паспорт и военный билет и зашагал в сторону станции. Прибыла электричка, и я вместе с дачниками, среди корзин и велосипедов, вошёл в жаркий переполненный вагон.

ОГЛАВЛЕНИЕ

Глава 1 5
Глава 2 16
Глава 3 23
Глава 4 32
Глава 5 43
Глава 6 50
Глава 7 59
Глава 8 70
Глава 9 84
Глава 10 91
Глава 11 113
Глава 12 126
Глава 13 135
Глава 14 143
Глава 15 147
Глава 16 163
Глава 17 178
Глава 18 194
Глава 19 209
Глава 20 220
Глава 21 232
Глава 22 246
Глава 23 260
Глава 24 278
Глава 25 293
Глава 26 299
Глава 27 314
Глава 28 324
Эпилог 346

Литературно-художественное издание

ТАТЬЯНА ТОЛСТАЯ РЕКОМЕНДУЕТ. НОВЫЙ ДЕТЕКТИВ

Мария Долонь

#В_ЧЁРНОМ_ТЕЛЕ

Ответственный редактор *Ю. Селиванова*
Младший редактор *И. Кузнецова*
Художественный редактор *С. Власов*
Технический редактор *Г. Романова*
Компьютерная верстка *Л. Паниной*
Корректор *Е. Захарова*

В оформлении переплета использованы иллюстрации:
mazura1989, Valenty / Shutterstock.com
Используется по лицензии от Shutterstock.com

ООО «Издательство «Эксмо»
123308, Москва, ул. Зорге, д. 1. Тел.: 8 (495) 411-68-86.
Home page: www.eksmo.ru E-mail: info@eksmo.ru
Өндіруші: «ЭКСМО» АҚБ Баспасы, 123308, Мәскеу, Ресей, Зорге көшесі, 1 үй.
Тел.: 8 (495) 411-68-86.
Home page: www.eksmo.ru E-mail: info@eksmo.ru
Тауар белгісі: «Эксмо»
Интернет-магазин : www.book24.kz
Интернет-дүкен : www.book24.kz
Импортёр в Республику Казахстан ТОО «РДЦ-Алматы».
Қазақстан Республикасындағы импорттаушы «РДЦ-Алматы» ЖШС.
Дистрибьютор и представитель по приему претензий на продукцию,
в Республике Казахстан: ТОО «РДЦ-Алматы»
Қазақстан Республикасында дистрибьютор және өнім бойынша арыз-талаптарды
қабылдаушының өкілі «РДЦ-Алматы» ЖШС,
Алматы қ., Домбровский көш., 3а», литер Б, офис 1.
Тел.: 8 (727) 251-59-90/91/92; E-mail: RDC-Almaty@eksmo.kz
Өнімнің жарамдылық мерзімі шектелмеген.
Сертификация туралы ақпарат сайтта: www.eksmo.ru/certification

Сведения о подтверждении соответствия издания согласно законодательству РФ
о техническом регулировании можно получить на сайте Издательства «Эксмо»
www.eksmo.ru/certification
Өндірген мемлекет: Ресей. Сертификация қарастырылмаған

Подписано в печать 15.10.2018. Формат 84х108 $^1/_{32}$.
Гарнитура «Literaturnaya». Печать офсетная. Усл. печ. л. 18,48.
Тираж 4000 экз. Заказ № 10064.

Отпечатано с готовых файлов заказчика
в АО «Первая Образцовая типография»,
филиал **«УЛЬЯНОВСКИЙ ДОМ ПЕЧАТИ»**
432980, г. Ульяновск, ул. Гончарова, 14